ÉTUDES

DE

CRITIQUE ANCIENNE ET MODERNE.

ÉTUDES

DE

CRITIQUE

ANCIENNE ET MODERNE

PAR

MAURICE MEYER

ANCIEN PROFESSEUR SUPPLÉANT AU COLLÉGE DE FRANCE,
PROFESSEUR DE LITTÉRATURE ANCIENNE A LA FACULTÉ DES LETTRES DE
POITIERS,
MEMBRE CORRESPONDANT DU COMITÉ DES TRAVAUX HISTORIQUES
AU MINISTÈRE DE L'INSTRUCTION PUBLIQUE.

PARIS

FIRMIN DIDOT FRÈRES, ÉDITEURS,

Imprimeurs-Libraires de l'Institut de France,
RUE JACOB, 56

1850

PRÉFACE.

———

Ce livre n'est pas autre chose qu'un mélange de travaux déjà publiés et de morceaux inédits. Les lettres anciennes et modernes y tiennent chacune leur place : les premières occupent la plus grande, parce qu'elles me sont restées les plus chères, et font encore aujourd'hui l'objet favori de mes fonctions et de mes recherches persévérantes.

Je m'étais proposé de faire paraître d'abord le second volume de mes *Études sur le théâtre latin* (1), pour satisfaire à mes promesses et au désir que m'ont exprimé quelques personnes. Mais ce désir même m'a rendu plus difficile pour mon œuvre. J'ai pensé que je ne pouvais désormais livrer aux hasards de la publicité et aux périls de la critique sérieuse la suite de mes *Études*, après l'accueil et les suffrages honorables qu'avait reçus la première partie. Déjà les articles qu'a bien voulu me consacrer M. Patin dans le *Journal des Savants* (2) m'avaient encouragé et retenu tout à la fois. Il y a des éloges qui imposent et des critiques qui obligent.

J'ai donc voulu répondre aux uns et faire mon profit des autres, en remettant sur le métier mon second volume d'*Études*, destiné à compléter le tableau de la scène comique et de la famille chez les

———

(1) Le premier a paru en 1847, in-8°, chez Dezobry et Magdeleine, rue des Maçons-Sorbonne, 1.
(2) Voir les numéros de septembre 1848, avril, juin 1849. — Cf. *Revue des Deux Mondes*, 1er février 1848.

Romains. Il suivra d'assez près, je l'espère, la publication d'aujourd'hui.

En attendant que j'aie pu le rendre plus digne de moi-même et de mes juges, je donne cette fois au public le résumé de mes travaux antérieurs. Ce sont comme mes *juvenilia*, dont je réunis le bagage avant de me tourner vers d'autres autels, et de me vouer à des dieux plus sévères. Il y a un moment dans la vie où il faut clore le passé et rassembler, pour déblayer la place, les matériaux qui ont servi à élever quelques ouvrages. Il y a une heure où il faut rompre définitivement avec la jeunesse, et redire ce vers du poète qui pourrait servir d'épigraphe à mon livre :

Claudite jam rivos, pueri, sat prata biberunt.

20 septembre 1849.

DÉMOSTHÈNES ET SES TRADUCTEURS.

———

On s'est rarement demandé ce que serait devenue la gloire de Démosthènes, sans sa haine acharnée contre Philippe et contre un ou deux particuliers. Cependant il n'a pas fondé sa renommée par ses plaidoyers contre Onétor, Onésicritus, Phormion, et contre tant d'autres dont les noms se sont oubliés avec ses discours. Démosthènes ne sait pas louer, on l'a dit déjà : son talent s'élève par la colère et l'invective. Qu'il ait à montrer Athènes descendue, par sa faiblesse, au-dessous d'elle-même, ou Philippe toujours prêt à tomber sur cette proie que veut lui arracher le patriotisme de l'orateur, il saura déployer la force de Thucydide, la rigueur de dialectique ou l'élévation de sentiments dont il a trouvé le secret dans Platon, l'âpre véhémence qui fait partie de son propre génie. Mais qu'on suppose, au temps de Démosthènes, la Grèce aussi forte que sous Thémistocle, Athènes vertueuse, telle que Démosthènes l'a tant de fois montrée aux yeux d'Athènes dégénérée; qu'on se rappelle Démosthènes forcé de s'adoucir un instant pour aller en ambassade auprès de Philippe; qu'après Chéronée enfin, lorsque, à la voix du grand orateur, Thèbes et Athènes ont repris une ardeur nouvelle, Alexandre tout à coup paraisse en Béotie; Démosthènes ne sera plus lui-même, il balbutiera devant Philippe, fuira devant Alexandre (1); il aura perdu les plus belles occasions pour son éloquence.

Mais Athènes était bien changée. Le pouvoir que Solon avait donné aux lois était usurpé depuis longtemps par des hommes vains et ambitieux; les républiques de la Grèce étaient trop nombreuses pour rester pures; trop différentes de situation, de mœurs, d'origine, de forces surtout, pour ne pas devenir rivales. D'ailleurs cette organisation vicieuse, qui donnait à une république la suprématie sur les autres, détruisait de fait l'égalité, qui est le premier principe de leur existence. A Athènes, ces élections annuelles de dix généraux, dont Philippe se raillait si jus-

———

(1) Plutarq., *Démosth.*, xxvii.

tement, provoquaient les ambitions, et faisaient sortir de la foule des démagogues nouveaux. L'administration de Périclès, qui, avec le goût des jeux et des plaisirs, avait répandu et fait rechercher l'argent, avait fini par faire aimer sa mollesse même à ce peuple déjà énervé (1). Enfin, le conseil amphictyonique, qui avait maintenu si longtemps entre toutes ces villes un lien politique et religieux, s'était aussi laissé corrompre : là, comme à Athènes, l'éloquence était devenue l'instrument de la fourberie. La Grèce était donc déchue de sa grandeur ; et Philippe, depuis sa première tentative sur les Thermopyles jusqu'à la bataille de Chéronée, avait montré qu'il y a plus de véritable force dans une monarchie intelligente que dans des républiques divisées.

Au milieu de ce peuple qui aimait l'inaction, l'élégance du langage et les flatteurs, et qui cependant supportait assez bien, dit Plutarque, les railleries et le blâme, Démosthènes fut un contraste frappant. Son caractère grave et ordinairement taciturne, sa vie austère, ses persévérantes études, l'avaient déjà fait remarquer. Les envahissements successifs de Philippe, l'abaissement graduel de la Grèce, la perfidie de quelques orateurs vendus, donnèrent l'essor à sa colère et à son éloquence. Ses harangues furent de grandes leçons de dignité et de courage données à ses concitoyens, mais des leçons données sous la forme la plus séduisante pour eux, dans un langage nerveux et admiré. Ce contraste même d'un orateur qui, sous tant de rapports, se voyait si peu semblable aux autres orateurs et aux autres Athéniens ; cette différence effrayante entre l'apathie des Grecs et l'activité macédonienne, en stimulant sans cesse le génie de Démosthènes, furent une des causes principales de ses succès. C'est ainsi, sans doute, qu'il faut expliquer ce mot de Théophraste sur lui, quand il disait : *Il est digne de sa ville!*

Les Discours de Démosthènes ont été traduits dans toutes les langues et dans tous les pays. Ils l'ont été en France aussi ; mais, en France, la traduction de Démosthènes n'avait jamais rencontré jusqu'ici d'interprètes heureux. Les longues périodes de l'orateur, qui, dans l'origine, avaient choqué ses auditeurs (2), et qui, plus tard, mieux nuancées par la voix et le geste, éclataient avec la rapidité de l'éclair, peuvent difficilement se rendre dans notre langue, où la prolixité exclut ordinairement la vivacité. Après Tourreil et Millot, la traduction la plus répandue en France était celle d'un savant qui avait commencé par être professeur de rhétorique au collège de Rouen, de l'abbé Auger. Mais, depuis longtemps, son travail, aux yeux des hellénistes, a plutôt le mérite d'être complet qu'exact. La vivacité du tour et de l'expression dans Démosthènes, ces phrases pleines et nerveuses qui portent encore plus de pensées que de mots, n'ont trouvé, dans l'abbé Auger, qu'un interprète languissant et incorrect. L'impétuosité de Démosthènes a disparu en grande

---

(1) Bœck., *Économ. politiq.*, *Athén.*, II, 13, et *passim*. Demosth., *Olynth.*, II
(2) Plutarq., *Démosth.*, VI.

partie sous un style compassé qui viole, en quelques endroits, les règles de notre langue, et souvent l'exactitude du sens. Ce n'est plus un grand citoyen qui plaide avec chaleur la cause de l'honneur et du passé glorieux des Grecs ; on n'entend plus rugir la bête fauve, comme disait Eschine ; cette distance, qui frappe, entre l'ardent patriotisme de l'ora- teur et l'inertie athénienne, est comblée, dans la traduction française, par une uniformité de ton où l'on ressent plus souvent la gêne du copiste que l'esprit de l'original. Certainement, si les Athéniens avaient entendu ces exhortations monotones, ils n'auraient jamais secoué leur long som- meil pour aller mourir bravement en face de Philippe ; et Démosthènes, ainsi transformé, eût été pour eux ce que fut Pythagore pour ces jeunes gens dont parle l'antiquité. Transportés par les sons enivrants d'une flûte, ces jeunes insensés se disposaient à porter la violence et le déshon- neur dans une maison respectable : Pythagore parvint à les calmer, en faisant changer le mode de l'instrument en une mesure grave et modé- rée (1). En un mot, la traduction d'Auger a surtout servi à démontrer mieux encore ce qu'il faut d'art et d'études pour maîtriser notre langue, pour la rendre aussi souple que le génie grec, aussi agile que les mouve- ments de Démosthènes.

Après M. Plougoulm, qui a traduit le discours de la Couronne, l'abbé Jager a corrigé quelques fautes et éclairci quelques passages. Mais son livre n'est pas complétement de lui, bien qu'il porte son nom, et il a eu le tort, pour une œuvre aussi sérieuse, de charger de la traduction de quelques parties de médiocres hellénistes. Il ne suffit pas d'avoir retouché quelques-unes de leurs phrases ou de leurs fautes, ajouté quelques notes, pour croire qu'il a ramené l'unité dans sa traduction, et effacé toutes les taches. Chaque plume a son style ; on n'en emploie pas impunément plu- sieurs pour traduire un seul homme, surtout quand il s'agit de Démos- thènes. D'ailleurs l'ouvrage de M. Jager pourrait être plus mûri ; ses études de l'orateur grec, qui semblent un peu précipitées, expliquent en partie certaines négligences de la traduction et le peu de retentissement qu'elle a eu.

Aujourd'hui enfin, nous avons une traduction importante des Discours du grand orateur, faite par un esprit distingué que ses remarquables tra- vaux sur Horace, que surtout ses habitudes du haut enseignement de la littérature grecque semblaient destiner à une pareille tâche. Choisissons tout de suite dans M. Stiévenart, pour le juger, le discours le plus dif- ficile et le plus fameux de Démosthènes, le discours sur la Couronne, celui où se réunissent ses passions d'orateur politique et d'orateur privé. Il s'agit à la fois, pour Démosthènes, de prouver qu'il a été bon citoyen, orateur intègre, dans une ville qu'il vient d'entraîner à sa perte, et de réfuter victorieusement un rival corrompu, habile, dont l'éloquence se fortifiait encore de la dernière victoire de Philippe. On sait que Démos-

_____

(1) Quintil., *Instit. orator.*, I, 2.

thènes le fit avec un si prodigieux succès, qu'il trouva, à Rhodes même, un apologiste dans son adversaire.

Essayons d'analyser l'œuvre sérieuse du nouveau traducteur, et, sans commenter, à ce sujet, les observations de Longin, Lucien, Quintilien, Fénélon, et les travaux de la critique moderne, renfermons-nous d'abord dans la lettre même du texte, en comparant quelquefois la traduction nouvelle à celle de M. Auger (1788), la plus répandue jusqu'ici. — On voit, dès l'exorde même, que M. Stiévenart a commencé par dégager le style de Démosthènes des longueurs dont on l'avait surchargé. Après avoir eu soin de conserver, au début, dans cette belle invocation adressée aux dieux, les longues périodes si nécessaires à la gravité du ton, il a coupé en phrases concises les périodes trop longues, et rendu le mouvement au style. Dans les considérations préparatoires qui précèdent la proposition, cette phrase : « ἵνα μηδεὶς ὑμῶν τοῖς ἔξωθεν λόγοις ἠγμένος, ἀλλοτριώτερον τῶν ὑπέρ τῆς γραφῆς δικαίων ἀκούῃ μου, » est traduite par Auger : « de peur que quelqu'un de vous, prévenu par des calomnies étrangères au procès, ne soit moins favorable au fond même de la cause. » On retrouve là ces circonlocutions qui gâtent tout, familières à M. Auger. M. Stiévenart, avec une justesse et une concision parfaites, traduit : « afin que nul de vous, entraîné par ces écarts, ne m'écoute avec prévention sur l'accusation elle-même. »

Plus loin, le passage où Démosthènes se montre comme le but réel des attaques qu'Eschine dirige sur Ctésiphon, est complétement nouveau et plus vif dans M. Stiévenart :

« Me voyait-il coupable (Auger : supposé donc qu'il me vît commettre, etc.) de l'une de ces prévarications que vient d'énumérer le calomniateur, ou de tout autre attentat? Sur chaque point, nous avons lois, procédure, justice répressive, châtiments sévères : il pouvait se servir de toutes ces armes contre moi. S'il l'eût fait, s'il eût suivi cette marche, l'accusation actuelle s'accorderait avec sa conduite passée. (Auger : et par là il aurait mis les juges à portée de confronter les accusations avec les faits : ὡμολογεῖτο ἄν ἡ κατηγορία τοῖς ἔργοις αὐτοῦ. (Contre-sens.) De plus, c'est moi qu'il accuse : κατηγορεῖ μὲν ἐμοῦ, et c'est Ctésiphon qu'il défère en jugement. (Auger : c'est à moi qu'il en veut (contre-sens), et c'est Ctésiphon qu'il accuse.) Sur tous les points de ce procès, il arbore, προΐσταται, sa haine contre moi; et lui, qui ne m'a jamais attaqué de front, vous le voyez chercher à frapper un autre de mort civile. (Auger : mais, pour me perdre, il cherche à en diffamer un autre qu'il serait facile de tirer d'embarras. ») (C'est une transition à l'idée suivante, complétement de l'invention d'Auger.)

Il faut louer aussi le tableau de la paix astucieuse faite par Philippe avec Athènes, morceau animé que Démétrius de Phalère, Quintilien, etc., ont loué à l'envi dans l'orateur grec, et que le traducteur nous a rendu avec toute l'énergie de l'original. C'est bien là le Philippe que, dans sa fougue, Démosthènes nous montre « prodiguant l'or aux traîtres de chaque pays , remuant tous les peuples, les lançant les uns contre les autres ; puis, de leurs fautes, de leurs imprudences, se faisant des armes' et grandissant pour les écraser tous. » Nous pourrions accumuler ici les citations : il vaut mieux nous borner à indiquer les plus importantes. Ainsi, nous ferons remarquer le passage où sont dépeints la mauvaise foi de Philippe, et les retards calculés qu'il met à la ratification du traité avec Athènes ; cette phrase qui résume aussi vivement que le grec les ruses du Macédonien et la haine de l'orateur d'Athènes : « Tel fut , dans cette ambassade, le premier tour d'escamotage de Philippe , le premier trafic de ces traîtres ennemis des dieux. Aussi, je le déclare, dès lors je leur fis la guerre : guerre aujourd'hui , guerre à jamais! » Citons aussi la forme du décret, dont la fin : εἶπε Καλλισθένης Φαληρεὺς, est traduite par : Proposé par Callisthènes de Phalère, et qu'Auger rend d'une manière beaucoup trop française, par : Signé : Callisthènes ; le récit des enva· hissements de Philippe et du rôle que jouèrent et que devaient jouer alors les Athéniens, peinture chaleureuse dans M. Stiévenart, où le style est aussi élevé que la pensée ; et enfin ce morceau de la prise d'Élatée , tant admiré par Longin , et où les autres traducteurs avaient laissé tant à refaire.

Après ces justes éloges, nous sera-t-il permis de rechercher les fautes au milieu d'heureuses qualités? C'est le devoir d'une critique consciencieuse, et M. Stiévenart est trop haut placé dans notre estime pour que nous lui cachions quelques taches légères.

Il a cherché à reproduire, avec l'ordre des idées grecques, la précision et la libre allure du modèle. Il a réussi souvent ; mais n'a-t-il pas échoué quelquefois? Ainsi le procédé de traduction qu'il emploie le plus fréquemment pour donner au style français la liberté du génie grec, consiste à mettre sous forme d'interrogation ou d'interjection les pensées de Démosthènes. Cela donne du mouvement à la phrase, et le mouvement , nous le savons , est la vie du discours ; mais , trop répété, le mouvement ressemble au désordre ou produit la monotonie. Pour ne rien citer de particulier, il n'est presque pas un paragraphe de cette traduction où l'on ne trouve plusieurs de ces phrases courtes avec interrogation ou interjection, et souvent pour traduire des périodes longues et affirmatives du texte. Cela nous paraît l'abus d'une qualité à laquelle nous avons rendu justice plus haut. Le besoin d'être exact, qui apparaît en tant d'endroits, semble, dans quelques-uns, avoir fait oublier au traducteur les convenances de notre langue. Ainsi, « il n'y a point parité aujourd'hui entre *moi* , déchu de votre bienveillance, et *lui* , ne gagnant pas la cause , » nous paraît plus exact, mais moins élégant que cette phrase d'Auger : « je risque bien plus à déchoir de votre bienveillance que lui à ne pas triompher de son accusation. » Ailleurs, nous lisons : « grâce à ces *réfractaires à* mon décret ; » et « *se livre comptable au temps.* » L'auteur est-il bien français, quand il nous déclare Athènes *invaincue* (1)?

(1) On ne trouve ce mot qu'en vers, dans Ronsard et dans Corneille.

Est-il clair dans ce passage : « Eschine le savait aussi bien que moi, et il a préféré l'invective à l'accusation. Toutefois il n'est pas juste qu'il se retire, *ayant ici la moindre part*. *J'y* arrive à l'instant; encore cette question. » — Quelquefois on rencontre certains mots trop familiers ; *philippiser*, par exemple, est un néologisme ingénieux, devenu une expression sérieuse pour les Grecs, mais pas encore pour nous. Le traducteur l'a cependant employée sérieusement dans une harangue grave, rapportée par Démosthènes. Nous en dirons autant du mot « *troquer* contre le plaisir si doux, etc., » qui nous semble mal choisi ici ; et *ne bougez*, qui est plus trivial que concis. L'auteur, nous le savons, a voulu reproduire le mot propre et familier, tel que Démosthènes l'emploie si habilement pour donner une énergie de plus à son langage ; sa traduction y a réussi souvent ; dans les passages que nous venons de citer, elle nous semble avoir dépassé le but. Nous croyons en trouver la cause dans le caractère différent des deux langues. En Grèce, on tenait encore plus à la forme qu'au sentiment, et les invectives grossières de Démosthènes n'ont nui en rien à l'admiration qu'il a excitée. Dans notre langue, le choix des mots et la noblesse du sentiment ne se séparent pas; il faut qu'ils se fassent valoir réciproquement.

Le mot προαίρεσις, que l'orateur emploie si souvent, et dans des acceptions si diverses, nous paraît imparfaitement rendu ici : « Son agression a pour *bases*, etc.; » Auger dit *motif*, qui n'est guère meilleur. Nous proposerons le mot *parti pris*. Le verbe προαίρειν est-il plus heureusement traduit dans cette phrase : « Si donc nous *inclinons* aujourd'hui, etc.? » Nous ne le pensons pas. Enfin, κακῶς ἐφρόνευν, dans un passage que nous avons cité déjà, nous semble plutôt signifier *malveillance* qu'*imprudence*.

Tout est important dans un travail consciencieux. Les notes nombreuses et savantes que M. Stiévenart a mises à la suite de son travail méritent aussi notre examen. La plupart sont puisées aux meilleures sources, dans Dobson, qui est si complet à cet égard, dans Reiske, Jacobs, etc. L'auteur en a ajouté plusieurs qui sont entièrement de lui, et une table bien faite des variantes principales du texte. C'est dans ce travail d'érudition, où se montrent d'ordinaire les véritables ressources d'un traducteur, qu'on voit tout ce que les traductions précédentes avaient laissé à faire, tout le parti qu'une interprétation française, intelligente, comme celle dont il s'agit ici, pouvait tirer des travaux de la philologie moderne.

Parmi les notes qui appartiennent à M. Stiévenart, on retrouve la trace de ses premières études dans d'heureuses comparaisons avec Horace. Les autres citations latines sont prises surtout à Cicéron et à Quintilien. Tite-Live est omis. M. Stiévenart saisit, dans des passages de quelques orateurs politiques modernes et dans Mirabeau, des rapports piquants qu'Auger cherchait dans Cochin.

Mais devait-il citer, sans réflexion, une allusion germanique aux ruses de guerre de Napoléon, dont le nom peut paraître déplacé ici? Ailleurs, nous voyons une excellente note sur le *bâton* et le *symbole* que portaient les juges, et nous nous demandons pourquoi ces deux mots si simples ont été remplacés par une périphrase, dans une traduction où l'on a poussé l'exactitude jusqu'à conserver, en français, l'orthographe dorique de deux noms propres dans un décret du même dialecte.

La note 55 est catégorique ; l'auteur nous donne le motif de sa traduction, qui d'ailleurs est bien justifiée par cette phrase du texte : « d'après la loi précédente, pouvant s'associer jusqu'à seize pour acquitter leur taxe, ils (les riches) *ne payaient rien, ou peu de chose.* » Mais peut-être faut-il regretter le manque de décision ou le silence complet de M. Stiévenart dans d'autres notes. Il s'y efface pour mettre en présence les opinions des autres. La sienne, qu'il cache sans doute par modestie, eût été cependant là de quelque poids, et l'auteur sait mieux que personne qu'on n'est bon traducteur qu'à la condition d'être critique. Ainsi la note 108 est positive et nette. L'auteur nous donne clairement son opinion, et rejette justement celle de Mélanchton. Les notes 56, 62, 78, 83, nous fournissent des renseignements précieux qu'Auger ignorait, et qui lui ont fait assez souvent fausser le sens (1). Mais M. Stiévenart nous laisse ignorer (n. 58) pourquoi il se décide à traduire ἐν τοῖς λόγοις, etc., par *cOmposés*, comme le mot συντελαῖς de la même page. Il n'est pas plus explicite aux notes 37, 43 et 94. Dans la note 126, qui n'est pas de M. Jager, ou plutôt que M. Jager a prise à Auger, l'auteur a omis une remarque qui cependant n'a pas dû échapper à sa sagacité ; c'est que Démosthènes réfute à peu près les reproches qu'il vient d'adresser à son adversaire sur son origine et sur ses premières années, et absout, à son insu, la fortune passée d'Eschine. Ailleurs encore Démosthènes laisse échapper involontairement un éloge du talent d'Eschine pour l'improvisation (n. 141), et ici le traducteur a soin de le faire remarquer. Philippe lui-même est loué deux fois dans cette amère philippique, et la note 36, qui met en présence les versions opposées sur cet habile politique, eût été complète si le traducteur ne s'était effacé dans le débat. Il eût été cependant curieux de savoir si, par ces deux éloges glissés furtivement, Démosthènes veut reconnaître indirectement la récente générosité d'Alexandre envers lui et sept autres de ses collègues (2), ou s'il ne veut que donner en passant une leçon à ses concitoyens (3).

Partout ailleurs Philippe et Eschine sont dépeints sous les couleurs les plus défavorables. Mais, en poursuivant ce dernier, Démosthènes a

(1) Cf. Auger, 1788, p. 384, note 1 ; — p. 343, au mot *en prenant sur l'autel;* — p. 340, — p. 330; il ne s'est pas demandé pourquoi un décret n'avait pas été porté, relatif à Néoptolème.

(2) La note 138 dit dix orateurs. Mais Plutarque préfère le nombre huit. (*Démosth.,* XXVIII.) — Eschine accusait Démosthènes d'être du parti macédonien. Voir note 137.

(3) Il est évident que je n'approuve pas complétement la note 120.

ici un double intérêt, celui de défendre sa couronne d'or, et de faire oublier sa pusillanimité à Chéronée, qu'Eschine lui avait reprochée. Dans la note 123, le traducteur sait fort bien le remarquer, lorsque Démosthènes se vante d'avoir vaincu Philippe par son incorruptibilité. Mais ce même but de l'orateur ne reparaît-il pas dans d'autres passages encore, quand il montre Eschine « tremblant, rongé de crainte, menant la vie » d'un lièvre, etc., etc., fuyant tous les yeux dans les succès d'Athènes; » et ailleurs encore? Enfin Démosthènes lui-même, dont le caractère se montre, dans tout ce discours, sous ses faces les plus saillantes, qui répète, dans des passages sans nombre, ce qu'il est, ce qu'il fut, ce qu'il a fait, n'était-il pas surtout orgueilleux? Et cet orgueil, qui soutient et anime souvent le talent, Démosthènes ne l'a-t-il pas fait tourner maintes fois à son avantage? C'est ce que ne nous dit pas la note 46 sur le mot *moi*, qui pouvait prêter ici à des vues neuves et à d'ingénieux rapprochements.

Malgré ces remarques, que nous soumettons au traducteur lui-même, ce travail doit rester comme l'œuvre d'une patiente érudition et d'une rare souplesse de style. Il remplit une lacune qui était difficile à combler, celle d'une bonne traduction française des *Discours de Démosthènes*. Il ne nous reste plus qu'un vœu à exprimer, c'est que l'auteur ne s'en tienne pas là, et nous donne bientôt, avec sa traduction, ce qui reste des œuvres des grands orateurs attiques. Nous le désirons pour eux, pour M. Stiévenart et pour nous.

LES FABLES RETROUVÉES

DE

BABRIUS.

La critique aurait, de nos jours, une tâche utile à remplir, en appréciant les œuvres de l'antiquité classique qui, chaque année, forment le contingent des études de la jeunesse, et en analysant les productions de notre bibliographie latine et grecque comparées avec celles de l'Allemagne et de l'Angleterre. Il y a, selon nous, dans cette étude comparée, dans ce travail, une heureuse émulation à créer, un perfectionnement à obtenir et une légitime curiosité à satisfaire. C'est d'ailleurs, qui ne le sait ? à ces hautes sources qu'ont puisé les plus grands écrivains de notre langue ; c'est dans la pratique de ces modèles qu'ils ont nourri leur talent et aiguisé leur goût ; c'est là un exemple que les plus indifférents ne doivent pas oublier.

Parmi les questions qui, dans ces derniers temps, ont le plus occupé le monde savant, il n'en est point qui l'aient plus ému que la découverte des fables de Babrius. Depuis longtemps on avait renoncé à retrouver en entier l'œuvre de cet ingénieux rédacteur des fables ésopiques ; depuis 1835, les érudits s'étaient bornés à la possession, souvent contestée, de vingt fables et de cinquante-neuf fragments de Babrius, publiés à Hales par J.-H. Knoch. Malgré tous les doutes que la méthode conjecturale des Allemands entraîne nécessairement après elle, on avait reconnu en général un certain caractère de vraisemblance à cet ensemble de fables et de morceaux habilement empruntés aux grammairiens et aux bibliothèques les meilleures, et appuyés par une critique presque toujours prudente. La science vient de faire une conquête de plus ; elle a découvert les fables originales de Babrius presque en entier, et le texte de Knoch se vérifie par là sur plusieurs points. Un Grec fort érudit, M. Minoïde Minas, a récemment retrouvé le vrai Babrius dans le couvent de Sainte-Laure, au mont Athos. Envoyé en Grèce par M. Villemain, pour y explorer les bibliothèques, c'est au ministre qui l'a chargé de cette mission qu'il doit rapporter tout l'honneur d'une découverte qui rappelle celles du temps des Médicis. Malheureusement le manuscrit, dont M. Minas n'a pu nous donner que la copie, s'arrête à la lettre O, et de nouvelles recherches sont devenues nécessaires pour retrouver le complément qui nous manque. Nos études ne pourront embrasser qu'une partie de l'œuvre de Babrius; mais la matière est déjà assez riche pour nous permettre d'en jouir et de la juger.

Chez les Grecs, la fable, à l'origine, n'est pas autre chose qu'un argument à l'appui d'un intérêt particulier, et nullement en vue d'une vérité générale. Il en est de même chez les Latins; il en doit être de même dans toutes les civilisations naissantes, où l'expérience n'a pas encore fixé les vérités générales, et où l'apologue ne peut être autre chose que l'imagination mise au service d'une cause toute individuelle. C'est ainsi que Lycambe, le père d'une amante dédaigneuse, fut l'objet de la fable de *l'Aigle et du Renard*, que Philostrate prête à Archiloque; c'est ainsi que l'apologue des *Membres et l'Estomac* n'est pas autre chose qu'un argument en faveur de la paix, habilement développé par Ménénius Agrippa devant une populace ameutée.

Il y avait déjà plusieurs années qu'Athènes avait substitué aux tentatives de réforme introduites par Dracon, Cylon et Epiménide, le régime d'une démocratie modérée établi par Solon; depuis assez longtemps la Grèce avait contracté la coutume de ces jeux du corps et de l'esprit qui se célébraient à Olympie, à Delphes, dans l'isthme de Corinthe, lorsque naquit Esope, le vrai père de la fable chez les Grecs. Ce qui caractérise surtout les apologues qui nous sont parvenus sous son nom, c'est l'application d'une vérité morale qui semble nous concerner tous, parce qu'elle ne nomme personne, et qui embrasse l'humanité au lieu d'atteindre un individu. Il n'en est pas de même ailleurs. Si Stésichore, contemporain d'Esope, fournit à Horace la fable du *Cheval et du Cerf*, Horace n'en fait usage que dans un intérêt privé, pour détourner son ami Aristius de l'amour des grandeurs. Dans Esope, au contraire, ce même apologue, loin d'être l'épisode d'une épître, devient l'épître elle-même, qui s'adresse, non plus à un seul homme, mais à tous les hommes, et c'est ce caractère de généralité qui constitue l'originalité du fabuliste et de la fable.

Nous avons dit qu'Horace avait fait de la fable un épisode, un argument. Cette remarque, qu'on pourrait renouveler dans plusieurs passages d'Horace et ailleurs, en amène naturellement une autre : c'est que, quand une civilisation touche à son plus haut point ou à son déclin, les vérités générales, popularisées par l'expérience, cessent de se cacher sous le manteau léger de l'apologue, et alors la fable change de caractère. Elle devient, à proprement parler, une sorte de proverbe mêlé au récit courant, comme dans Horace, ou, si elle reparaît encore sous sa forme primitive, ce n'est qu'un exercice de cabinet, un genre artificiel où l'es-

prit tient plus de place que la morale. Je classe parmi les fabulistes artificiels Phèdre, Avianus, et notre La Fontaine lui-même; car, au siècle
de Louis XIV, au sein de cette corruption organisée et décente dont La
Fontaine prit sa part comme tant d'autres, le fabuliste n'avait d'autre
but, il le dit lui-même dans son épître au Dauphin, que d'ajouter les
ornements de la poésie à la morale d'Esope. Sa modestie l'empêche
d'ajouter qu'il lui donne souvent de l'esprit, et du plus fin.

Babrius doit-il être classé parmi ces derniers fabulistes? La réponse
n'est pas douteuse. Babrius n'a pas fait autre chose que mettre en vers
les fables ésopiques. C'est un rédacteur en vers qui rend avec un artifice
souvent plein de grâce la pensée de l'original, et qui mêle à sa morale
des allégories qui lui sont personnelles. Quelle que soit donc l'époque
où Babrius a vécu, il est évident que c'est un fabuliste de cabinet, un
poëte et non un moraliste.

Les preuves qu'il a vécu dans une société incrédule ne manqueraient
pas au besoin. On a déjà cité, à ce sujet, la jolie fable du *Laboureur*
qui a perdu son hoyau. J'en choisis une autre dans le même but, et je
me sers de la traduction, souvent heureuse, quelquefois trop précipitée,
de M. Boyer :

LE STATUAIRE ET MERCURE.

« Un homme avait mis en vente une statue de Mercure qu'il avait
sculptée. On la marchandait, l'un pour honorer d'une colonne funéraire
son fils (qu'il venait de perdre); l'autre, artiste, pour en faire un dieu.
Cependant la nuit approchait, et le statuaire, n'ayant point trouvé d'a-
cheteurs, devait, le lendemain matin, s'ils revenaient , le leur exposer
encore ; mais le statuaire, s'étant endormi, vit Mercure lui-même sur la
porte des songes, et l'entendit qui disait : « Tu pèses donc ma destinée
dans tes balances? Eh bien! feras-tu de moi un mort ou un dieu ? »

Dans une société où la foi divine va se perdre, il y a longtemps que la
foi dans les hommes est perdue. Babrius offre, à cet égard, un curieux
sujet d'études. Il est impossible de ne pas reconnaître qu'il est personnellement désenchanté des hommes et presque guéri des généreuses
erreurs de l'amitié. Je ne parle pas de l'apologue de *l'Alouette et ses*
petits, dont la copie ou le modèle se trouve dans Aulugelle et dans Avianus, bien que Babrius y ait semé des traits qui me font préférer sa fable
à celle de La Fontaine sur le même sujet ; mais le dialogue du *Lion et de*
l'Aigle, et surtout la fable du *Chien et du Lièvre*, que je n'ai trouvés
tous deux que dans les collections de Coray et de Knoch, me semblent
appartenir en propre à Babrius. C'est là sa pensée, le fruit de sa propre
expérience. « Es-tu mon ami? pourquoi me mordre? dit le lièvre au
chien ; es-tu mon ennemi? pourquoi me flatter? » Et voici la morale :
« Il est parmi les hommes de ces caractères changeants pour lesquels on
ne sait s'il faut avoir de la défiance ou de la confiance. » Le lièvre, ici,

c'est Babrius, le chien, c'est un de ces faux amis qu'il avait sans doute rencontrés à la cour du roi Alexandre, ou peut-être un de ces Arabes dont il se plaint ailleurs avec une aigreur qui appartient plus à la satire qu'à la fable. Il avait voyagé en Arabie, deux de ses fables le prouvent. Dans l'une d'elles, il dit : « Les Arabes sont, *je l'ai éprouvé*, menteurs et fourbes. » Est-ce là que les déceptions de l'amitié ont dessillé ses yeux pour la première fois? Qui pourrait l'affirmer? Mais le fabuliste qui avait assisté aux luttes impériales, et qui y faisait allusion dans sa fable du *Cancer et des Dauphins;* le poëte gouverneur ou courtisan d'un fils d'empereur, et qui, dans son second prologue, parle avec mépris de ses imitateurs, avait dû rencontrer, ailleurs qu'en Arabie, quelques-uns des vices dont il se plaint et qui finirent par le gagner lui-même.

C'est à peine s'il est permis d'appuyer sur ces assertions, tant la base en est faible, tant on craint de les avoir élevées sur quelque passage interpolé. L'interpolation, en effet, est évidente en plusieurs endroits du fabuliste. Le savant et ingénieux M. Boissonade, celui qui a été chargé, comme le plus digne, d'être l'éditeur de Babrius, n'a pas eu de peine à prouver que les affabulations en prose mises à la suite de chaque fable étaient certainement d'une main étrangère. Trop souvent ces moralités font double emploi avec les moralités en vers qui terminent d'abord l'apologue; quelquefois même elles sont sans le moindre rapport avec le fond du sujet, et j'ajouterais, comme l'illustre éditeur, qu'elles diffèrent par le style, si le style et la métrique n'avaient pas souffert de graves altérations ailleurs aussi, au milieu même des plus jolies fables.

M. Egger, dans deux articles du *Journal de l'instruction publique*, cherchant à réfuter la judicieuse lettre adressée, à ce sujet, par M. Dübner à M. Jacobs, incline à croire qu'il se peut que d'habiles maîtres, au sein des écoles, aient retouché le livre classique de Babrius sans en effacer son nom. Pour réfuter l'opinion que le manuscrit du couvent de Sainte-Laure est le plus châtié et contient la rédaction la plus brève, M. Egger ajoute qu'il est fort étonné d'y trouver la fable du *Rossignol et de l'Hirondelle* racontée en vingt-sept vers, lorsque, dans toutes les éditions antérieurement connues, depuis Nevelet jusqu'à Knoch, cette même fable n'a que quatorze vers. Il nous semble qu'en insistant comme il le fait, M. Egger force quelque peu le sens des deux premières conclusions de M. Dübner. Voici ces conclusions traduites fidèlement :

1° Babrius avait profondément étudié l'art de mettre en vers les apologues ésopiques; il traitait deux et trois fois le même sujet, jusqu'à ce qu'il eût atteint la plus heureuse mesure d'élégance et de *brièveté* (1);

___

(1) *Babrius de μυθιάμβων arte diligenter meditabatur et eadem argumenta bis terque tractabat, usquedum ad maximam simplicitatem, sed argutam et elegantem, non siccam, perveniret.*

2° Le manuscrit de Sainte-Laure représente *une* des dernières rédactions de Babrius, la dernière *peut-être.*

Évidemment, puisque nous avons deux versions de la fable du *Rossignol et de l'Hirondelle*, la première conclusion de M. Dübner se justifie ; mais la seconde conclusion est-elle moins fondée parce que le couvent de Sainte-Laure nous a livré la même fable en plus de vers que ne l'avaient fait les collections précédentes? Babrius cherchait la plus *heureuse* et non la plus *courte* mesure de brièveté, sans quoi il aurait réduit Ésope en quatrains, comme au ix* siècle l'avait osé le moine Ignatius Magister. De plus, le manuscrit de Sainte-Laure est *peut-être* une des dernières rédactions de Babrius. D'autres pourraient donc encore avoir suivi, et qui sait si la Grèce ne nous livrera pas quelque jour une édition manuscrite postérieure encore à celle-ci, et joignant à un texte plus étendu sans doute cette *heureuse* mesure de brièveté que poursuivait si délicatement le goût de Babrius?

Le nombre des vers, nous le répétons, ne doit rien prouver ici; le goût de Babrius est seul en cause. Sous ce rapport, la fable dont il s'agit offre, dans le texte nouveau, de charmants témoignages. La Fontaine, dans sa fable de *Philomèle et Progné*, avait dit froidement de Progné :

> Et loin des villes (elle) s'emporta
> Dans un bois où chantait la pauvre Philomèle.

Il y a un trait de plus et plus tendre dans Babrius : « Toutes deux, dit-il, se reconnurent à leurs chants ; aussitôt l'une vers l'autre elles volèrent et conversèrent ensemble. »

Ce passage, plein de sensibilité et de grâce dans l'original, manque aux éditions antérieures de la même fable. La Fontaine l'eût certainement imité s'il l'y avait trouvé. Dans l'ancien texte, Babrius disait déjà : σήμερον μετά Θράκην, et le fabuliste français n'a pas manqué de traduire, avec une hardiesse ingénieuse :

> Je ne me souviens point que vous soyez venue,
> *Depuis le temps de Thrace*, habiter parmi nous.

Il y a plus loin encore un vers dont La Fontaine s'est inspiré, et qu'on ne retrouve pas dans notre copie; le voici :

> Ὅπου γεωργοῖς κοὐχὶ θηρίοις ᾄσεις.

M. Dübner, en remarquant qu'il a disparu de la fable nouvelle de Babrius, en tire la preuve que *vingt fois sur le métier il remettait son ouvrage*, et loue cette persévérance de l'écrivain à se châtier sans cesse. Nous partageons l'avis du savant ami de Jacobs, et nous avons pour nous

l'autorité de M. Boissonade, qui renvoie aussi ce vers à une autre recén-
sion de Babrius. Après avoir dit : « Quittez cette forêt sans abri , vivez
près des hommes , » c'était une sorte de pléonasme d'ajouter : « où vous
chanterez pour les laboureurs et non plus pour les animaux, » et Babrius,
avec le tact qui le distingue, avait fini par le reconnaître. Soyons néanmoins indulgents pour sa version première, puisqu'elle nous a valu ces
jolis vers de La Fontaine :

> Eh quoi ! cette musique !
> Pour ne chanter qu'aux animaux ,
> Tout au plus à quelque rustique !
> Le désert est-il fait pour des talents si beaux ?

Telle est la manière de Babrius : il émonde sans cesse les branches
premières, il élague les pousses parasites, il allonge, par des greffes heureuses, les rameaux qui étaient trop courts, il rend de la séve à ceux qui
se desséchaient, et l'arbre, ou plutôt l'arbuste, reverdit avec plus de vie
et de fleurs. Cet art d'arranger, cet esprit qui vient s'enter sur celui d'É-
sope, et qui ressemble tant à celui qu'on puisait à l'école d'Alexandrie,
était-il d'un Grec ou d'un Romain? L'opinion récente de M. Boissonade
à cet égard doit-elle être préférée à celle qu'il publiait en 1813? Ou Babrius était-il contemporain de Callimaque ou de Martial? avait-il passé
sa vie à Rome ou en Arabie? Qui oserait prononcer? et pourquoi chercher à dégager prématurément cette question du milieu des ténèbres qui
l'environnent? Pour moi, dans ma timidité, je me borne à admirer
l'écrivain ingénieux, le rare versificateur, à le préférer à Phèdre, parce
qu'il est moins resserré et moins sec, et je laisse à décider de son origine
aux savants commentateurs qui l'étudient en Angleterre et en Allemagne,
ou plutôt aux manuscrits nouveaux que M. Minas pourra nous rapporter
encore, espérons-le, de ses excursions en Grèce.

M. PATIN.

(LES TRAGIQUES GRECS.)

Le but de tous les arts, c'est le beau. Mais le beau, nous le savons, varie selon les lieux, les époques et les goûts; il n'est pas le même sous toutes les latitudes. Au contraire, le sentiment du beau est partout et toujours : c'est un idéal dont l'esprit a un besoin insatiable, aveugle quelquefois, qu'il poursuit incessamment, dans toutes les situations, sous toutes les formes même, à tel point que souvent c'est le laid qu'il prend pour le type du beau. Nous en avons des exemples récents.

Au milieu de cette variété de formes qui servent d'objet à la passion de l'idéal, il est cependant des beautés invariables qui ont un attrait sûr et uniforme en tous temps, en tous lieux, et qui entraînent indistinctement tous les esprits. En les voyant, on est frappé comme d'un souvenir; on y retrouve avec émotion la reproduction d'une image gravée en nous-mêmes; il semble qu'on en reconnaisse les nobles caractères comme si on les avait vus déjà. C'est une des réminiscences dont parle Platon. Ce qui donne une vie si forte à ces beautés, c'est leur vraisemblance, c'est précisément la conformité excellente qu'elles offrent avec les sentiments que nous avons dans le cœur, avec les images qui sont dans notre esprit. C'est là le beau que Platon appelait la splendeur du vrai.

Les Grecs sont, de tous les peuples, ceux dont les conceptions sont le plus marquées à ce coin sacré et impérissable. Pour ne parler que des lettres, la Grèce a créé des types que le temps a conservés jusqu'à nous avec toute la pureté de leurs formes et tout leur charme original. Sur ce sol privilégié, où l'on divinisait l'art, les Grecs ont porté au plus haut degré, dans la plupart de leurs productions dramatiques, le naturel des détails et la science de l'ensemble. Prométhée, par exemple, OEdipe, Iphigénie, sont des créations où la vérité des caractères est de tous les temps, la simplicité de tous les goûts : ils ont traversé tous les âges en

2

servant de modèles presque partout, parce que leur perfection, loin de rien emprunter à la fantaisie, est due tout entière à une sûre connaissance de l'homme. Le tableau de la persévérance unie à l'intelligence, de la fatalité, du dévoûment filial, intéresse les spectateurs de tous les siècles, parce qu'il est éternel comme la vérité, comme le cœur humain, et le nom du peintre s'est éternisé avec la peinture.

Mais, nous l'avons dit, à ces formes immortelles sont mêlées des qualités périssables comme le goût individuel et passager qu'elles représentaient. C'est ainsi que ce qui était beau pour les Grecs, ces cothurnes et ces masques énormes, nous paraissent bizarres; que ce qui, dans Eschyle, pouvait passer pour de la force, nous semble souvent de la rudesse; que nous trouvons quelquefois long ce qu'ils ont pu croire grand. De même, dans Euripide, la douleur exprimée par des dehors misérables, la vieillesse remplacée par la décrépitude, font parfois pitié au lieu d'inspirer la compassion. C'est là la loi du beau. Elle s'étend plus loin encore : elle embrasse toute la succession des œuvres de l'art, et distingue chaque siècle littéraire d'un caractère particulier. Ainsi, dans l'art dramatique, on commence par des conceptions puissantes et hardies où tout est démesuré, le langage et les choses. On continue par des compositions où le mouvement des passions humaines remplace la grandeur surnaturelle, où tous les ressorts ont un jeu régulier, où le style est aussi pur que les pensées. On finit par des tableaux à effet, on charge le coloris, on recherche la vérité du costume, on tombe dans le réel. Racine suit Corneille; Voltaire et Crébillon paraissent après Racine.

En France, nous avons épuisé ces trois phases de toute poésie dramatique. Aujourd'hui, dans nos drames irréfléchis, la réalité matérielle de la vie a remplacé les sentiments; les passions brutales, impossibles, ont succédé aux passions vraies, et l'embarras des scènes à la gradation de l'intérêt. Mais le bon goût public revient peu à peu de cette surprise qu'on lui a faite. Fatigué de toutes les violences sans art de la scène moderne, il se rappelle les dieux de la scène d'autrefois, et il essaye de se reprendre à leur culte. Racine, Corneille sont écoutés de nouveau. Les modèles qu'ils ont suivis sont étudiés, commentés, admirés. L'histoire d'Oreste, d'Andromaque, d'Hippolyte, c'est-à-dire l'histoire du cœur humain, retrouve une autre jeunesse et renouvelle l'enthousiasme épuisé.

Il y a donc un à-propos tout à fait remarquable dans la publication que vient de faire M. Patin de ses *Études sur les tragiques grecs:* c'est l'œuvre patiente de longues années, c'est le fruit de recherches sans nombre. Déjà, lorsqu'il professait à l'école normale, l'auteur, dans des leçons dont on se souvient encore, avait traité de la tragédie grecque avec l'abondance de détails et de vues que comporte un tel sujet. Depuis, aidé par les publications sans cesse renouvelées de l'Allemagne, par les traductions et les aperçus nouveaux de l'érudition française, et aussi par une expérience plus mûrie et plus solide, M. Patin a mis la dernière main à ses leçons, et aujourd'hui enfin, c'est au public qu'il les adresse. Nous l'en remercions sincèrement, parce qu'il corrige et complète nos connaissances imparfaites sur un tel sujet, malgré tout ce qu'on en a dit déjà ; parce qu'aussi, en donnant son dernier mot sur les tragiques grecs, l'auteur acquitte une dette en quelque sorte légitime. Par la chaire, par le rang qu'il occupe, par son érudition spéciale, par les inclinations de son esprit, M. Patin était, pour ainsi dire, engagé à nous donner le complément de ses précédentes publications. Est-ce à dire que nous approuvions sans restriction tout ce qui est contenu dans les trois volumes qui nous occupent? M. Patin lui-même a trop d'esprit pour penser que son œuvre soit en tous points irréprochable, et notre critique donnera plus de prix encore à notre estime pour son talent.

M. W. Schlegel, dans ses *Études sur la tragédie grecque*, trace à grands traits des appréciations générales et absolues sur ses principaux caractères. Son enthousiasme, mêlé d'érudition, déborde dans la plupart de ses jugements, et, sans entrer dans les détails, sa critique prononce des arrêts au lieu d'émettre des observations. C'est un Allemand qui parle. M. Patin, au contraire, se plaît à tailler des facettes dans les blocs de marbre de M. Schlegel; il ne compose un ensemble qu'après avoir épuisé tous les détails, et ses jugements sont des conclusions au lieu d'être des axiomes. C'est un Français qui écrit.

Comme toute chose, chacune de ces méthodes a ses inconvénients ; mais la vraisemblance et le naturel sont plutôt du côté de la seconde que de la première. Il y a toujours du danger à faire des théories absolues, à admirer sans restriction les ouvrages des hommes, même des Grecs. Nous sommes tous incomplets, et nos œuvres les plus belles sont comme nous. Malgré toute notre sympathie, nous ne saurions voir dans toutes les productions des Grecs indistinctement un système aussi complétement grandiose, aussi dénué de tout défaut que le fait l'imagination de M. Schlegel. Nous préférons y reconnaître, avec M. Patin, une élévation sublime, un caractère religieux et pur, un genre de beautés exquises tout à fait distinctes des beautés de notre scène; mais, après tout, quelquefois aussi de la faiblesse et la fumée après l'éclat. Nous sommes ainsi plus près de la vérité, et nous croyons d'autant mieux à la supériorité des Grecs.

Nous choisissons au hasard une phrase dans M. Schlegel. Après avoir dit que, dans le théâtre grec, la statue de l'homme était placée sur la base éternelle et inébranlable de la liberté morale, il ajoute : « Semblable à son modèle et composée d'éléments terrestres ainsi que lui, elle était raffermie par son propre poids, et sa masse imposante et majestueuse ajoutait à sa solidité. » En prenant pour exemple de cette théorie le premier héros venu de la scène antique, Philoctète, ou tout autre, on aura quelque peine à s'expliquer comment « sa masse raffermie par son poids » le rendait plus solide. Voilà l'écueil des idées générales et dogmatiques.

Combien, au contraire, M. Patin se montre flexible et judicieux dans les décisions qu'il prononce! de combien de nuances il entremêle ses moindres couleurs! En étudiant, par exemple, ce qu'il dit d'Euripide, on découvre tous les traits de ce talent varié, ses défauts découlant de ses qualités, et réciproquement. Les correctifs sont partout. Si Euripide est le poëte par excellence des passions humaines, s'il est le maître du pathétique, d'un autre côté il laisse percer évidemment des intentions satiriques sous ses vers les plus touchants. C'est, il est vrai, un peintre de mœurs, un philosophe sentencieux, dont les maximes n'ont pas toujours été avouées par la morale; mais ces sentences sont à ses héros et ne lui appartiennent pas. Que l'on reproche à ses tragédies de pécher par l'ensemble, au moins elles brillent par les détails, et son style touchant et noblement familier ne mérite que des éloges. Telle est la méthode de l'auteur. Après avoir mis en lumière toutes les opinions, il s'attache à les mettre en harmonie, à faire accorder Cicéron et Aristote. Il procède en conciliateur, il ne tranche pas en maître. Ce qui, outre son inclination propre, porte encore M. Patin à l'emploi de cette méthode analytique et corrective tout à la fois, c'est la conscience même de son érudition; et ici, qu'il nous soit permis de faire quelques réserves.

L'érudition, qui fait aujourd'hui une partie notable de tous les écrits sortis de l'Université, a sans doute son prix et fortifie les meilleurs esprits; mais elle porte aussi avec elle ses dangers. Aujourd'hui nous sommes capables de soutenir des luttes philologiques avec nos rivaux d'outre-Rhin; nous remplissons, comme eux, nos livres de notes savantes où la preuve, la date, le passage viennent à l'appui du jugement. Mais l'excès d'une si saine qualité n'a-t-il pas produit de mauvais fruits? Le sentiment des beautés littéraires n'a-t-il pas fléchi, ne s'est-il pas effacé quelquefois sous l'orgueil des citations et sous les curiosités de l'archéologie?

Dans le livre de M. Patin, par exemple, où cette science est, du reste, de mise plus qu'ailleurs, n'a-t-elle pas aussi ses inconvénients? Il y a des phrases que cette conscience de l'érudit, dont j'ai parlé, que le besoin de tout dire, allongent outre mesure, où les pensées incidentes surchargent, embarrassent l'idée principale, et quelquefois l'obscurcissent. On rencontre des versions différentes qui s'entrechoquent et se contredisent, et où la diversité des sentiments suspend celui de l'auteur.

Ainsi, pour ne citer qu'un fait, la question du nombre des personnages dans les chœurs, qui a tant occupé les philologues, depuis le lexicographe Pollux jusqu'à M. Magnin, M. Patin n'essaye pas de la résoudre.

Dans la pièce des *Euménides*, le chœur était-il composé de trois, de quinze ou de cinquante personnes? Ne fut-il diminué, comme le dit Pollux, qu'à la suite de la première représentation de cette pièce, ou l'était-il déjà à la représentation de l'*Agamemnon*, comme le croit le scoliaste d'Aristophane? Enfin, doit-on plutôt admettre l'opinion de Bœckh, que, dans la tragédie des *Suppliantes*, le chœur était déjà réduit à quinze personnes? On le voit, la question était embarrassante et avait d'autant plus besoin d'une solution. Pour ceux qui pensent que la représentation des *Suppliantes* fut postérieure à celle des *Euménides*, la réponse est facile. Les *Suppliantes*, malgré l'assertion de Bœckh et de Schneider, ne pouvaient pas contenir moins de cinquante Danaïdes, et par conséquent la réduction du chœur dans les *Euménides* n'est pas probable. Mais pour ceux qui, comme M. Patin, mettent les *Suppliantes* à la tête du répertoire d'Eschyle, et se préoccupent de quelques vers des *Euménides* qui pourraient faire supposer que le chœur n'avait que trois personnages, pour ceux-là une décision eût été précieuse, celle de M. Patin surtout. Ajoutons qu'il est fort douteux que, dans le *Prométhée*, le char ailé qui porte le chœur dans les airs ait pu contenir cinquante personnes, et qu'il y a une citation importante (on est en droit d'être exigeant avec ceux qui citent tout) qui manque au débat, c'est celle du IVe livre de la Poétique d'Aristote : « Πρῶτος Αἰσχύλος τὰ τοῦ χοροῦ ἠλάττωσι. »

C'est à peine si l'on ose noter de si légères imperfections à côté des qualités rares de ce beau travail. C'est une appréciation profonde, savante, judicieuse des beautés exquises de la tragédie grecque. Phèdre, Antigone, Jocaste y sont jugées toujours avec goût, et — si cela est un défaut pour quelques-uns, du moins c'est un charmant défaut — avec finesse partout. L'histoire de la tragédie, qui ouvre dignement l'ouvrage, a pour complément, à la fin, l'histoire des divers jugements qu'ont suscités toutes ces tragédies, et la série des critiques qui les ont admirées depuis Cicéron, que l'auteur cite après Horace et Quintilien, jusqu'à Mme de Staël.

Il y a, dans l'*Allemagne* de Mme de Staël, un passage sur le goût qui peut donner la mesure de la différence de ce livre avec les travaux analogues publiés par la science germanique. « Le goût, dit-elle, est, en littérature, comme le bon ton en société. » Elle distingue deux sortes de goûts. D'après elle, le goût appliqué aux beaux-arts diffère singulièrement du goût appliqué aux convenances sociales. A nos yeux, la supériorité de l'esprit français consiste précisément dans l'alliance délicate de ces deux qualités : il mêle au goût du beau cet autre goût social qui sait tout modérer à propos, qui tempère l'enthousiasme par la réserve, et qui n'est autre chose que le tact. C'est ce goût-là qui se montre dans les meilleures pages de M. Patin. Il dit quelque part, en parlant du chœur dans les tragédies d'Euripide : « Ce n'était plus qu'un témoin incommode dont la présence continuelle nuisait à la vraisemblance du drame ; on l'y souffrait par habitude, comme ces familiers disgraciés, qu'on ne renvoie pas, mais auxquels, *par un froid accueil et des manières indifférentes*, on fait sentir qu'ils sont de trop. »

Voilà une comparaison qui ne serait jamais venue à l'esprit de M. Schlegel, même à propos d'Euripide.

LA TRAGÉDIE ROMAINE

COMPARÉE.

LEÇON D'OUVERTURE DU COURS DE POÉSIE LATINE AU COLLÉGE DE FRANCE
(1847.)

MESSIEURS,

J'entreprends cette année un sujet difficile et laborieux, l'étude comparée de la tragédie latine. Je me suis consulté longtemps avant de m'y
décider. J'avais songé un instant à traiter de l'épigramme. Mais en
faisant un retour vers mes études antérieures, et en jetant un regard sur
l'état actuel de notre théâtre, n'est-ce pas en quelque sorte faire encore
de l'épigramme que de parler de tragédie? Je sais bien que plus d'un
écrivain contemporain pourra me répondre que ses pièces sont bien des
tragédies; qu'il n'y a rien de plus pathétique, et qu'il a écrit, dans le
goût de Racine, les plus beaux vers du monde. Mais j'ai bien peur que,
dans notre temps d'industrie dramatique, ces poëtes tragiques ne se
fassent illusion, et qu'ils ne prennent des ébauches pour des œuvres
sérieuses.

Quelle distance en effet, et quel abîme entre notre tragédie et celle de
l'antiquité! Pour les distinguer par une définition générale, on peut
dire que l'une a pris ses éléments en dehors d'elle-même, et que l'autre
les a choisis au dedans. C'est la destinée, c'est une puissance occulte et
fatale qui domine, comme un sombre génie, le vieux théâtre de la Grèce,
et lui donne sa physionomie distincte. Le héros y est engagé, malgré
lui, dans un labyrinthe inextricable, et sa lutte, qui est l'image philosophique de la liberté aux prises avec la nécessité, nous intéresse plus
par le développement des situations et par des incidents imprévus qu'elle
ne nous inquiète sur sa fin. C'est le plus souvent l'homme qui succombe,
mais en jetant quelquefois au ciel, comme on l'a dit du dernier des
Gracques, une poussière féconde qui, animée à son tour du feu de la
vie et de la vengeance, devra s'agiter, s'élever par le combat, pour retomber ensuite et se mêler à la terre. Je n'en voudrais pour exemple que
l'*Orestie*, Agamemnon, forcé d'immoler sa fille; Clytemnestre, meurtrière

de son mari ; Oreste, le vengeur du crime et la victime des Furies. Mais je l'ai dit : ce théâtre a sa condition et ses lois propres; c'est la religion qui fait le fonds de ces légendes léguées par l'épopée et embellies par la mythologie. La scène tragique est chargée de les animer aux regards moins par l'action et le mouvement que par la vie et le naturel qu'elle donne à la tradition. Ce sont des personnages, des dieux, des héros qui dépassent la mesure commune par je ne sais quelle grandeur imposante; mais la tragédie a soin de faire palpiter ces grands cœurs et de les soumettre à l'épreuve de nos passions; elle montre la personne dans le personnage, sans la dépouiller toutefois de cette majesté traditionnelle qui la suit jusqu'au sein du désordre.

Cependant, il faut bien le reconnaître, la vérité pratique du théâtre n'était pas là. A côté de ces fictions accréditées par la foi commune, et représentées avec éclat à certains jours de fête, il fallait laisser prendre sa place à l'opinion du moment, à cette vérité du jour qu'on croit toujours plus vraie que celle de la veille ; à côté de l'idéal il fallait la réalité, ou plutôt, après la croyance, le scepticisme devait avoir son heure. Ce qui fait que les luttes de l'Agora, la vie démocratique, entretenaient le scepticisme, c'est que, dans la mêlée des intérêts et des ambitions laissés sans frein, la plupart des hommes, près de parvenir ou une fois parvenus, ne croient plus qu'à eux-mêmes, et rejettent comme un vain bagage la foi qui n'agit pas, et l'idéal qui ne rapporte rien. A Athènes, sur le Pnyx, c'était du démagogue qui venait de triompher plutôt que des vertus d'Antigone, par exemple, ou des crimes de Médée, qu'on s'entretenait le plus ordinairement, et l'on allait aux comédies d'Aristophane racheter par de franches railleries quelques heures de respectueuse admiration données à la tragédie.

Celui qui le premier comprit que la tragédie doit être autre chose qu'une vaine pompe religieuse, et qui voulut la faire tourner au profit de la vie pratique non par des sentences philosophiques, qui sur la scène ne prouvent rien, mais par d'illustres exemples, ce fut Eschyle. Aussi Aristophane, le poëte des vérités positives, le meilleur juge en matières pareilles, n'avait pas manqué de décerner à Eschyle la palme tragique dans sa piquante comédie des *Grenouilles*. Eschyle nous donne là toute sa pensée (*Ran.*, 1066) :

« C'est d'après Homère, dit-il, que j'ai représenté les exploits des Patrocle et des Teucer au cœur de lion, pour inspirer à chaque citoyen le désir de s'égaler à ces grands hommes aussitôt que retentira le son de la trompette. »

Théorie forte et pratique qui fait de la tragédie, d'un des plus nobles plaisirs de l'esprit, une règle pour la vie et une force pour la patrie ! N'oublions pas que c'est le soldat de Marathon, l'auteur de la tragédie des *Perses*, qui parle ainsi dans la pièce d'Aristophane, mettant la vie active au-dessus de la gloire littéraire, et n'usant du privilége de plaire aux autres que pour mieux les servir. C'est lui qui, oubliant le poëte sûr sa propre épitaphe, n'a voulu y rappeler que les conquêtes du soldat, comme pour confirmer, par sa propre vie, que l'action est le plus bel attribut de l'homme, et que la pensée ne vaut quelque chose qu'à la condition d'être encore une action.

Et ce n'est pas le seul exemple qu'ont donné les Grecs de leur préférence pour l'application ou plutôt pour les devoirs d'activité utile qu'imposait en quelque sorte le métier de l'esprit. Nous savons que la plupart des poëtes grecs ont été quelque chose dans l'Etat. De même que Cimon, avec d'autres généraux, était juge de concours poétiques, Sophocle était à la fois pontife et collègue de Périclès et de Thucydide, attestant par là que, dans cette contrée privilégiée, l'art de gouverner les hommes était la condition ou la suite naturelle de l'art de les charmer, et que le talent d'écrire, quel qu'il fût, devait donner toutes les aptitudes. Contrairement à ce qui se passe de notre temps, où la littérature mène à tout à condition de la quitter, en Grèce, les lettres accompagnaient tout; mais, quand on avait tout quitté, elles restaient encore comme la consolation, comme la plus noble industrie du citoyen. Peuple d'élite qui, dans la vieillesse de ce même Sophocle, calomnié par ses fils, ne lui demandait pour toute justification que quelques vers lus au tribunal, et pour tout plaidoyer que des scènes de son *OEdipe!* Il y a d'autres exemples encore : Eschine, l'orateur, avait été acteur tragique, et il y eut plus d'un comédien dans les ambassades. Vous savez le mot de Beaumarchais : Il fallait un diplomate, c'est un danseur qui eut la place. Ce mot était alors une vérité prise au sérieux. Ce n'est que plus tard, en d'autres temps politiques, qu'il devait être une épigramme.

On est tout surpris de retrouver la même tragédie au XVIIᵉ siècle. Il semble que ces sujets antiques et épuisés ne devaient plus rien offrir à la muse moderne, et que la famille des Atrides s'était éteinte pour jamais. Mais il n'y a pas de prescription pour le génie ; il sait ranimer tout ce qu'il touche, faire un emploi nouveau de vieux sujets, en les détournant avec précaution, *parcè detorta*, comme dit le poëte, et il trouve le succès, même quand il est renouvelé des Grecs.

Au sortir du XVIᵉ siècle, à la suite de ce grand mouvement littéraire qui donna une si salutaire secousse à l'esprit français, sous le règne de Louis XIV, où, comme dit la Bruyère, tous les grands sujets n'étaient pas permis, le goût de l'antique, et cette majesté de la distance qui semble grandir les événements, étaient tout ensemble une affaire de mode, une flatterie et une sécurité. Il y avait plus d'un motif pour Corneille, pour Racine, de revenir aux grandes figures de la tragédie antique. La mode! Qui ne justifierait ses prédilections pour les purs génies d'Athènes, pour des beautés qui, alors, paraissaient des découvertes, et qui offraient tant d'analogies avec les magnificences du moment? Qui n'a lu cette anecdote de Valincour :

« Je me souviens qu'étant un jour à Auteuil, chez Despréaux, avec M. Nicole et quelques autres amis d'un mérite distingué, nous mîmes

Racine sur l'*OEdipe* de Sophocle. Il nous le récita tout entier, le tra-
duisant sur-le-champ, et il s'émut à un tel point, que tout ce que nous
étions d'auditeurs, nous éprouvâmes tous les sentiments de terreur sur
quoi roule cette tragédie. J'ai vu nos meilleurs acteurs sur le théâtre ;
j'ai entendu nos meilleures pièces; mais jamais rien n'approcha du trouble
où me jeta ce récit; et, au moment même que je vous écris, je m'ima-
gine encore voir Racine avec son livre à la main, et nous tous con-
sternés autour de lui! »

N'était-ce pas là comme une parenté de talent retrouvée après plusieurs
siècles? et cette émotion qui, comme la flamme, se communiquait par
l'âme et la voix ravie de Racine à l'âme de tous les auditeurs, je la
comparerais volontiers à une sorte de magnétisme que le génie de Sophocle opérait encore, à travers les siècles et la distance, sur des intelligences choisies.

D'où vient, — permettez-moi cette digression, — que cette sensibilité exquise, que ces délicates beautés, si facilement comprises et
adoptées alors, ont été plus tard, dans un moment de réaction, rem-
placées par des laideurs, non, par des beautés d'un ordre plus grossier,
par des passions plus désordonnées; d'où vient que les petits-neveux ont
un instant renié leurs aïeux du grand siècle? Parmi bien des causes,
cela ne viendrait-il pas aussi de la différence des mœurs aux deux
époques? Peut-être la critique ne s'est-elle pas assez préoccupée de la
communauté à rechercher entre la vie privée des écrivains et leurs
productions. L'adultère, la débauche, les passions violentes, systémati-
quement mis en scène, ne sont pas toujours l'effet de l'imagination seule.
Une fois sur cette pente, on outre à plaisir tous les sentiments, on perd
bientôt celui du délicat dans la passion, de la réserve dans le désordre,
et le respect de la langue, qui ordinairement ne se sépare pas de tous les
autres respects:

Sous le grand roi, la tragédie respectait tout par devoir autant que
par goût, et tout, jusqu'aux faiblesses, avait un air de décence qu'on
empruntait au roi. Sous le couvert de l'antiquité, on se permettait de les
signaler, non pas avec cynisme, mais par des allusions qui arrivaient
d'autant mieux au but, qu'elles s'y glissaient avec précaution au lieu d'y
courir effrontément. Henriette d'Angleterre, Marie de Mancini, la révocation de l'édit de Nantes, le penchant du roi à figurer dans un ballet,
tout trouvait sa place et se faisait mieux remarquer sous ce voile commode et transparent.

Je sais bien que ces précautions, ces détours, ce maintien persistant
de la bienséance, avaient souvent leur monotonie; je sais que St-Evre-
mond, dans un livre spirituel, s'éleva alors contre l'usage de la tragédie grecque et des terreurs superstitieuses qu'elle mettait à la mode.
On peut dire cependant qu'aucun genre dramatique ne convenait mieux
à l'étiquette du grand roi, au ton de la cour, et que la comédie, malgré
les faveurs habiles de Louis XIV, et parce qu'elle prenait moins de

voiles, le servait moins bien. Un élément nouveau, l'amour, jetait sur ces vieilles légendes du passé un intérêt plus moderne, et remplaçait avec bonheur la fatalité antique ; mais l'amour même, qui est de tous les rangs, semblait encore à cette époque un des privilèges du monde poli, et ne gâtait rien à cet ensemble de scènes aristocratiques.

L'amour tragique paraissait si bien une des prérogatives du rang, qu'il n'était pour ainsi dire permis qu'aux gens de qualité, et que la tragédie française, contraire en cela aux lois de son modèle, avait encore plus souci du personnage que de la personne. Voyez, par exemple, ce qui arriva à Corneille pour l'avoir négligé dans *Don Sanche*. Une jeune reine, vous le savez, y aime en secret un soldat de fortune, une sorte d'aventurier. Il n'en fallut pas davantage pour déplaire en haut lieu, et, malgré l'originalité du sujet, malgré le goût qu'allait y prendre la foule, la pièce tomba.

« Elle eut, nous dit l'auteur, elle eut d'abord un grand éclat sur le théâtre, mais une disgrâce particulière fit avorter toute sa bonne fortune. Le refus d'un illustre suffrage dissipa les applaudissements que le public lui avait donnés trop libéralement. »

Anne d'Autriche, dit-on, avait vu d'un œil mécontent une jeune reine d'Espagne éprise d'un aventurier. Corneille avait eu beau donner à sa pièce le nom de tragédie héroïque, et rendre à la fin la noblesse du sang à cet aventurier qui ignorait sa naissance, le coup était porté. La cour, qui donnait le ton, ne voulait pas d'une tragédie bourgeoise, et la tentative échoua' pour n'avoir pas été assez aristocratique. Voltaire ne manqua pas d'écrire, à ce sujet, qu'il était fort étonné que Corneille, au lieu d'un roman espagnol, n'eût pas choisi plutôt dans l'histoire romaine et dans la fable grecque. N'oublions pas cependant qu'il ajoutait, avec sa sagacité habituelle : « La grandeur héroïque de Don Sanche, qui se croit fils d'un pêcheur, est d'une beauté dont le genre était inconnu en France ; mais c'est la seule chose qui pût soutenir cette pièce. »

Depuis, nous avons changé tout cela. Grâce à Dieu ! il n'y a plus d'autre aristocratie que celle des intelligences, et nous n'avons plus besoin d'un blason pour paraître sur la scène sérieuse. Autrefois les catastrophes d'en haut avaient lieu par des causes inconnues en bas, ou par des fictions purement poétiques, et cela me rappelle les inventions de Crébillon. Vous savez que Crébillon avait la main paresseuse et l'imagination active. Un jour qu'il était plongé dans ses méditations tragiques, il est interrompu par un ami. Le poëte, de mauvaise humeur, s'écrie : « Vous m'interrompez dans un moment très-intéressant : j'étais occupé justement à faire pendre un ministre prévaricateur, et à faire chasser un ministre incapable. » Aujourd'hui nous n'avons plus besoin des poëtes et de leurs fictions pour remonter jusqu'à nos ministres. Les ministres, c'est tout le monde, c'est le plus habile, ce sera le plus capable, et loin de nous plaindre de leur supériorité, c'est dans l'aristo-

cratie des intelligences que nous allons les chercher, sauf à leur donner
congé s'ils ne sont pas assez de cette aristocratie-là.

Dans cette société qui est faite de nous tous, et qui n'exclut plus personne, la tragédie, qui vit d'exceptions, est-elle encore possible? Il me
semble que là où la naissance n'est plus un titre, où le sang n'ennoblit plus
rien, pas même le vice, comme autrefois, ce sont nos passions communes
qu'il faut nous donner en spectacle; c'est leur lutte de chaque jour avec
nos devoirs, sans acception de rang, qui doit nous intéresser. Il n'y
a plus assez d'analogie entre les personnes du monde et les personnages
de la tragédie, pour que celle-ci soit populaire. Elle pourra se montrer
encore comme une sorte de réminiscence historique. César, Henri IV,
Marie Stuart, pourront servir encore de canevas à des tragédies, comme
ces vieux portraits qu'on aime à revoir quelquefois, et dont la vétusté
même est un titre à notre admiration; mais c'est au drame que restera
longtemps encore la vogue, comme à l'expression la plus vraie de nos
mœurs, amies de l'égalité et de notre société passionnée.

Il semble au premier aspect que les mêmes causes dans la république
romaine devaient produire les mêmes résultats dramatiques, et que l'esprit local devait s'y donner libre carrière dans la comédie, par des tableaux de mœurs parfaitement vrais; dans la tragédie, par quelques
souvenirs historiques mêlés à des passions contemporaines. Rien de
pareil cependant ne se rencontra à Rome.

Jusqu'au sixième siècle, il n'y a pas de tragédie à Rome, et (quoiqu'ait
dit Niebuhr) il faut bien que ce peuple ait été sans épopée, puisqu'il vécut 500 ans sans trouver le sujet d'une tragédie. Ce premier
point met déjà Rome hors de comparaison avec la Grèce. Je sais bien
que jusqu'à Livius Andronicus Rome avait eu chaque jour des bouffons,
des farces, des satires, tout le bagage enfin d'un peuple qui a une certaine verve, et qui tient à passer pour spirituel. Il faut beaucoup d'esprit, je le sais, pour en montrer tous les jours, et quoique l'esprit coure
les rues, dit-on, je sais bien des gens qui ne l'ont jamais rencontré.

Les Romains avaient donc ou croyaient avoir de l'esprit, malgré leur
gravité accoutumée dans la pratique de la vie. Mais quel esprit? La
rusticité mêlée à l'ignorance en était le fonds habituel; le vers Saturnin,
qu'Horace appelle *horrible, horridus ille Saturnius*, était alors la
poésie habituelle. Mais cette fine fleur d'urbanité, dont le parfum nous
pénètre doucement au lieu de nous surprendre, ils ne l'ont cueillie que
fort tard, sur un sol étranger, et elle s'est bientôt fanée entre leurs
mains. Quoi qu'il en soit toutefois, quand elle n'était pas à ses affaires,
Rome visait à l'esprit.

Mais Diderot l'a dit : « Méfiez-vous de ces gens qui ont leurs poches
pleines d'esprit, et qui le sèment à tout propos; ils n'ont pas le démon! »
Non, les baladins, les atellanes, tous ces jeux du sensualisme ne
devaient pas laisser de place au démon. Le démon, c'est la flamme soudaine qui s'allume en nous, ou qui vient éclairer de ses jets lumineux

ce front qu'un Dieu nous donna pour l'élever au-dessus de la matière et contempler le ciel :

Os homini sublime dedit cœlumque tueri
Jussit et erectos ad sidera tollere vultus ;

c'est l'inspiration qui, naissant tout à coup dans une âme fortement passionnée, éclate par des chefs-d'œuvre dans la tragédie, dans l'épopée, dans l'ode, et entraîne après elle les peuples enthousiasmés.

Rien de tout cela à Rome. L'agriculture, les guerres lointaines, les soins du dehors ne laissaient pas au peuple les loisirs qui favorisent les plaisirs raffinés de la pensée. Les Dieux qui prescrivaient le travail et promettaient l'abondance, n'y avaient pas un Olympe entièrement national, et l'esprit, ou plutôt la bouffonnerie romaine, était naturellement contraire à toute idée de tragédie.

Il fallut que des étrangers, des esclaves vinssent l'apporter à Rome au milieu des dépouilles de la guerre pour qu'elle y trouvât le droit de cité. Qu'on ne s'y trompe pas cependant : ce droit de cité ne fut accordé à la tragédie qu'à titre de divertissement, et non parce qu'elle est une des expressions les plus élevées de l'art. Quand on parle d'art chez les Romains, il faut toujours se rappeler ce Mummius qui, en rapportant les chefs-d'œuvre de Corinthe, dit à ceux qui étaient chargés du transport que, s'ils les perdaient, ils seraient obligés d'en faire faire d'autres à leurs dépens. Et la pratique de l'art tragique était si bien pour les Romains une fonction triviale, un divertissement sans importance, que les tragédiens étaient privés de certains droits de citoyens, et n'avaient que le rang de jongleurs, tandis que les acteurs d'atellanes avaient des privilèges égaux à ceux de tout le monde, comme représentants plus vrais de l'esprit populaire et du goût indigène. Ce n'est pas tout : la jeunesse romaine avait été la première à ramener la mode de ces farces locales, quand elle eut vu que l'art grec, récemment introduit, allait détourner l'esprit romain de sa voie favorite; et l'indulgence fut poussée si loin en faveur des atellanes, que les acteurs en étaient autorisés à garder leurs masques quand une déclamation vicieuse ou tout autre défaut pouvait les faire rougir ou les exposer aux sifflets.

Nous savons maintenant ce qu'il faut penser du théâtre romain ; il n'y a pas de comparaison possible entre les trois tragédies. L'art grec, c'est le goût de l'idéal porté dans le domaine de l'imagination et du culte par un peuple frivole, il est vrai, mais d'une sensibilité singulière pour le grand et le beau ; l'art français, c'est la sagesse du choix entre des beautés de diverses sortes, c'est l'assimilation mesurée de ce qu'il y a de plus exquis chez les autres avec ce qu'il y a de plus précis dans l'esprit natal. L'art romain, dans la tragédie principalement, n'est rien de tout cela ; c'est une importation étrangère qui s'acclimate d'abord difficilement, qui ne trouve quelque accès que chez les grands, et n'est adoptée en définitive par une partie de la société que sous le règne d'Auguste, lorsque l'art d'écrire est devenu quelque chose dans l'Etat, quand la politique a besoin des poëtes pour se faire accepter, quand les lectures privées viennent dérober les poëtes tragiques aux sifflets du peuple, à l'affront de se voir préférer des mimes ou des acrobates.

Car le peuple est resté le même jusque sous Auguste. Ses oreilles ne se sont guère attendries ; il aime toujours mieux ce qui parle à ses sens que ce qui peut émouvoir sa pensée, les grands appareils scéniques, les ours et les panthères, et les gladiateurs plutôt que les beaux vers. L'exemple de ce qui se passe au-dessus de lui ne le convertit pas : les plaisanteries rustiques dont Horace se plaint,

Manserunt hodieque manent vestigia ruris,

le gros rire, la plèbe les préfère à la gaîté ou aux larmes choisies, et elle me rappelle assez bien cette anecdote du fripier Vulteius Mena, qui, convié à la table de l'orateur Philippe, invité à vivre de la vie choisie, au milieu de l'aisance et du luxe, aime mieux après tout retourner à son échoppe et reprendre ses haillons, parce que la communauté des goûts, l'égalité des intelligences est impossible, et qu'il y a des incompatibilités auxquelles il faut tôt ou tard céder.

Il y a donc deux époques bien distinctes pour la tragédie latine : la première, qui commence au vi° siècle, et se compose de tragédies imitées ou traduites du grec, et représentées avec des succès divers ; la deuxième, qui commence à Auguste, comprend Sénèque, et se compose presque entièrement de tragédies récitées dans un cercle d'amis.

Dans la première période, nous n'aurons à remarquer que des fragments imparfaits, dont nous rechercherons les modèles en Grèce, essayant de reconstruire les ouvrages dont les débris auront gardé pour nous quelque ensemble et quelque majesté; heureux encore si tout n'a pas disparu, modèles et copies, car il y a des pièces qui n'ont pas même laissé de restes,

Etiam periere ruinæ.

Du milieu de ces copies et de ces vestiges, nous tenterons, comme nous l avons déjà fait pour la comédie, de dégager l'originalité romaine, et de prouver, s'il se peut, que tout ne fut pas servile dans ces reproductions. Oui, partout ailleurs, dans la gaîté des mimes, dans les satires, la pétulance locale a pu éclater et nous donner comme un avant-goût des facéties et des arlequinades qu'on voit encore aujourd'hui sur les petits théâtres de l'Italie ; mais ici, dans la tragédie, peut-être saisirons-nous une veine meilleure, quelque chose de cette gravité un peu sombre qui, pour les affaires de la politique et de la guerre, caractérisait la nation romaine. Dans ce long monologue de *Prométhée*, par exemple, où le poëte Attius a imité le Prométhée grec, il y a des vers qui rappellent la vigueur d'Eschyle, ou plutôt qui semblent avoir gardé quelque chose de cette sévérité toute romaine du Brutus qui osa envoyer ses fils à la mort. On aime à retrouver ainsi le coin de Rome marqué jusque sur les œuvres qu'elle avoue le moins, et l'on est tout prêt d'applaudir ce même Attius d'avoir écrit deux tragédies nationales qui portent le nom de *Brutus* et de *Décius*. Que dis-je? On envie presque le poëte Naevius d'avoir eu les honneurs de la prison pour avoir été trop Romain dans ses vers, tant l'originalité a de prix, tant elle a pour nous des airs de patriotisme!

Il n'en est pas de même de la seconde époque, celle d'Auguste et de Sénèque. Là on se réunit en petit comité pour lire ses tragédies. Ceux qui écoutent sont la plupart des poëtes qui demain auront besoin d'être écoutés à leur tour. On admire volontiers, mais c'est à charge de revanche, et l'on a l'un pour l'autre ces petites complaisances intéressées qui s'accordent sans le moindre effort, mais qui sont mortelles pour la critique et l'art, parce que l'art et la critique ne se soutiennent que par l'indépendance, et ne durent que par la vérité. De plus, le lecteur emploie des artifices de récitation qui mettent en évidence certains passages choisis, ou qui font illusion sur les médiocres, et dupent les oreilles par des inflexions de voix calculées. Ce ne sont plus alors des tragédies proprement dites : la scène ne leur donne plus le prestige, la vérité convenue, le mouvement indispensable; ce ne sont que des morceaux à effet, parmi lesquels nous tenterons de démêler ceux qui ont quelque vraisemblance tragique, et ceux, malheureusement ils sont nombreux, qui en manquent.

Les pièces de Sénèque, les seules qui nous restent de cette seconde période, seront pour nous l'objet d'études que j'essayerai de rendre utiles en ouvrant par là des perspectives sur le temps où il vécut et sur la philosophie qui l'inspira. Je n'éviterai aucune des allusions que m'offrira mon sujet, je les rechercherai même toutes les fois qu'elles pourront nous éclairer davantage, et jeter quelque intérêt sur ces sévères études; heureux, messieurs, si en quittant ces libres entretiens, vous ne m'accusez pas à votre tour d'avoir dupé vos oreilles, sans avoir fait profiter vos esprits!

LA COMÉDIE LATINE

COMPARÉE.

LEÇON D'OUVERTURE.

MESSIEURS,

. . . .
Notre théâtre a changé de caractère : ce n'est plus autant une jouissance pour notre goût qu'une distraction pour notre ennui et notre lassi-
tude. Notre parterre est blasé et curieux, mais il n'est plus essentiellement
littéraire. Nos mœurs, il faut bien le dire, ont perdu le calme, la sérénité et l'élévation nécessaires aux paisibles voluptés de l'esprit, et les
plaisirs que j'appellerai positifs ont envahi la place des nobles joies de
l'intelligence.

D'où vient un tel changement, une transformation si considérable ? Je
pourrais en chercher ici et en développer les causes ; j'aime mieux vous
les laisser entrevoir et saisir par la comparaison du passé. Voyez, par
exemple, ce que fut notre théâtre au dix-septième siècle, et jugez par la
différence.

Alors, la littérature dramatique était plutôt le reflet des imaginations
ou le produit d'une observation profonde qu'un calque grossier de la vie
réelle. L'étude désintéressée du beau, soit dans la forme, soit dans la
pensée, préoccupait les meilleurs esprits, et l'art dramatique du temps lui
dut tout le secret de son éclat.

Je sais bien que tout ne fut pas tourné vers l'idéal dans ces œuvres
admirables qui s'inspiraient aussi de la bienséance correcte de la cour du
grand roi. Le talent ne se détache pas ainsi des choses du moment pour
se transfigurer tout entier. En sortant du temps et de l'espace, il risque
même d'échouer, et une partie de son succès vient souvent de l'usage
habile qu'il sait faire des idées et des travers de son époque. Ainsi Racine
peut bien, pour complaire à une opposition naissante, dire, dans *Phèdre*, un mot cruel sur les flatteurs, ou rappeler, dans *Esther*, les rigueurs
de la révocation de l'édit de Nantes. Je songe, en écoutant certains pas-

sages de *Bérénice*, à Marie de Mancini, à Henriette d'Angleterre ; je reconnais l'*abbé Cottin* dans les *Femmes savantes*, et M. de Soyecourt dans les *Fâcheux*, de Molière. C'est là la date de la pièce, c'est le tribut naturel que le théâtre paye, comme la société d'alors, à la plainte, à la malice humaine ; mais ce n'est pas là le fond de l'œuvre.

Cette société était, il est vrai, comme le seront toutes les sociétés en France, portée à la raillerie et au badinage. Les grandes choses du moment ne lui dérobaient pas entièrement les petites. Sous l'émotion des beautés de *Britannicus*, elle se demandait encore tout bas si le roi oserait reparaître dans un ballet après certaines allusions de la pièce ; elle cherchait des comparaisons entre Junie et La Vallière ; on colportait, sous le manteau, les nouvelles à la main, la *Gazette de Loret*, et l'on mettait en parodie les rigueurs de l'hiver de 1709. Mais, en revanche, quel goût et quelle passion pour les œuvres de goût ! Ici, la cour était pour Racine; là, le duc de Nevers, Mme Deshoulières et sa coterie protégeaient Pradon. Condé, Conti prenaient, comme le roi, parti pour Molière contre les envieux ; Voltaire dit que le maréchal de Vivonne vivait avec lui comme Lélius avec Térence, et Chapelain et Ménage faisaient partie du parterre qui applaudissait les *Précieuses*. C'est par là surtout que le règne du grand roi fut utile au théâtre : rien n'entretenait mieux l'ardeur et le génie du poëte que ce concert de hautes intelligences incessamment prêtes à saluer ou à juger ses productions, que cette passion des lettres, devenue le plus cher intérêt des classes élevées de la société.

Ainsi, c'est à l'image de ce monde frivole et sérieux, sacrifiant à la fois à la médisance et aux Muses, que le théâtre était fait. Mais ce ne sont ni les allusions, ni les portraits contemporains, ni la faveur des petits-maîtres, qui ont fait durer jusqu'à nous la gloire de Racine et de Molière. Tout cela devait aider à leur fortune du moment : ce qui les rend immortels, c'est ce culte profond de la vérité universelle dans son expression la plus idéale ; c'est, dans la misanthropie d'*Alceste* et dans la passion de *Phèdre*, cette science du cœur humain qui reproduit et domine en même temps toutes les vérités du moment, et que leur génie a marquée d'un coin ineffaçable.

Ce qui était l'accessoire pour ces maîtres de notre scène, ces allusions passagères et rares, ce que j'appellerai le costume de leurs pièces, est devenu, de notre temps, le fonds principal des nôtres. Nous nous attachons à imiter grossièrement plutôt qu'à embellir les personnages et les sentiments ; souvent même nous allons au delà de la vérité pour l'enlaidir à plaisir ; nous oublions ainsi une des premières lois de l'art, qui ne doit pas être un calque servile ou avili, mais une interprétation ennoblie de la réalité.

Notre théâtre n'a plus ses Mécènes d'autrefois ; il n'a plus un guide et un frein dans le goût d'un auditoire d'élite. L'indifférence publique le laisse dévier sans retour, et, dans leur brutale indépendance, nos auteurs déroulent devant nous les tableaux de notre vie intérieure avec tout ce qu'elle a de plus saisissant ou de plus trivial, sans autre ornément que des enluminures qui parlent aux yeux, ou des jeux d'esprit qui ne touchent pas notre âme. Horace se plaignait déjà d'une pareille décadence en son temps, quand il disait :

Migravit ab aure voluptas
Omnis ad incertos oculos et gaudia vana.

C'est une distraction, si l'on veut, c'est un épisode de plus de nos travers ou de nos douleurs auquel nous assistons; mais ce n'est plus un charme bienfaisant qui nous attire, et l'enthousiasme des arts n'y vient plus élargir, en quelque sorte, nos facultés pour les féconder. Avec ces grosses couleurs et ces jeux de mots, qui sont aujourd'hui à peu près la seule décoration de notre scène, la comédie risque d'être ramenée insensiblement à son état primitif. De la gaîté sans frein il n'y a pas loin au grotesque de la foire, et nous sommes déjà bien près des tréteaux de Tabarin.

A Dieu ne plaise que je sois pour cela l'ennemi irréconciliable de notre théâtre, et que je désespère complétement de son avenir! Il peut se relever encore. Je ne veux pas céder à l'usage, devenu banal, de fustiger les modernes avec des verges fournies par les anciens, et j'ai hâte d'ajouter que quelques tentatives, rares, il est vrai (1), ont été faites pour rendre la vie et la dignité à notre scène; mais elles ont à peu près toutes échoué, et aucune n'a laissé de trace profonde. Je me trompe cependant : dans ces essais, faits la plupart à la suite de mûres études, patiemment élaborés, et s'élevant au-dessus des données vulgaires, on a vu une protestation contre cette funeste tendance de nos écrivains à matérialiser la pensée, à en faire une marchandise, et à produire rapidement et beaucoup, sans aucun souci de l'art ni de la morale.

Non, quoiqu'on improvise en quelques jours des volumes et des drames, non, messieurs, le cerveau n'est point une machine, et la pensée n'est point une denrée. Protestons, nous aussi, protestons contre cette invasion de la matière et du calcul sur le domaine sacré de l'inspiration et de la poésie, contre cette profanation de la plus noble faculté de l'homme, qui fait consister le génie dans la célérité, et qui met le savoir-faire à la place de l'art. Grâce à Dieu! la pensée, qui a immortalisé Homère, et dont Descartes s'enorgueillissait, ne laissera jamais prescrire ses droits : elle ne succombera pas sous cette fièvre du négoce, qui a gagné et abâtardi quelques imaginations. Ils se trompent, ceux qui veulent assimiler les bénéfices de l'esprit à ceux de l'industrie moderne : leur pensée, ainsi dénaturée, loin de ressembler à cette vapeur puissante

(1) *Agnès de Méranie*, *Virginie*, *Lucrèce*, etc.

3

qui, par des prodiges de force, soulève et entraîne toutes choses, se dissipera comme cette fumée inutile dont l'industrie ne peut rien faire, et qui s'évanouit en vains nuages après nous avoir un instant caché le soleil et les cieux.

Pour me résumer sur ce point, ce qui restera, je crois, de toute cette imitation rapide et prosaïque de notre vie bourgeoise ou de nos ridicules, c'est une page pour l'histoire des mœurs. Dans le théâtre du dix-neuvième siècle, on cherchera ce que fut notre société, on en étudiera les goûts et le costume. Il sera curieux de reconnaître les traits nouveaux ajoutés par notre époque aux vieux masques d'autrefois. Harpagon ne nous a pas quittés, il est encore parmi nous; mais il est quelque chose de plus : aujourd'hui Harpagon est électeur. Nous avons encore des Philintes, mais de nos jours les Philintes spéculent et ne protégent pas les lettres.

Voilà quelques-unes des figures qui seront remarquées par nos neveux, et enregistrées à leur date par les érudits d'un autre âge; mais le goût et la recherche du beau n'auront guère de part à cette étude.

Ce n'est pas sans motif que j'ai insisté sur la transformation de notre théâtre et sur ses tendances matérialistes et vulgaires. J'ai voulu par là vous donner une image anticipée du théâtre latin. Là aussi c'est le détail technique, c'est le terre-à-terre qui prédomine. Mais ce qui n'est qu'une déviation ou une forme nouvelle du théâtre en France, est le caractère natif et essentiel de la scène à Rome. Il n'en pouvait guère être autrement chez ce peuple qui se complaisait au libre langage des bateleurs, aux combats sanglants du cirque; qui, au milieu des scènes touchantes de quelque tragédie d'importation étrangère, demandait à voir des lutteurs ou un ours, ou quittait la représentation pour aller admirer un acrobate. Jamais la comédie élégante ou les nobles accents de la tragédie n'y eurent la même popularité que les farces atellanes, les mimes ou les comédies de Plaute. Bien que ce théâtre original porte cependant la double marque des vérités générales et des vérités passagères, je veux l'étudier comme on étudiera un jour la scène de notre époque, non pas pour le vain plaisir d'y chercher quelque détail révoltant, non pour en reconnaître la trivialité et l'abaissement, mais avec la prédilection d'un archéologue qui veut étudier l'histoire ailleurs que dans les historiens.

Je veux m'occuper surtout de cette partie du répertoire comique qui, comme la plupart de nos pièces actuelles, s'adressait aux gradins supérieurs, *verba ad summam caveam spectantia*; j'y veux saisir les mœurs romaines sous l'enveloppe transparente qu'elles ont empruntée à la Grèce, et reconnaître le caractère local dans les effronteries les plus hardies de cette scène curieuse.

C'est assez dire que je ne commencerai pas par Térence. Térence est, en effet, l'auteur des classes élevées, de la partie la moins nombreuse de la société romaine au sixième siècle. Son style, ses pensées, ont la

politesse et l'élégance de la bonne compagnie, et il y a là comme un écho
embelli des entretiens de Lélius et de Scipion. Ses comédies sont moins
l'expression des vices et des désordres de la société romaine qu'elles n'en
sont l'excuse. Dans Térence, les femmes, les jeunes gens les plus hardis,
ont des qualités et presque de la noblesse ; le vice est estimable et semble
dispenser de la vertu, ou plutôt les penchants qui étaient des vices dans
Plaute ne sont que des faiblesses dans Térence. Tout est bien, ou peu
s'en faut, dans ces tableaux corrects, et Balzac disait avec raison que
les femmes les plus libres de ses pièces sont souvent plus modestes que
les plus honnêtes matrones des comédies de Plaute.

En pouvait-il être autrement chez Térence? Qu'on lise ses prologues,
qu'on se reporte à sa biographie. Ce jeune affranchi du sénateur Teren-
tius Lucanus, qui devait ses succès à sa beauté et aux grâces de son
esprit ; ce commensal des nobles Romains, admis par faveur à partager
leurs débauches, devait trouver pour elles des éloges ou des palliatifs.
Térence devait-il, pouvait-il se montrer sévère pour d'aussi illustres
patrons? Timide par caractère, modeste par position, sensible à la
moindre critique, toujours humble devant ce peuple pour lequel il n'écrit
pas, il ne veut heurter personne, il n'a ni fiel ni folle gaîté ; son talent
consiste à fuir les extrêmes, à adoucir tous les tons, et à ménager tous
les excès. « S'il y a, dit-il, des écrivains qui cherchent à plaire à la plupart des gens de bien et à n'offenser qui que ce soit, le poëte Térence
fait profession d'en être. »

Si quisquam est qui placere se studeat bonis
Quam plurimis, et minimè multos lædere,
In his poeta hic nomen profitetur suum.

« Dans ce temps-ci, dit-il ailleurs, la flatterie fait des amis et la vérité
des ennemis. »

Namque hoc tempore obsequium amicos, veritas odium parit.

Ce n'est donc pas là que je chercherai, dans toute leur franchise, les
mœurs locales, la vie de la foule. Je n'en veux pas conclure que tout soit
faux dans l'art exquis de Térence. Pour embellir le vice, il faut nécessairement le montrer ; et d'ailleurs, je l'ai dit, le poëte, quoi qu'il fasse,
ne peut pas dépouiller ainsi tout caractère local, toute vérité du moment. Seulement ce copiste des Grecs, ce demi-Ménandre, comme on l'a
appelé, arrivé à Rome avant le siècle de la politesse, me paraît trop poli
pour être vrai. Il représente un monde et des mœurs en dehors de la vie
commune. S'il était venu après Marius, ou s'il eût été contemporain
d'Horace, je l'aurais écouté et consulté davantage.

Au sixième siècle, les guerres extérieures dont Rome était sans cesse
occupée lui donnaient à peine les loisirs qui sont nécessaires aux lettres.

La passion des armes et de l'épicuréisme la détournait du goût des livres. Ce n'est qu'un an avant la représentation de l'*Andrienne*, que Paul-Émile rapportait de Macédoine la première bibliothèque que les Romains connurent, et c'est l'année même où fut donné l'*Eunuque* qu'un édit du préteur Pomponius chassait de Rome les rhéteurs et les philosophes, qu'on jugeait inutiles aux plaisirs d'un peuple guerrier. De temps à autre les hommes éminents d'alors ramenaient, avec leur bagage de guerre, quelque soldat ou quelque esclave de talent auquel ils confiaient l'éducation de leurs enfants, ou qu'ils honoraient fastueusement de leur protection. C'était certainement la plus belle proie du vainqueur. Mais, à cette époque, les vainqueurs ne faisaient pas encore des lettres le plus beau laurier de leur couronne. Les livres de Magon, sur l'agriculture, étaient le seul butin littéraire qu'on emportait des bibliothèques de Carthage détruite, et Scipion et Lélius se cachaient, pour écrire des scènes de comédie, sous le nom de Térence.

Plaute me semble devoir convenir mieux au but que je poursuis. Resté franchement dans les rangs du peuple, il avait connu le malheur après la prospérité, et c'est là la meilleure école pour étudier, pour apprécier les hommes et les choses. La fortune qui nous échoit à la suite d'une vie obscure embellit toutes choses à nos yeux et nous fait souvent illusion sur la vérité. On oublie ou on ignore les maux de la vie sociale, et l'on est disposé à excuser ceux que l'on connaît. Ce qui corrige nos illusions, ce sont les revers après la fortune; aucun éblouissement ne trompe plus nos yeux; nous avons un intérêt pressant d'étudier les caractères qui nous entourent, de pénétrer les causes du mal; et, pourvu que nous soyons d'une humeur ferme et naturellement gaie, comme l'était Plaute, nous jugeons non pas avec aigreur, mais avec justesse. Ainsi je ne suis pas indifférent à cet épisode de la vie de Plaute qui nous le montre aux gages d'un meunier après avoir fait fortune au théâtre. Je soupçonne même que les trois comédies qu'il composa, dit-on, en tournant la meule, ne devaient pas être les plus faibles de son répertoire. Quoique Plaute fût toujours rapproché du peuple par sa condition ou par ses goûts, il y a cependant telle vérité d'observation des *Captifs* ou du *Fanfaron* qui lui aurait échappé s'il n'avait éprouvé personnellement dans l'obscurité d'un sort subalterne combien l'esclavage s'ennoblit par la fidélité, et combien l'orgueil se ridiculise par la jactance. Il y a de même dans le *Misanthrope* plus d'un trait que Molière aurait négligé, si des chagrins d'intérieur n'étaient venus donner un aliment de plus à son génie, et ajouter à la vérité du portrait.

Un autre mérite de Plaute, c'est cette vivacité de ton qui lui fait à tout propos oublier les conventions de sa pièce, et ce qu'on appelle la couleur locale. Toutes les sensations de l'amphithéâtre, tous les ressorts romains de sa comédie, les fantaisies, les usages du peuple, des spectateurs, il me les révèle avec une indiscrétion instructive. Cette ville de Rome, si remplie de turpitudes bourgeoises; ces maisons de plaisir plus animées, plus curieuses que le foyer domestique, qui, dans l'antiquité, se cachait à tous les regards ; ces valets insolents, qui se vengent de la servitude par l'effronterie, je les étudie, je les vois sous leur vrai jour dans chaque scène de Plaute. Plaute est pour moi le chroniqueur de la bourgeoisie romaine. Seulement, au lieu de raconter les mœurs de son temps, il les montre, il les fait vivre sous nos yeux ; il est plein de gaîté, mais il est sérieux au fond; il a de l'esprit, souvent trop d'esprit peut-être, mais son esprit ne nuit pas à la vérité. Ce ne sont pas les grandes scènes du forum, ce n'est pas le spectacle du patriotisme romain que je cherche là ; ce sont les commérages et les vices de la fameuse rue des Toscans, c'est le ménage de la populace romaine, c'est comme les coulisses du Forum dont je deviens le témoin. Il est pour la bourgeoisie de Rome ce qu'était Tallemant des Réaux pour les ruelles du dix-septième siècle; seulement, c'est Tallemant, moins la calomnie et avec la poésie de plus.

Ce spectacle de la vie indigène, que je cherche dans les scènes que l'antiquité nous a laissées, avait pour interprètes d'autres poëtes encore. Afranius, Titinius, Atta, Cecilius, ont été célèbres à des titres divers dans la comédie appelée *Togata*, sur ce théâtre où ne se montraient que des Romains dégagés du pallium grec. On sait, en outre, quel châtiment cruel fut infligé à Nævius, le plus ancien de tous ces poëtes comiques, pour avoir poussé trop loin, dans ses pièces, le goût de la vérité toute romaine.

Ici, à défaut de ses œuvres, les malheurs de l'auteur peuvent nous instruire. C'est un trait de mœurs qui vaut tout un drame. Nævius, on se le rappelle, paya de sa liberté une allusion contre Scipion et une épigramme contre Metellus : il alla, disent quelques auteurs, mourir dans l'exil à Utique, subissant ainsi jusqu'au bout ce *mal* ignominieux que les Metellus lui avaient prédit en retour de sa hardiesse. C'est qu'alors l'aristocratie était encore plus ombrageuse et moins éclairée qu'au temps de Térence. Au lieu de se venger, comme cela arriva souvent, plus tard, par l'esprit ou par le dédain, des libertés de la littérature plébéienne, elle faisait durement expier à ces écrivains, qu'elle méprisait, non-seulement les torts de leur sincérité, mais encore ceux de leur bon goût. « Eh quoi ! s'écrie Nævius dans un passage qui heureusement nous a été conservé, eh quoi ! ce que j'ai approuvé et applaudi au théâtre, quelque noble, quelque roi, osera venir le renverser ! Ah ! combien ici l'asservissement l'emporte sur la liberté ! »

> Quæ ego in theatro hic meis probavi plausibus
> Ea nunc audere quemquam regem rumpere ?ʳ
> Quanto libertatem hanc hic superat servitus !

Ainsi, un des ancêtres du théâtre latin, ce Nævius, dont les œuvres étaient encore présentes à tous les esprits sous le règne élégant d'Auguste, était méprisé jusque dans ses préférences littéraires par les patriciens de son temps! Quel chemin, quelles tentatives la littérature a besoin de faire encore pour gagner ses lettres de noblesse dans cette Rome guerrière et hautaine! J'aime cette exclamation de Nævius comme une éloquente protestation du goût contre la force, comme on aime tous les efforts du droit contre le privilége. Elle me rappelle, jusque par la fierté qu'elle respire, l'attitude d'un vieux tragique romain devant un parent de Jules-César, dans une réunion de poëtes. C'était une protestation aussi. « Il ne s'agit point ici, disait-il en refusant de se lever devant l'homme d'État, il ne s'agit point d'une lutte de titres et d'aïeux, mais de livres! » proclamant ainsi, avec un orgueil qui a son prix, l'égalité entre la noblesse de naissance et la noblesse des lettres.

Tels étaient, au commencement du sixième siècle de Rome, les préjugés et les rigueurs des grands contre les poëtes et contre leurs allusions personnelles; telles furent, avec quelques autres que nous noterons plus tard, les tentatives que la liberté romaine osa risquer sur le théâtre. Il est regrettable qu'elles aient échoué aussi complétement dans le domaine de la politique, et qu'elles n'y aient pas trouvé le même appui qu'Aristophane, par exemple, avait su gagner pour ses comédies grecques.

En Grèce, du moins, la comédie ancienne, en traitant, comme le théâtre latin, des détails de la vie vulgaire, s'était agrandie par l'usage des libertés politiques. Là, le peuple, dans les grands jours de fête, applaudissait aux mordantes satires lancées du haut de la scène contre les charlatans de toutes espèces, politiques ou autres. C'était une tribune fort écoutée, d'où tombait avec éclat, sur la tête des ambitieux ou des novateurs, la colère du poëte avec toutes les richesses de la plus brillante poésie. C'est là, c'est sous les yeux mêmes des démocrates les plus intolérants, qu'Aristophane osait bafouer toutes les folies de la démocratie, soit qu'il fît l'apologie du passé et de la sage routine d'autrefois, en regard des aberrations du présent; soit que, dans sa comédie des *Oiseaux*, il ridiculisât l'utopie d'une république lointaine et imaginaire, en dévoilant ses misères et ses désordres. C'est lui qui, dans la pièce des *Chevaliers*, s'adressant à un fier démagogue, osait dire : « Tu as tout ce qu'il faut pour te concilier l'affection du peuple : une voix formidable, un caractère méchant, les habitudes de la halle. Rien ne te manque de ce qui est en usage dans l'administration de la république. » Vous le voyez, messieurs, les mêmes hommes se retrouvent dans tous les pays, et les erreurs de la politique ont leurs contradicteurs à toutes les époques : dans l'antiquité, par la voix du théâtre et des orateurs, comme dans les temps modernes par la voix de la presse.

Cet aperçu rapide peut suffire pour vous faire juger des trois comédies dont j'ai parlé. En France, la comédie est devenue prosaïque ou triviale; à Rome, elle a été surtout une bouffonnerie sérieuse; en Grèce, entre les mains d'Aristophane, elle a été un. pamphlet. Mais, pour nous borner aux deux dernières, qui seront l'objet particulier de mes études cette année, ce qui distingue le comique grec du comique latin, ce n'est pas seulement l'emploi de la satire politique, c'est encore cette poésie inimitable, ce style rempli de trésors qui semblent n'appartenir qu'au sol de l'Attique. La poésie latine des premiers siècles de Rome est dure et âpre comme le sol où elle est née, elle est sensuelle comme ses premiers interprètes, mais elle est virile comme leur génie. Une comparaison me fera mieux comprendre.

Il y a une charmante description du printemps, de Méléagre, dont je veux détacher un passage : « Partout, dit-il, les diverses espèces d'oiseaux font entendre leur chant mélodieux ; l'alcyon sur les flots, l'hirondelle autour des maisons, le cygne au bord des fleuves , le rossignol dans les forêts. Quand les plantes déploient leur chevelure, que la terre se couvre de végétaux , que le pasteur enfle ses pipeaux ; quand les brebis à la riche toison bondissent de joie, que les nautonniers fendent les mers, que Bacchus célèbre des chœurs de danse, que les oiseaux reprennent leur concert, et que l'abeille devient mère, comment n'être pas inspiré pour chanter le printemps? » Voilà l'emblème de l'imagination grecque. C'est un printemps perpétuel, c'est partout la grâce qui se mêle à la vie. Il n'en est pas ainsi de Rome. Vous savez ce que l'histoire nous apprend de la folie feinte de Junius Brutus. Il portait un bâton noueux quand il alla consulter l'oracle de Delphes. L'homme paraissait aussi grossier que l'écorce de son bâton. Cependant dans l'homme se cachait un grand homme; le lourd bâton tomba à terre, il en sortit de l'or. Voilà l'image de la littérature romaine, de la vieille comédie latine. Ce sont les trésors qu'elle enferme que je veux reconnaître avec vous.

QUELQUES REMARQUES

SUR

LUCILIUS.

LUCILIUS A-T-IL FAIT DES COMÉDIES?

Au moment où l'attention se porte sur la vie et les œuvres du poëte Lucilius, il est bon de chercher à éclairer le débat et d'en fixer, s'il se peut, quelques points douteux. On n'a jamais tout dit sur un écrivain, surtout lorsqu'au lieu d'un livre complet, il n'a laissé à ses juges que des fragments mêlés, un nom célèbre à justifier et une œuvre mutilée à reconstruire. La conjecture entraîne souvent trop loin au milieu de ces débris douteux, et nous avons pu compter ses écarts en même temps que ses découvertes, depuis la publication de M. Varges, en 1835, sur Lucilius, jusqu'au travail consciencieux que nous a donné récemment M. Corpet dans la nouvelle collection Panckoucke.

Aujourd'hui M. Gerlach vient de publier un livre qui résume à peu près tous les travaux antérieurs sur le même sujet, et qui cite même M. Corpet, le dernier éditeur. Déjà, en 1844, M. Gerlach avait donné à Bâle une brochure allemande sur Lucilius. Cette fois il veut être lu par toute l'Europe savante, et il publie un travail plus complet en latin. Ce n'est pas tout : sa brochure allemande va reparaître avec des corrections et des améliorations (p. CLIV). Tout le monde profitera ainsi des études du commentateur nouveau; mais je doute que là même il nous donne le dernier mot de la critique sur les satires de Lucilius. Si M. Gerlach n'est pas aussi aventureux que M. Van-Heusde, il a le tort d'être moins complet, bien que dans son livre nouveau il paraisse avoir suivi un plan analogue. En effet, M. Gerlach ne nous apprend rien de plus que ce que nous savions déjà. A part quelques changements proposés par M. Duentzer, et timidement rejetés à la fin du livre; à part l'opinion donnée par l'éditeur sur le sujet du livre IX (p. LXIX), et un vers de plus ajouté au livre XX, mais que M. Gerlach n'introduit pas dans le texte qu'il vient de publier, cette monographie nouvelle n'offre rien d'original, aucune vue neuve, aucune solution sur des questions contestées, et je ne sais s'il ne faut pas préférer à cette infructueuse timidité la témérité de quelques autres critiques qui, par leur décision hardie, provoquent du moins la discussion et appellent tôt ou tard la lumière. J'aime mieux, par exemple, la lettre par laquelle Fr. Hermann a combattu, dans les *Éphémérides* de Goettingue, les paradoxes de M. Van-Heusde, et la réponse obstinée de celui-ci, que les innocents lieux communs de M. Gerlach.

Il y a un point sur lequel il n'a rien dit, et qui me paraît intéressant à résoudre. Lucilius a-t-il fait des comédies? M. Petermann, dans une brochure sur la vie de Lucilius, publiée en 1842, dit que rien dans les fragments du satirique ne semble le faire supposer. Je crois que c'est le contraire qu'il eût fallu annoncer; car comment expliquer autrement l'opinion qui attribue des pièces de théâtre à notre auteur? Sur quoi se se serait-elle fondée, sinon sur des fragments dramatiques en apparence? Ce n'est pas au théâtre, on le sait, que Lucilius a conquis sa réputation; ce n'est pas son talent de poëte comique que les témoignages anciens ont vanté. Il y a, il faut le dire, plus d'un passage de son livre qui semble appartenir à la scène et qu'on peut croire difficile de rattacher avec précision à la satire. La comédie et la satire se confondaient, nous le savons, dans une commune origine, et, après le règne de Plaute, de Cæcilius Status, de Térence, qui avaient nettement séparé les deux genres, on a pu penser que Lucilius, venant après, et voulant faire mieux, s'était proposé de les faire servir tous deux à un but unique, de châtier à la fois le vice par le fouet de la satire et par le ridicule du théâtre.

En effet, tout ce qui touche à la scène tient une certaine place dans l'œuvre de Lucilius. Mercier et Muncker ont attribué à notre satirique une comédie intitulée *Immolaria*, d'après une note du scoliaste de Cruquius au sujet de cette Pythias qui escroqua, dit Horace, de l'argent au bonhomme Simon. Cette rusée servante figurait, selon le scoliaste, dans une comédie de Lucilius (1). Tout le livre XXVIII est, aux yeux de M. Corpet, une sorte de réminiscence des *Adelphes* de Térence, parce qu'on y parle de débauches et de morale. Les fragments huit et vingt-quatre de ce livre ont paru à Jos. Mercier être les restes d'une comédie, parce que l'interlocuteur s'y adresse directement à quelqu'un (2). Sca-

(1) *Voir* Lucilius, édit. Corpet, p. 221. Toutes les citations que je fais des fragments de Lucilius sont prises à cette édition.

(2) Le sujet n'est pas sans analogie avec le *Gemina* du poëte comique Titinius, où se trouvent ces vers :

Parasitos amovi, lenonem ædibus absterrui :
Desuevi ne quo ad cœnam iret extra consilium meum.

Et plus loin :

Non exsecratur is parasitum, nec virum abspellit domo ?

liger a trouvé dans le fragment quatre du livre XXVII une allocution
de Lucilius au peuple, qui lui semble détachée d'un prologue qu'il
n'hésite pas à mettre à la tête d'une comédie satirique. François Dousa
assure que le dernier vers de ce livre a été emprunté au comique Cæcilius Statius. Le *Mercator* de Plaute en a fourni le fragment trente-quatre,
de même que son *Pœnulus* a servi de modèle au fragment six du
livre VII. Enfin on pourrait aisément ajouter au répertoire comique de
notre poëte une autre pièce de théâtre appelée *Fornix*, d'après un très-
curieux passage d'Arnobe, où cette œuvre de Lucilius est citée à côté
du *Marsyas* de Pomponius de Bologne, le célèbre auteur d'atellanes (1).

Les témoignages peuvent se multiplier encore sur ce point. On sait
que Lucilius, qu'il ait été ou non auteur comique, n'a pas manqué de
railler tous les mauvais acteurs aussi bien que certains poëtes dramatiques. L'envie est le moindre défaut dans ces sortes de confréries.
Horace nous a appris qu'il ne ménageait ni le sévère Attius ni Ennius
lui-même. On a pensé que le fragment dix-huit du livre V était une
parodie de l'enflure d'un vers de Pacuvius cité par Quintilien, et les
fragments sept et huit du livre XIX nous montrent comment le satirique
bafouait non-seulement l'emphase du grand tragique, mais encore le
ton rauque et prétentieux de ses interprètes. Cette fois, s'il en faut croire
l'auteur de la *Rhétorique à Herennius*, la satire fut punie. Lucilius, le
chevalier romain, n'obtint pas satisfaction des sarcasmes publics d'un
comédien qui se vengeait. Il fut moins heureux que l'avait été autrefois
Metellus contre les hardiesses de Nævius. Metellus n'écrivait pas : il fit
bannir le poëte audacieux. Lucilius écrivait, ce qui rapproche toujours
les rangs. L'acteur qui avait ridiculisé ou insulté Lucilius fut cité en
justice ; mais le juge ne donna pas gain de cause au chevalier (2).

Il sera facile, je crois, de réfuter toutes ces opinions et de dissiper des
apparences qui ont séduit M. Corpet lui-même (3). La pièce intitulée
Immolaria, que Muncker et Mercier attribuent à notre auteur d'après
une autorité douteuse, a été plus souvent prêtée à d'autres par un très-
grand nombre de commentateurs. Ceux même qui lisent le nom de
Lucilius dans le passage de Fulgence Planciade où cette pièce est nom-
mée, y voient, excepté Muncker, un auteur tragique ou un poëte grec,

---

(1) Arnob., *Advers. gentes*, II, 6, p. 80, édit. Orelli : Ex quibus scientiæ disciplinis tantum cordis assumere, divinationis tantum potuistis haurire?... Quia *Fornicem* Lucilianum et
Marsyam Pomponii obsignatum memoria continetis. — *Voir* Schmidt : *Lucilii satyrarum
quæ de libro nono supersunt.* Berlin, 1840, p. 40 ; Van-Heusde, *Studia critic.*, p. 172 ;
et Patin, *Journal des Savants*, mai 1846, p. 289.

(2) *Ad Herenn.*, II, 13. C'est sans doute à ce juge, nommé Caius Cælius, que se rapporte
le fragm. 32 du livre XXX, et peut-être aussi le fragm. 38. Merula, *in Ennium*, p. 484,
sqq., n'y voit qu'une apostrophe de Fabius Cunctator contre C. Minatius Rufus, son chef de
la cavalerie. Cf. Pighius, *Ann.*, III, 116, au sujet de Cælius Caldus. — Les livres XII et XIX
de Lucilius sont ceux qui contiennent le plus d'attaques contre les comédiens.

(3) *Voir* son édition, p. 9, 154, 165 et 221. — Charles Labitte, *Revue des Deux Mondes*,
1er octobre 1845, p. 87, partageait la même opinion.

et se gardent bien d'y reconnaître notre satirique. Si Lucilius a été poëte dramatique, comment Volcatius Sedigitus l'a-t-il oublié dans cette liste des poëtes comiques que nous a transmise Aulu-Gelle? Comment celui que Varron trouvait gracieux, à qui Horace ne pouvait refuser le goût et l'urbanité, et Juvénal la force et la puissance, n'aurait-il pas laissé trace sur la scène, s'il avait voulu s'y essayer? Horace, qui dans deux satires s'est si longuement occupé de lui, avait-il donc perdu la mémoire du talent dramatique de son prédécesseur? Horace a fait plus. Dans cette satire IV, où il se justifie de ses propres épigrammes, il nous montre à la fois la cause de l'erreur de ceux qui ont attribué des comédies à Lucilius et les modèles qui ont servi à ses satires. C'est dans la vieille comédie, c'est à Eupolis, à Cratinus, à Aristophane, qui désignaient sans pitié les hommes vicieux de leur temps, que Lucilius a pris l'idée, a emprunté l'audace de cette satire personnelle qui lui valut sa renommée et ses ennemis. Ce n'est point, il ne s'y faut pas tromper, en écrivant des comédies à la façon des Grecs, c'est en se montrant satirique aussi hardi qu'eux qu'il essaya, hors de la scène, un genre dont on lui attribue toute l'originalité. Ce témoignage se fortifie d'un passage de Lydus (1) où cette imitation et cette création de Lucilius sont marquées tout ensemble. Il y est dit au sujet de Rhinthon le *phlya-cographe*:

« Ῥίνθων ἑξαμέτροις ἔγραψε τὴν κωμῳδίαν, ἐξ οὗ πρῶτος λαβὼν τὰς ἀφορμὰς Λουκίλιος ὁ Ῥωμαῖος ἡροικοῖς ἔπεσιν ἐκωμῴδησε. »

Ce dernier mot, qui pourrait servir l'opinion que je combats, n'a pas ici une signification douteuse. Il veut dire *bafouer;* il a été bien choisi par l'auteur, pour exprimer précisément cette connexité de la satire théâtrale des Grecs et du Tarentin Rhinthon avec la satire écrite de Lucilius. La suite de la phrase ne laisse pas de doute à cet égard. Lydus continue : Μεθ' ὅν καὶ τοὺς μετ' αὐτὸν, οὓς καλοῦσι Ῥωμαῖοι σατυρικούς, κ. τ. λ. Tous les satiriques romains n'ont pas écrit de comédies, on le sait, et il devient superflu de discuter davantage cette citation. Le grammairien Diomède ne pensait pas autrement lorsqu'il écrivait :

« Satyra est carmen apud Romanos nunc quidem maledicum, et ad carpenda hominum vitia *archææ comœdiæ charactere compositum,* quales scripserunt *Lucilius* et Horatius et Persius. »

Nous savons désormais ce que Lucilius a tenté, ce qu'il a voulu imiter et ce qui touche à la comédie dans ses œuvres satiriques. Tout s'explique alors, ses attaques sans nombre contre Lupus, contre Gallonius et Granius, contre les acteurs et les auteurs qui lui déplaisaient, et ces interpellations directes qui relevaient de la comédie ancienne,

(1) *De magistrat. pop. rom.*, I, 41, p. 183, édit. Benk.—Cf. Aul.-Gell., XVII, 22.

mais qui n'en étaient pas. Ce livre XXVIII, où M. Corpet a vu des traces de comédie, me semble maintenant une satire facile à expliquer. C'est probablement une remontrance adressée par l'auteur ou par un vieillard à un jeune homme nommé sans doute Hymnis, si j'en crois le dernier fragment, pour l'engager à chasser de chez lui les flatteurs, les parasites qui l'aidaient à dévorer ses biens. Les fragments 24 et 40, qui sont en langage direct, sont habituels à ce genre de satire avec laquelle Horace nous a familiarisés. S'il y a là quelques souvenirs des *Adelphes* de Térence, de ce copiste de Ménandre, faut-il s'en étonner après ce que nous avons dit? Ménandre était franchement copié plus tard dans la satire cinquième de Perse, comme l'*Eunuque* de Térence l'avait été dans un passage de la troisième satire d'Horace (1).

Ces phrases directes, ces allocutions personnelles que Lucilius peut avoir transportées du théâtre dans ses livres, animent et rendent plus naturel le ton de la satire. Elles étaient d'ailleurs moins nouvelles qu'on ne pense. Depuis longtemps Ennius les avait introduites dans ses *Satires*. Dans l'une d'elles, il avait personnifié la Vie et la Mort, et les avait présentées en lutte entre elles, et dialoguant tour à tour (2). Assurément, si quelques fragments de cette dispute nous étaient parvenus, les commentateurs n'auraient point hésité à y reconnaître une comédie, et ils se seraient trompés. Nous savons, d'autre part, avec quel agrément Horace s'est servi, dans ses *Satires*, de ce style entrecoupé d'apostrophes et de dialogues, et quel mouvement il a su donner par là à certaines d'entre elles. Je ne sache pas que jamais on lui ait prêté pour cela la moindre pièce de théâtre.

Je termine par une dernière observation sur l'ouvrage instructif de M. Corpet. Il est évident qu'Arnobe, dont j'ai parlé plus haut, désignait par le titre de *Fornix* un livre fameux des satires de Lucilius. La plupart des commentateurs ont cherché à laquelle ce nom devait appartenir. Les uns l'ont prêté à la septième. Duentzer l'attribue à la huitième; M. Van-Heusde l'a appliqué à la satire neuvième, au moyen d'arguments qui ne sauraient résister à un examen sérieux. Quoi qu'il en soit, chacun du moins a compris qu'il fallait trouver à placer ce titre. M. Corpet seul s'est abstenu, et n'a pas même cherché à fournir une solution sur ce point, bien qu'il en ait eu l'occasion en tête et dans la note première de son livre IX, ou au numéro 164 de ses *Fragmenta incerta*. Cette réserve, qui caractérise la critique de notre éditeur, je ne me permettrais pas de la faire remarquer, bien qu'ici elle soit presque un défaut, si ailleurs, au sujet du dernier fragment du livre XXVII, M. Corpet n'avait proposé, sans motif évident, de donner le nom d'*Hymnis* à l'un des

---

(1) Pers., *Sat.* v, 161, sqq. — Horat., *Sermon.*, II, 3, 258, sqq. — Voir *Journal des Savants*, *loc. cit.*, p. 295.

(2) Quintilian., INST., *Orat.*, IX, 2 : « Sed formas quoque Qngimus sæpe... ut *Mortem* ac *Vitam* quas contendentes in satira tradit Ennius. »

livres de Lucilius (1). Cette opinion, timidement exprimée, il est vrai, ne repose sur aucun texte et ne saurait se soutenir ; tandis que le passage d'Arnobe appelait plutôt une discussion approfondie, et méritait de dicter une autre résolution que celle du silence à un commentateur aussi judicieux. C'est montrer tout ensemble trop de discrétion et trop de hardiesse.

(1) Cf. xvi, frag, 10, sa conjecture, plus vraisemblable d'ailleurs, sur la *Pistrina* de Lucilius.

DE LA TRADUCTION FRANÇAISE

ET DE

SUÉTONE.

———

Montesquieu s'est moqué quelque part des traductions ; Mme de Staël en a fait l'éloge : lequel des deux faut-il croire? Il me semble qu'il ne faut pas faire du badinage de Montesquieu plus de cas qu'il n'en faisait lui-même. On ne passe pas sa vie à ne pas penser quand on s'occupe de traduire ; c'est, au contraire, pour la pensée un aiguillon salutaire, une gymnastique fortifiante que ce commerce, souvent embarrassant et délicat, toujours piquant, avec la pensée d'un autre. L'imagination risque d'y périr, il est vrai, mais le bon sens s'y consolide et la logique y gagne, si l'on a eu le soin de bien choisir son modèle. On suit pas à pas dans ses détours ingénieux , dans sa marche souvent hardie ou dans son progrès sévère, la vivacité d'un subtil esprit, l'audace d'un génie impétueux, ou enfin l'allure sobre et nerveuse d'un profond penseur. On lutte vivement, on veut étreindre cet adversaire puissant ou malin ; on met en dehors, pour le saisir, ses meilleures facultés, ses forces les plus franches. C'est la fable de Protée et du berger; seulement, au lieu de finir par ne tenir qu'un monstre, c'est un dieu, ou plutôt c'est un homme qu'on a garrotté, et l'on sort vainqueur du duel sans avoir tué personne. C'est assez dire que je ne veux parler ici que des bons traducteurs.

J'aime donc mieux l'opinion qu'exprimait à ce sujet Mme de Staël en 1816, et je me range du côté des bonnes traductions. C'est le seul moyen de réaliser, en quelque sorte, cette séduisante chimère d'une langue universelle destinée à rallier tous les esprits dans un ensemble sympathique, et à accroître la famille , assez restreinte d'ailleurs, des grands génies de tous les pays. Pour le traducteur, quelles sources de jouissances! quelles aimables difficultés ! quelles tortures fécondes! et comme son originalité individuelle peut, s'il veut, ressortir encore et se signaler auprès de celle du modèle! Pour le lecteur, quelle variété de saveurs! et comme son goût se fortifie et s'épure à ce fructueux mélange! comme ce butin d'abeille doit enrichir son miel!

Je sais bien qu'on peut objecter que tous ces plaisirs-là ne valent pas ceux que donnent la lecture et l'intimité de l'original même, et qu'il y a toujours un peu de mascarade dans le costume français dont on habille une pensée étrangère. Mais, outre que tout le monde, en France, ne saurait être familiarisé avec les langues du dehors, il y a, dans une traduction bien faite, une jouissance d'esprit bien distincte de la précédente, et qui a son prix pour les amateurs : c'est la satisfaction du triomphe augmentée du sentiment de la difficulté; c'est le bonheur du mot choisi, la propriété excellente du terme natal qui transmet toute sa valeur, et je ne sais quoi de plus encore, au mot étranger; c'est cette sorte de patriotisme de l'intelligence qui fait qu'on aime de son pays jusqu'aux conquêtes qu'il fait dans la lutte des idiomes.

Oui, Shakspeare est une lecture enivrante, et les Anglais ont raison d'y attacher tant de prix. Mais écoutez les Allemands, même ceux à qui la langue anglaise est familière, et demandez-leur s'ils ne préfèrent pas au Shakspeare de Londres leur Shakspeare allemand, celui qu'a traduit M. W. Schlegel, et qui renferme, on ne peut le nier, avec les beautés du tragique anglais, des beautés de traduction du premier ordre. En France, le Tacite de M. Burnouf restera comme la marque d'une intelligence raffinée de la souplesse de notre langue et comme une solide victoire sur un des auteurs les plus difficiles à traduire. Avant M. Burnouf, et en dépit des efforts de Labletterie et de Dureau-Delamalle, Tacite n'était sérieusement goûté que dans le texte latin. Cette concision hardie, cette sombre éloquence, qui vient plutôt des choses que des mots, cette pensée qui se laisse à peine pénétrer à travers les détours d'un langage déjà corrompu, appelaient, pour les interpréter, une sagacité toujours en éveil et une plume de notre époque.

Au dix-septième siècle, le besoin de tout ennoblir avait gâté la vérité dans les traductions; et l'on sait le mot cruel de Mme de Sévigné sur les traducteurs de son temps : le laquais se tient derrière la calèche du maître, mais il ne sait pas la valeur réelle de l'homme qui s'y enferme; il sert son patron, il le suit partout comme son ombre, il l'épie, l'étudie, mais il ne le comprend pas. C'est là le portrait des mauvais traducteurs, et le dix-septième siècle avait trop de vérités générales à rechercher et à exprimer dans un langage admirable et définitif; il était trop attentif à tous les mouvements de la cour, pour reproduire avec succès un autre modèle que Louis XIV. De nos jours, notre langue et nos idées, fixées et libres, ont pris une allure plus dégagée, et la rencontre d'un esprit assez hardi pour vouloir ressaisir, en français, l'originalité de Tacite, assez érudit et expérimenté pour trouver et garder le vrai ton, et assez sage pour maintenir la règle du goût dans la hardiesse, devait être une bonne fortune pour une aussi difficile tentative. M. Burnouf me semble y avoir merveilleusement réussi, et son œuvre restera comme la plus heureuse des expériences, comme une originalité de plus à côté de celle du modèle que Racine appelait « le plus grand peintre de l'antiquité. »

A l'heure qu'il est, trois traductions différentes, non plus d'un seul auteur, mais de toute une série, d'une période entière, se disputent l'attention des amateurs d'études classiques : M. Didot s'occupe de faire traduire les auteurs grecs ; M. Panckoucke, les auteurs latins du second ordre, depuis Adrien jusqu'à Grégoire de Tours ; M. Dubochet enfin publie, sous la direction de M. Nisard, tous les auteurs latins du premier ordre.

La bibliothèque grecque, à laquelle M. Didot consacre tous ses soins et qui gardera son nom, se distingue par une traduction latine destinée surtout aux savants de tous les pays. C'est un calque littéral qui rappelle les traductions du seizième siècle ; on est involontairement ramené aux souvenirs de la renaissance, à ces moments de fièvre latine et grecque qui multipliait les académies et les explorations savantes au sein de l'Italie, et poussait souvent jusqu'à l'extravagance le fanatisme cicéronien. On se souvient des Muret, des Scaliger, des Casaubon, quand on lit les noms des savants qui signent les volumes déjà parus. Cette ardeur d'érudition, ce culte un peu excessif de la forme, qui entraîna le seizième siècle, renaîtront-ils dans le nôtre à la lecture des savantes traductions de M. Didot? L'habile éditeur lui-même est loin de poursuivre un tel but, et d'ailleurs, le voulût-il, rien n'y serait plus contraire que la bibliothèque gréco-latine qu'il nous prépare. Ces expressions, ces tours heureux, ces pierres précieuses, qui ont besoin de tant de précautions et de soins pour garder leur éclat original, se ternissent sous la prosaïque empreinte d'une minutieuse latinité. La parure, l'éclat soudain de la pensée, l'étincelle, disparaissent sous ce procédé servile et littéral ; mais l'exactitude rigoureuse du mot, le détail dans toute sa simplicité, ressortent mieux ainsi sous la loupe du savant, et c'est moins la beauté que la vérité dans sa correcte intégrité que l'éditeur poursuit en pareil cas. Recourir aux lumières de l'Allemagne, c'était, pour un tel travail, chercher à sa vraie source l'étude approfondie des langues anciennes, la science du terme technique, de ses vicissitudes philologiques ; c'était consulter le pays le plus riche en expériences de ce genre et en savants transformateurs. M. Didot, avec sa sagacité habituelle, a rattaché à son œuvre les meilleurs noms de la philologie allemande, et sa Bibliothèque deviendra, à peu d'exceptions près, un brillant monument, mais pour les savants seulement.

La nouvelle collection de M. Panckoucke est beaucoup moins avancée, et ce n'est pas autant à reproduire élégamment qu'à populariser les monuments les moins connus ou les plus négligés qu'il doit s'attacher. Les Cantiques des frères Arvales, les Douze Tables, ces premiers bégayements de la littérature de Rome, appellent, pour être reproduits dans notre langue, le savoir archéologique en même temps que la simplicité du langage de la loi et de la foi religieuse ; ils exigent la concision et presque la science du juriste. C'est donc une collection à part, dont le but est aussi bien historique que littéraire. On veut nous faire vivre parmi cette forte nation d'agriculteurs qui, plus tard, conquirent le monde et fondèrent la science du droit ; on veut nous la montrer à son aurore et à son déclin, dans Ennius, par exemple, et dans Symmaque, et nous la faire décidément connaître pour l'admirer encore davantage. Peut-être était-ce plus que jamais l'occasion de recourir ici, comme l'a fait M. Didot pour sa Bibliothèque, aux lumières des écoles allemandes, si pénétrantes en de pareilles matières. J'aurais été tenté d'en faire un reproche à l'éditeur, si, jusqu'ici, il n'avait victorieusement démontré, dans les quelques volumes publiés déjà et traduits par nos professeurs, que la France sait, au besoin, se suffire à elle-même et se retrouver au milieu du labyrinthe des textes les plus difficiles.

M. Nisard a voulu aussi attacher son nom à une collection latine-française. Esprit pratique avant tout, il a voulu refaire et resserrer, sous un volume moindre et moins dispendieux, la traduction de nos meilleurs classiques latins, déjà essayée et achevée ailleurs. Il s'est proposé surtout d'être utile par là à cette intéressante famille de professeurs qui ont l'honneur d'être pauvres et le besoin de s'instruire à peu de frais. Était-ce, de la part de M. Nisard, une présomption exagérée? je ne le crois pas. Il appartenait à l'auteur des *Etudes sur les poëtes latins de la décadence* de se mettre à la tête d'une pareille œuvre. Distribuer judicieusement le travail, choisir les traducteurs et les traductions, discipliner, sous la règle du bon goût et de la fidélité, les interprètes les moins expérimentés, corriger les hardiesses inutiles, effacer beaucoup sans détruire le sens individuel, ajouter rarement et avec justesse, tout cela demandait un tact sûr, une main impartiale et délicate, pour être ramené à un ensemble harmonieux, et former d'une diversité de tons et de couleurs un tableau nuancé et uniforme. C'est là la tâche que s'est imposée M. Nisard, et je me hâte de reconnaître qu'il y a quelquefois réussi.

Les parties de la collection déjà publiées se composent d'ouvrages importants et de traductions signées des noms les plus savants. Vingt-trois volumes ont déjà paru. Un des plus récents contient Suétone, les écrivains de l'*Histoire Auguste*, Eutrope, Sextus Rufus ; il embrasse une période d'environ cinq siècles, et conduit les événements de l'histoire romaine depuis Jules-César jusqu'à Jovien.

Si Suétone ne saurait être compté parmi les grands historiens ; s'il est sec à côté de Tacite, qui est concis ; s'il ne trouve pas l'effet à côté de Plutarque, qui le cherche ; s'il manque de couleur auprès de Tite-Live, qui en est surchargé, il a du moins un avantage précieux en histoire : c'est qu'il ne nous fait pas regretter nos impressions. Suétone écrit l'histoire avec sincérité : il n'a d'autre souci que la vérité ; mais il ne veut pas nous donner son opinion, il craindrait de nous l'imposer. Il est de l'école de Quintilien : il écrit l'histoire comme un récit et non comme

4

un argument. Chercher le vrai avant tout, et laisser au lecteur le soin de tirer la conclusion des événements, voilà, ce me semble, une théorie assez honnête en histoire ; elle ne donne rien ou presque rien, je le sais, à l'imagination ; elle préfère la rigueur du fait au prestige de la couleur ; elle ne cherche pas à plaire au goût, mais à satisfaire la conscience.

Je sais bien que la narration historique peut rester vraie sans renoncer à vouloir être agréable, et, de notre temps, nous en avons autour de nous de brillants exemples. Mais la théorie du vrai historique peut souffrir des atteintes de l'emploi d'un tel procédé, et il y a des esprits chatouilleux dont la probité s'effarouche de la moindre coquetterie. Tout fait croire que Suétone était de ceux-là. Celui dont Pline le Jeune disait qu'il était le plus loyal, le plus savant, le plus honorable des Romains de son temps ; qui se cachait dans une médiocrité laborieuse, et se contentait de quelques amis dévoués et d'un modeste coin de terre pour délasser son esprit et reposer ses yeux ; celui qui rédigeait, avec une patience qu'on accusait souvent de lenteur, des traités Sur les vices corporels, Sur les noms des vêtements et Sur les mots de mauvais augure, devait avoir trop peu d'imagination pour chercher le coloris, et trop d'exacte érudition, trop d'intégrité, pour viser à autre chose qu'à la vérité. Ses biographies sont à peu près comme un cabinet d'anatomie où chaque partie de l'homme a sa case et son étiquette : c'est au lecteur à rassembler ces différentes pièces et à en former, s'il lui plaît, un être vivant tel qu'il l'entrevoit. Recomposer, c'est l'œuvre du sentiment ou de l'imagination : Suétone ne s'est chargé que du soin de décomposer exactement.

Je n'ai rien à dire des auteurs ou plutôt des compilateurs de l'*Histoire Auguste* et des savants qui complètent ce volume : il y a des noms à l'égard desquels le silence est une faveur. J'aurais voulu seulement que, pour la régularité chronologique, les deux notices de Xiphilin sur Nerva et sur Trajan vinssent après le Domitien de Suétone, au lieu de se retrancher dans les notes à la suite de Carin. N'était-ce pas déjà assez de faire suivre l'histoire de Suétone par ses Biographies de grammairiens et de rhéteurs, étonnés sans doute de se voir en pareil lieu, sans qu'il fût besoin d'intervertir encore l'ordre des règnes qui suivirent ? C'est là une réflexion que je soumets à M. Baudement, celui à qui revient tout l'honneur de la consciencieuse traduction du volume entier.

Je me plais à citer M. Baudement parmi ceux qui ont le plus contribué à l'exécution de cette collection, au nombre des soldats les plus actifs et cependant les plus modestes de cette industrieuse phalange. Ses notes, ses préfaces, son zèle infatigable à tout remanier, à remonter aux sources et à ne se reposer jamais sur la foi d'une traduction antérieure, en ont fait un traducteur sérieux et intéressant. Entre autres morceaux bien faits, la notice qu'il a mise, il y a quelques années, en tête de la traduction de Jules-César, mérite d'être distinguée, parce qu'elle marque à la fois une érudition maîtresse d'elle-même et un solide jugement. Elle est

comme le commentaire ou le préambule de la belle leçon d'ouverture que
M. Nisard a faite sur le même sujet, en inaugurant son cours d'éloquence
latine au collège de France.

Dans le livre que j'ai sous les yeux, j'ai remarqué, au milieu d'excellents détails, la traduction du passage de la mort de Néron, que Montesquieu avait justement noté dans Suétone, et les chapitres 9 et 10 de
l'empereur Tacite dans Vopisque, le seul peut-être de tous ces compilateurs qui raconte ce qu'il a vu. Il y a là une correction ornée qui n'exclut
pas la fidélité, et cependant c'est une prose qui se ferait lire et goûter,
au besoin, sans le secours du texte latin. Dans quelques vers, M. Baudement a été moins heureux : les nécessités de la rime et de l'hémistiche
l'ont poussé quelquefois hors des limites de la pensée primitive. Peut-être
aussi quelques-unes de ses notes sur Suétone gagneraient-elles à être
moins courtes et moins sèches ; mais c'est là l'exception du volume.

OVIDE

LECTURES PUBLIQUES ET PRIVÉES

SOUS AUGUSTE.

————

Les mœurs littéraires du siècle d'Auguste ne sont pas toutes connues. Si elles nous étaient plus familières, elles jetteraient un grand jour sur plusieurs passages des poëtes et des prosateurs que la critique interprète différemment et souvent contradictoirement, faute de notions certaines. Voici, par exemple, un vers d'Horace :

> Demetri, teque, Tigelli
> Discipularum inter jubeo plorare cathedras (1),

dont le sens restera toujours douteux. On ne saurait dire avec précision s'il s'agit ici de jeunes écolières dont Démétrius et Tigellius étaient les maîtres, ou d'un cercle de femmes auxquelles les poëtes lisaient leurs vers, comme chez madame de Rambouillet au dix-septième siècle. Heindorf a pensé qu'Horace a voulu désigner des jeunes gens mous et sensibles comme des femmes; d'autres y ont vu quelque analogie avec ces élégants du temps de Martial, qui, parfumés de cinnamome et de senteurs, fredonnaient des chants égyptiens et passaient leurs journées entières assis au milieu d'un cercle de dames, pour leur dire des galanteries (2). On ne sait pas davantage si c'est en plein théâtre que cette Arbuscula, comédienne déjà célèbre au temps de Cicéron, en appelait des sifflets du peuple aux applaudissements des chevaliers (3), et quels étaient, sur ce point, les priviléges des acteurs. Peut-être cette détermi-

——

(1) Horace, *Sat.*, I, 10, ad fin.
(2) Martial, *Epigr.*, III, 63.
(3) Horace, *Sat.* I, 10, vers. 78; — Cicér., *Epist. ad Attic.* IV, 18.

nation qu'Horace prête à Arbuscula n'était qu'une boutade qu'elle s'était permise hors de la scène. Ici encore le meilleur est de s'abstenir et de ne pas prononcer. Il y a, sous le règne d'Auguste, d'autres habitudes littéraires qui méritent un examen attentif, et qui peuvent n'avoir pas été sans influence sur la littérature. Les lectures privées et publiques prennent naturellement place à cette époque. J'en veux chercher quelques traces, principalement dans Ovide.

Le goût de ces lectures avait succédé aux tumultes du Forum. La transition s'était opérée de Cicéron à Asinius Pollion. Le premier parlait en pleine assemblée du peuple ; l'autre crut avoir rétabli par des *lectures* cet éclat de la parole que l'administration d'Auguste interdisait à la tribune. Cette pensée se montre évidemment dans une réponse que Pollion adressa à Sextilius lorsque celui-ci, dans une lecture faite en commun, déplorait la mort de Cicéron, et avec lui le *silence de l'éloquence latine*. « Et nous, s'écria Pollion, nous croit-il donc muets (1)? » Malgré cette sortie où perçait la vanité du lettré, l'illusion n'était guère possible. Les lectures publiques n'étaient pas la même chose que l'éloquence oratoire : celle-ci était définitivement muette. Ceux qui parlaient avec éloquence à cette époque, ceux qu'on applaudissait, qu'on venait écouter, c'étaient des poëtes à gages, chargés de célébrer le nom du maître de l'empire, payés pour en faire l'éloge dans leurs vers, et encouragés par la couronne de lierre qui entourait leurs statues dans la bibliothèque d'Apollon Palatin ; c'étaient surtout ces autres poëtes qui, excités par Mécène ou Pollion, et peut-être par la rivalité des poëtes à gages, se mêlaient aux lectures publiques, en faisaient quelquefois et y apportaient un véritable talent. Ovide est, avec Horace, celui d'entre tous ces écrivains qui nous a laissé de nombreux détails sur les habitudes littéraires du temps. Mais sa fécondité souvent stérile, sa vanité sans retenue, toujours disposée à faire parler d'elle, ses liaisons nombreuses, rendent Ovide encore plus propre qu'Horace à nous donner d'utiles indications sur les *lectures publiques*.

Les premières années de la jeunesse d'Ovide se passèrent à l'école des rhéteurs et des grammairiens, comme c'était à peu près généralement l'usage. Il est l'ami d'Hygin (2), l'admirateur de Latro, le disciple d'A-

---

(1) Senec., *Suasor*. VII. On s'était réuni dans la maison de Messala Corvinus pour y lire le poëme de Corn. Severus sur la guerre de Sicile entre Sextus Pompée et Octave. Sextilius Haena, de Cordoue, qui lisait, étant arrivé à ce vers :

Conticuit latinæ tristis facundia linguæ,

auquel il fit quelques changements, Pollion dit :

« Ego istum auditurus non sum cui mutus videor. »

Voir l'ingénieuse préface des œuvres de Cicéron, par M. Le Clerc.

(2) Suétone, *De illustr. grammatic.*, 20.

rellius Fuscus (1). Il récite déjà avec talent, et lit en pleine école des déclamations où l'on reconnaît son esprit ingénieux et facile, et qui sont presque des poëmes en prose, dit Sénèque (*carmen solutum*). Cette coutume des récitations, puisée à l'école des rhéteurs ; ces discours préparés pour une lecture privée sur des sujets fictifs, qui avaient succédé aux vives improvisations du Forum de la république, étaient un acheminement tout naturel aux récitations dont nous nous occupons.

Je remarque que ce goût des déclamations et cette alliance de l'art oratoire et de la poésie dont Ovide nous offre ici l'exemple n'étaient pas nouveaux. Sous la république déjà, Cicéron et Calvus, un de ses émules, avaient réuni en eux le double talent d'orateur et de poëte. Au temps de Cicéron, Plotius était le premier et le plus célèbre professeur de déclamation, et l'orateur romain regrettait de ne pouvoir suivre la foule qui venait s'exercer à ses leçons (2) ; regret curieux de la part du maître, qui s'était déjà étudié tout jeune à cet art de la déclamation devant Cassius et Dolabella, et qui plus tard le pratiqua devant Pansa et Hirtius, ou avec Pison et Pompée! Auguste lui-même, à la bataille de Modène, n'avait pas négligé cette importante étude (3), et, sous son règne, les poëtes et les rhéteurs mêlent ou imitent à chaque instant la prose et les vers. Scaurus, l'orateur, cite souvent Ovide (4). Le poëte Gorgonius, dont Horace s'est moqué, n'est-ce pas Gorgonius le déclamateur dont parle Sénèque (5)? Le Grec Cestius, qui déclamait en latin, Arellius Fuscus, le précepteur d'Ovide, imitaient tous deux Virgile dans leurs déclamations (6). Abronus Silon, un des auditeurs de Porcius Latro, faisait des emprunts à celui-ci dans ses poëmes en vers (7). Les sentences en vers du mime Publius Syrus étaient imitées par les orateurs (8), et Quintilien dit que, dans leurs déclamations, les jeunes gens traitaient des sujets poétiques (9).

Ovide, en fréquentant les rhéteurs, était donc à une école moins éloignée de ses goûts qu'il ne croyait. Il mettait déjà en vers les pensées de Latro (10), et retenait une plaisanterie de Gallion pour la rappeler dans sa *Médée* (11). Il s'y accoutumait à la récitation, en écoutant les lectures des autres et en faisant écouter les siennes. Déjà alors il réunissait ses

(1) Senec., *Controv.* II, 10.
(2) Cicéron, *Ad Marc. Titinium apud Sueton. de claris rhetor.*, 2.
(3) Sueton., *Augustus*, 14. — Id., *de claris rhetor.* p. 973. Édit. Oudendorp.
(4) Senec., *Controv.* I, 2.
(5) Senec., *Controv.* I, 5, 6, 8, passim.
(6) Senec., *Controv.* III, 16 ; — *Suasor.* III.
(7) Senec., *Suasor.* II.
(8) Senec., *Controv.* III, 18 et 19.
(9) *De inst. orat.* II, 10.
(10) Senec., *Excerp. Controv.* II, 2 ; — *Controv.* II, 10.
(11)   Feror huc et illuc
                       Plena Deo.
                   Vid. Senec., *Suasor.* III.

amis pour leur soumettre des vers défectueux qu'il ne corrigeait pas toujours (1). Lui-même servait de guide quelquefois et donnait des conseils en poésie. Il nous apprend qu'une certaine Périlla, savante romaine, lui lisait souvent ses vers pour recevoir ses avis (2). Tuticanus, l'auteur d'une Phéacide, n'avait pas non plus dédaigné les observations du jeune poëte (3), et Ovide, à son tour, leur avait soumis à tous deux ses essais poétiques.

Ainsi c'était un usage répandu que ces lectures privées qu'on trouvait partout alors; c'était une sorte de mode qui convenait bien au génie d'Ovide, facile et abondant sur tous les sujets, et remplissait bien les vues politiques d'Auguste. Auguste lui-même assistait souvent, au dedans et au dehors de Rome, à ces luttes du talent et de l'esprit (4), et rassemblait aussi des amis pour leur faire lecture de quelques-unes de ses productions (5). De plus, nous l'avons dit, c'est à Pollion, un des ministres de la pensée du maître, que Sénèque attribue d'avoir le premier établi cet usage des lectures : « *Pollio*, dit-il (6), *primus omnium Romanorum* » *advocatis hominibus scripta sua recitavit.* »

Ces lectures, faites à un cercle d'amis, ne tardèrent pas à prendre de l'extension. Au lieu de se renfermer dans une réunion choisie, elles eurent le peuple pour auditeur et la place publique pour théâtre. Ce changement ne s'applique qu'aux lectures de poésie; les déclamations demeurèrent renfermées dans l'enceinte des écoles. On ignore à quelle cause historique cette innovation fut due; mais il est facile de suppléer ici aux renseignements qui nous manquent. Des lectures privées faites à un cercle nombreux, il n'y avait qu'un pas aux lectures publiques faites à un auditoire plus nombreux encore. La vanité le franchit facilement. Si les déclamations furent exclues de ce privilége, c'est que, outre qu'elles n'offraient pas un vif intérêt, elles devaient trouver un obstacle dans la volonté de l'empereur. Comme l'a dit justement M. Patin, Auguste, pas plus que Louis XIV, n'aurait laissé traiter en public cette question célèbre : *Laquelle des vertus du roi mérite la préférence?*

Vers l'âge de vingt-deux ans environ (7), Ovide lit au peuple des vers dont Corinne est le sujet, et qui répandent partout, dit-il, le bruit de son nom. Quelle occasion choisissait-on pour faire ces lectures au peuple?

(1) Senec.. *Controv.* II, 10.
(2) *Trist.*, III, 7, 11-20. Cette Périlla n'était pas fille d'Ovide, comme on l'a cru.
(3) *Pontic.*, IV, 12, 20-22; — Cf. *id.*, I, 2, 157.
(4) Sueton., *August.*, 89; — Senec., *Controv.* II, 12.
(5) Sueton., *August.*, 85.
(6) *Excerpt. Controv.* IV.
(7) Ovid., *Trist.*, IV, 10, 56-60, dit:

> Carmina quum primum populo juvenilia legi,
> Barba resecta mihi bisve semelve fuit.

Macrob., *Somnium Scipion.*, dit qu'il fallait trois fois sept ans pour couper sa barbe.

Sans doute quelque fête, comme les jeux Mégalésiens (1), ou d'autres solennités appelaient tout naturellement l'introduction de ces récitations publiques ; ou peut-être ces récitations mêmes étaient-elles le motif d'une convocation populaire. Horace, sans entrer dans des détails sur ces lectures, ce qui est fort regrettable pour la critique, nous dit que c'était là une coutume habituelle à beaucoup de gens (2). Il blâme ceux qui, dans le Forum, achetaient les applaudissements du peuple au moyen de soupers et d'habits usés (3). Pour Ovide, lorsque, plus tard, il fut relégué dans un lieu d'exil, un ami corrigeait encore ses poésies et les lisait au peuple au nom de l'exilé (4).

Il y a un point mieux connu qui appartient encore à l'usage de ces récitations publiques : ce sont les oraisons funèbres. A la mort d'un citoyen illustre, d'une parente, d'un ami, ordinairement son corps traversait le Forum et s'y arrêtait. Un fils, un ami, un parent, montait à la tribune, et prononçait l'éloge du défunt (5). Cet usage, qui remontait à Publicola, prit de l'extension sous Auguste, sans doute en raison même de l'absence des autres genres d'éloquence. A cette époque, on prit l'habitude de prononcer plusieurs oraisons funèbres à la louange de la même personne et dans des lieux différents (6). Auguste en récita lui-même plu-

---

(1) Ces jeux, on le sait, avaient un appareil scénique. Ovide, à ce propos, dit (*Fast.*, IV, 347) :

> Scena sonat, ludique vocant, spectate, Quirites.

Cf. Tite-Live, XXXIV, 54 ; XXXVI, 36.

(2) *Sat.* I, 4, 74 :

> In medio qui
> Scripta foro recitant sunt multi.

(3) *Epist.* I, 19, 37.

(4) *Pontic.* II, 4, 15 ; — id., II, 5, 9 sqq.; — Cf. *Trist.*, V, 7, 25 sqq :

> Carmina quæ pleno *saltari* nostra theatro
> Versibus et plaudi scribis, amice, meis.

Que signifient ces *poèmes dansés* dont il est fait encore mention ailleurs (Cf. Trist., II, 519), et ces *lettres chantées* dont il parle dans son *Art d'aimer* (III, 345)? Pour les premiers, on a pensé que c'étaient des lectures de vers détachés, entremêlées de danses, qui avaient lieu sur le théâtre pendant les intermèdes. Ovide semble faire croire que souvent c'étaient des vers qu'on ne destinait pas à cet usage, et que les pantomimes empruntaient pour la circonstance. (Cf. Lucian., *de Saltat.*, 61 et 62; — Senec., *Suasor.* II, *super Silon.* — Burmann., *Anthol. latin.*, III; *Epig.*, 172, tom. I, p. 622. V. surtout les ingénieux détails fournis par M. Magnin, *Origines du théâtre moderne*, p. 488.) — Pour les secondes, on ignore l'usage auquel faisait allusion ce vers :

> Vel tibi composita cantetur epistola voce.

(5) Polyb., VI, p. 495, édit. Casaubon, in-fol., Paris, 1616. — Cicér., *de Orat.*, II, 84.

(6) Dion, LV, 2.

sieurs. Drusus et lui prononcèrent tous deux, du haut des Rostres, celle d'Octavie (1). La poésie servait aussi à honorer les morts en public depuis les premiers siècles de Rome. Ses *Nénies*, quoi qu'ait dit Niebuhr, avaient beaucoup d'analogie avec les *Thrènes* des Grecs (2). Ovide avait composé quelquefois, pour des amis qu'il révérait, de ces vers qu'on chantait au Forum à leurs funérailles (3).

En 735 de Rome, Tibulle, son ami, mourut. Ovide avait alors vingt-cinq ans. Aux expressions qu'il emploie pour pleurer sa perte, on reconnaît que, peu avant, Ovide faisait partie de la confrérie des poëtes (4). Les poëtes formaient alors une sorte de cénacle qui avait ses réunions à part, ses usages, son esprit de corps, ses envieux et ses amis. Nous savons par Ovide qu'ils avaient un jour marqué pour se réunir, pour célébrer une fête annuelle en l'honneur de Bacchus (5), et par Valère Maxime, que déjà sous la république ils formaient une sorte de collége, *collegium poetarum*, où l'indépendance de caractère se montrait quelquefois (6). Dans ces réunions on s'occupait de livres et de lectures. Peut-être était-ce là qu'Ovide avait, comme il le raconte, écouté les lectures poétiques de Macer sur l'histoire naturelle, de Properce sur ses amours, et d'Horace sur quelque sujet lyrique (7). Mais l'esprit de ces réunions était souvent divisé en coteries. On y distinguait des poëtes de diverses écoles ou de principes différents. Il y avait surtout les poëtes de cour et les poëtes indépendants. Ponticus, par exemple, qu'Ovide avait aussi entendu réciter sa *Thébaïde*, ne suivait pas la même voie que certains poëtes indépendants. Une élégie de Properce, dont M. Patin, avec sa sagacité accoutumée, a fait ressortir toute l'ironie (8), nous fait entrevoir, à travers les traits décochés contre Ponticus, la différence des deux partis, leurs rivalités, leur orgueil réciproque, et Horace, dans plusieurs passages, ne manque pas de montrer le même dédain contre la même école. D'autres poëtes, qui formaient un autre cercle sans doute, ou plutôt qui fuyaient, par système, toute espèce de réunions, se faisaient remarquer par leurs cheveux en désordre, leurs ongles négligés, leurs

---

(1) Dion, LIV, 35 ; — Senec., *Consol. ad Marciam*, xv, t. I, édit. Bipont ; — Cf. Suet., *August.*, 8 ; — *J. Cæsar*, e.

(2) Niebuhr, t. I, p. 361 de la traduct. — Cf. Cicér., *de Legibus*, II, 24.

(3) *Pontic.*, I, 7, 30.

(4) *Amor.*, III, 9, 17, sqq.

Ubi est nostri pars modo Naso *chori?*

Cf. *Pont.*, II, 4, 19, sqq.

(5) *Trist.*, V, 3, 1-8, 47 ; — *Fast.*, III, 713 ; — Just. Lips., *Epist. select.*, 46, les appelle *Annua liberalia*.

(6) Valer. Maxim., III, 7, 11.

(7) *Trist.*, IV, 10, 43, sqq.

(8) Propert., *Eleg.* I, 7 ; — Patin, *Mélanges de littérature ancienne et moderne*, p. 90, sqq.

longues barbes, leurs airs mystérieux et leurs extravagances (1). Mais je ne sache pas qu'ils fissent des lectures entre eux. Ovide n'était pas de cette classe, et peut-être ne fut-il particulièrement d'aucune. Mais tout fait croire qu'un plus long séjour à Rome en aurait fait un poëte impérial, car il le devint dans son exil.

Les lectures se faisaient encore dans un lieu dont Ovide parle souvent, et qui fut une fondation littéraire à laquelle Auguste attacha son nom, bien qu'un autre en fût le premier auteur. Il s'agit des bibliothèques de Rome (2). Ici nous retrouvons encore le nom d'un lettré qui aimait à se faire remarquer par ses œuvres (3). Asinius Pollion, que nous avons vu plus haut créer l'usage des récitations, institua aussi le premier (4) cette fondation si utile des bibliothèques. En 714 de Rome, après avoir relevé le temple de la Liberté, il en érigea la bibliothèque avec les dépouilles enlevées aux Parthéniens et à Salone, ville de Dalmatie (5). Six ans plus tard, Auguste, à la suite d'une victoire sur les Dalmates, élève la bibliothèque Octavienne (6). Six ans après, c'est lui qui, après avoir vaincu à Actium, dédie et rend publics la bibliothèque et le temple d'Apollon Palatin (7).

Dans ces bibliothèques se trouvaient une salle d'étude et de réunion où se rendaient les hommes versés dans les lettres et les sciences, pour s'y livrer à des conversations savantes et à des exercices de la parole et du style (8). On y faisait des lectures. Sans doute les vers, l'histoire, quelquefois même des discours et des dialogues en étaient l'objet (9). Ce n'est que plus tard, quand l'éloquence fut complétement méprisée, que les discours furent supprimés (10). Dans le temple d'A-

(1) Horat., *Epist. ad Pison*, 295, sqq.

(2) Sueton., *August.*, 29.

(3) Plin., *Hist. natur.*, xxxvi, 4 :

Pollio, ut fuit acris vehementia, sic quoque spectari sua monumenta voluit.

(4) Plin., *Hist. natur.*, xxxv, 2 : — Sueton., *Cæsar*, 44, dit que César avait eu le même projet, et que Varron fut chargé de réunir les livres nécessaires; mais tout fait croire que ce projet n'eut pas de suite. Il n'en est plus parlé ailleurs.

(5) Freinshem., supplem. Tit.-Liv., cxxvii, 81; — Cf. Strabon, vii, p. 315, édit. Casaubon, Paris, 1620; — Florus, iv, 12 ; — Horat., *Od.*, ii, 1 ; — Velleius, ii, 78 ; — Servius ad Virgil., *Eclog.* iv; — Ovid., *Fast.*, iv, 621-622; — Je renvoie sur ce point à l'excellent livre de M. Egger sur les *Historiens d'Auguste*, p. 62, sqq., et 216.

(6) Ovid., *Ars amator.*, i, 62, sqq.; — Dio, xlix, 43; — Sueton., *August.*, 29; — Plutarch., *in Marcell.*, xxx, ad fin.; — M. Egger (*loc. cit.*) s'est trompé, je le crains, en faisant venir ce nom d'Octavius et non d'Octavie, sœur d'Auguste. Je suis étonné aussi qu'il n'ait pas cité le portique de Livie dans l'énumération des monuments épargnés plus tard par l'incendie, p. 217.

(7) Sueton., *August.*, 29; — Horat., *Od.* i, 31; — Dion, liii, 1.

(8) Dalecamp. in Plin., *Hist. natur.*, édit. Lemaire, xxxv, 37; — xxxvi, 4 ; — Cf Aulu-Gelle, xiii, 19; — Plutarch., *Lucullus*, 83.

(9) Sueton., *August.*, 29.

(10) Plin. Junior, vii, 17.

pollon Palatin, Auguste s'était fait représenter lui-même sous les traits
du dieu (1). Peut-être était-il figuré par cette gigantesque statue d'A-
pollon, haute de cinquante pieds, dont Pline décrit la beauté et l'éclat
admirables, et qui était d'airain toscan (2). L'airain servait encore avec
l'or et l'argent à reproduire dans ces bibliothèques les images de ceux
dont les ouvrages étaient destinés à la gloire, et même des écrivains
dont les traits n'étaient pas connus et n'avaient pas été transmis par
les générations précédentes (3). Qui ne sait qu'à l'origine, au milieu
de toutes ces images d'auteurs morts, Pollion avait fait mettre celle de
Varron vivant? Mais, dans la suite, les ouvrages contemporains les plus
remarquables et les bustes, couronnés de lierre, de leurs auteurs, recevaient pour récompense l'honneur d'être placés dans ces bibliothèques. Il
paraît cependant que ces priviléges n'étaient recherchés que par certains
poëtes, les poëtes de cour par exemple, et dédaignés le plus souvent par
les plus dignes.

Des concours avaient été institués dans lesquels les poëtes se disputaient
la faveur d'être admis dans cette sorte de Panthéon. Il faut redire ici,
après tant d'autres, que ces concours, où la poésie dramatique subissait
aussi l'examen des censeurs, étaient présidés par cinq juges (disent
les scoliastes) à la tête desquels siégeait Tarpa (4), attaché à l'une des
bibliothèques en qualité de commissaire examinateur. C'est ce même
M. Tarpa qui, sous Cicéron, avait été censeur du théâtre de la république (5), et dont Horace estimait fort les lumières et le discernement.
Ce pourrait être lui qu'Horace désigne quand il montre l'homme sage
et prudent qui, d'une main hardie, retranche les ornements ambitieux
d'un morceau qu'on lui soumet, qui biffe les vers négligés (6). A côté
de lui, Horace cite un juge dont il a pleuré la mort avec éloquence,
Quintilius, censeur rigide, dont les corrections ne laissaient rien échapper,
et qui forçait sans pitié à remettre vingt fois les vers sur l'enclume (7).
Ces deux Aristarques ne ressemblaient pas à ces faux amis qui, dis-
posés à tout approuver, accablent le poëte, qui leur lit ses vers, de flatteries
intéressées, qui pleurent des larmes feintes et s'écrient à tout propos :
Bien, très-bien, fort bien (8) ! Horace lui-même était ennemi de ces
sortes d'adulations arrachées par la violence ou données par l'intérêt (9).
Avare et circonspect pour la lecture de ses œuvres, il ne tenait pas,

(1) Propert., II, 81, 5; — Servius ad Virg., Eclog., IV, 10; — Aero ad Horat., Epist. 1,
3, 17; — Ovid., Fast., IV, 954.
(2) Plin., XXXIV, 18.
(3) Plin., XXXV, 2.
(4) Horat., Sat. I, 10, 38, sqq.; — Scoliast., ibid.; — Cf. Velchert, Reliq. poet. lat.,
p. 334, sqq.
(5) Cicér., Epist. VII, 1, ad Marium.
(6) Epist. ad Pison, 466. sqq.
(7) Id., id., 441.
(8) Id., id., 429.
(9) Id., I, 19. 37, sqq.

comme d'autres, à voir la caisse de ses livres ou son portrait exposés au temple d'Apollon Palatin (1); il ne communiquait ses œuvres qu'à un petit nombre d'amis sincères, leur récitait ses vers avec précaution, non partout, non pas dans les bains, ni sur la place publique, ni devant le premier venu, ni même toujours de bon gré (2). Ordinairement même, il détournait ses amis de rechercher les honneurs du temple Palatin, d'emprunter dans leurs écrits ces beautés fausses et fardées, à l'usage d'une certaine classe de mauvais versificateurs et qui ne conviennent pas à un vrai poëte (3), de se mêler enfin à ces écrivains à gages, dans les concours desquels Auguste craignait de voir compromettre et vulgariser son nom (4).

Qu'Ovide était loin de partager les mêmes goûts et la même discrétion! Poëte qui a besoin de l'encens du public, de la faveur, et plus tard du pardon de la cour, ce qu'il désire avant tout, c'est la publicité. Dans son exil de Tomes, un de ses plus chers regrets, c'est de n'être plus de ces réunions où les poëtes disputaient le prix et la couronne de lierre, c'est d'être exclu du temple où sont admis les livres et les portraits des écrivains. Ses ouvrages, ainsi humiliés, n'ont plus qu'un refuge, et ils s'y résignent : c'est la lecture privée, ce sont les honneurs qu'ils trouveront dans quelque maison particulière pour les dédommager de la perte des hommages publics. Ainsi, ce qu'Ovide aime le plus, c'est qu'on parle de lui. Ce qu'il regrette plus que toute chose, au milieu des rigueurs du climat où il a été relégué, c'est de ne trouver ni lecteurs ni auditeurs. Ce souvenir d'un auditoire le poursuit partout. Ecoutez ses doléances continuelles. Ici, il se plaint d'être obligé de réciter à un public inintelligent (5) ; là, il regrette que ses auditeurs ignorent la langue latine (6). Ailleurs, il se résigne à employer ou, comme il dit, à tromper sa journée en écrivant un poëme, et il ne peut oublier encore qu'aucune oreille ne l'entendra. Aussi, ce besoin d'être écouté est si grand, qu'il se choisit lui-même pour son propre auditeur (7); et, ailleurs enfin, il laisse échapper cette pensée, qui peint bien son goût dominant, que, écrire pour ne lire à personne, c'est comme danser dans les ténèbres (8). Voilà le refrain éternel, ennuyeux de ses *Tristes*, de ses *Pontiques*, et tous ses efforts tendent à remplacer le vide qui règne autour de lui par un auditoire lointain qui l'approuve, le flatte et qu'il cherche à tenir en haleine par des compositions successives. Aussi, bien différent d'Horace, ce qu'il recommande à ses amis, c'est la recherche des lectures et des honneurs

(1) *Sat.* 1, 4, 21, sqq.
(2) *Sat.* 1, 4, 75, sqq.
(3) *Epist.* I, 3, 16.
(4) Suet., *August.*, 89; — Cf. Ovid., *Trist.*, IV, 4, 13; — *Pont.*, I, 1, 27.
(5) *Trist.*, III, 14, 39.
(6) *Id.*, IV, 1, 89.
(7) *Id.*, IV, 1, 91.
(8) Pontic., IV, 2, 33, sqq.; — Cf. *id.*, III, 8, 39.

publics : « Que la gloire vous aiguillonne, dit-il, veillez aux chœurs des muses pour qu'on lise et applaudisse vos vers (1) ; » ce qu'il leur envie, c'est d'être sous les portiques, au milieu de la foule des auditeurs et des rivaux (2). Il mourut sans avoir pu retrouver ces lectures publiques qu'il aimait, sans avoir pu prendre sa part de ces concours où il devait briller.

Je sais qu'on peut objecter que ce désir ardent de faire parler de lui lui était sans doute inspiré par le besoin de se faire pardonner la faute qui avait provoqué son exil, et qu'il tenait à être nommé parmi ses rivaux en poésie pour que sa gloire, toujours nouvelle, fît cesser le ressentiment d'Auguste. Je crois plutôt que l'éloignement d'Ovide ne fit que mettre davantage en lumière ce goût du renom dont tout les écrivains sont possédés, mais qu'il ne le fît pas naître en lui. Les lectures publiques et privées, les écoles de déclamations, tout ce qui porte en tous lieux, à toutes les oreilles, le nom du poëte, voilà ce qu'Ovide aimait avant tout, voilà ce qu'il eût montré au sein de Rome, s'il y était demeuré, comme il l'étala du fond de sa captivité ; et peut-être cette ostentation sans retenue, cette passion du renom, cette indiscrétion de la vanité, n'ont-elles pas peu contribué à faire durer son exil jusqu'à sa mort.

J'ai tenté ici de compléter, par quelques indications prises à un poëte qui aime à raconter, les ingénieux aperçus d'un critique de notre temps sur les *lectures publiques* dans la décadence des lettrés latines. J'ai voulu montrer l'origine de cet usage, qu'on a dépeint ailleurs vers son milieu et à son déclin. Je sais bien que ce n'est pas proprement du règne d'Auguste qu'on peut faire dater ces récitations, qui sont de tous les temps, et dont la fatuité aussi bien que la modestie ont usé sous tous les règnes. Cicéron n'envoyait-il pas de Pouzzoles son *Traité de la Gloire* à Atticus, qui alors était à Rome, avec prière d'en faire réciter à table les plus beaux morceaux devant des auditeurs attentifs (3)? et Catulle ne se plaint-il pas aussi de ce Sextius, mauvais poëte qui, sous prétexte d'une invitation à dîner, lui inflige la lecture de ses méchants vers (4)? Mais toutes ces lectures partielles, faites à table ou en petit comité, ne devinrent une chose régulière, une sorte d'institution qu'au temps d'Auguste, et c'est là ce que j'ai essayé de prouver.

(1) Pontic., I, 8, 87.
(2) Id., I, 8, 66 ; — Cf. id., III, 8, 39 ; — Trist., I, 1, 88.
(3) Cicér., Epist. ad Attic., XVI, 2; — Cf. Sueton., Gramm. illustr., II, au sujet de Q. Vargunteius et de Pompée Leneus, sous la république; — Aul.-Gell., XIII, 2, sur une lecture de Pacuvius et d'Attius.
(4) Catulle, Doering et Naudet, XLIV, 19, sqq

M. DEZOBRY.

ROME AU SIÈCLE D'AUGUSTE.

J'aime le règne d'Auguste, parce qu'il organise tout. Qui ne sait aujourd'hui que l'ordre donne la prospérité, et que des maux de l'anarchie naît naturellement le besoin de l'ordre ? La règle et le frein deviennent alors le but de tous les vœux ; on cherche le calme aussi vivement qu'on désirait tout à l'heure l'agitation, et pourvu que celui qui est chargé de diriger tous ces turbulents fatigués ne montre pas trop la férule, il est sûr de garder le repos et la direction. C'est là tout le secret du règne d'Auguste et de la docilité romaine.

Après cinquante années de secousses, où le pouvoir des armes avait fini par donner la supériorité à quelques-uns, la corruption répandue avec l'or et les promesses se mêlait à l'enthousiasme de la victoire pour soumettre les plus fermes citoyens à l'ascendant de quelques ambitieux de génie. Au milieu de toutes les agitations du présent et de toutes les incertitudes de l'avenir, suscitées par des rixes sanglantes où le repos du monde était sans cesse engagé, et par des alternatives cruelles qui faisaient du vainqueur ou de l'ami de la veille la victime du lendemain, il devait nécessairement arriver que l'homme qui, après avoir donné la mesure de sa force, serait assez habile pour réunir dans sa seule main la paix et la guerre, et assez prudent pour n'annoncer que la paix, que celui-là serait accueilli avec plus de faveur et dominerait plus sûrement. Tel fut Auguste. Il arriva à propos, ce qui est du bonheur ; et il sut se conformer à la situation, ce qui est de l'adresse.

Mais je ne saurais voir en lui un héros, comme l'a fait le président Hénault en le comparant à Louis XIV, parce que si l'héroïsme n'exclut pas l'adresse à certains moments, il éclate à certains autres par une vivacité de nobles mouvements, par une sorte de témérité généreuse qui manquèrent tout à fait au caractère d'Auguste. C'est, en général, le défaut des parallèles de donner au mérite des proportions invraisemblables, et de sacrifier la vérité à la sonorité d'une période, ou à l'effet de quelques antithèses. Auguste et Louis XIV n'eurent pas d'autre rapport entre eux que de gouverner l'un et l'autre le lendemain du désordre, et d'apporter le calme à la place du trouble. Dans tout le reste, et j'en excepte seulement quelques encouragements donnés de part et d'autre aux lettres, il y a entre eux de profondes dissemblances qui s'expliquent facilement. Louis XIV succédait à son père et à son aïeul sur un trône dont l'élévation et les priviléges n'avaient jamais fait ombrage à des hommes qui n'étaient encore que des sujets. A Rome, au contraire, Auguste inaugurait, sous les apparences les plus républicaines, une constitution complétement nouvelle, monarchique au fond, dont le nom seul, s'il avait été prononcé, était abhorré par des hommes qui portaient le titre de citoyens.

L'analogie entre ces deux souverainetés si différentes n'est donc pas possible, et j'aime mieux n'admirer dans Auguste que cette habileté profonde qui ne donnait rien au hasard, pas même la plus simple réponse à faire dans un entretien, et savait tempérer réciproquement l'intimidation par la douceur, ou l'abandon par la réserve. C'est par cette politique calculée qu'il parvint à maintenir tous les esprits, à organiser l'empire; et, nous le savons, c'est de l'organisation et de l'ordre que sortent seuls, pour un État, les bienfaits durables et les conséquences fécondes.

Ces réflexions m'ont été suggérées par le travail instructif de M. Dezobry.

Ceci est un livre de bonne foi, aurait dit Montaigne, et j'ajoute, c'est une œuvre de hardiesse. Dans tout ouvrage qui n'est pas une traduction, l'auteur est obligé de nous livrer la partie la plus originale de lui-même et de mettre en dehors sa personnalité. Son livre vaut davantage quand, à côté de l'homme de lettres, on reconnaît l'homme, et qu'au lieu d'une tâche légère il a entrepris une œuvre considérable. M. Dezobry a donc beaucoup osé en embrassant d'un seul coup d'œil la vie romaine dans ses détails intimes et publics, en restituant la vaste métropole au milieu de ses murs, de ses principaux édifices, et il a beaucoup mérité par la conscience de ses recherches. Mettre en action, compléter ou modifier les travaux immenses de Grævius, de Meursius, de Gruter; faire revivre dans un vaste ensemble Rome et les Romains de la république et des premières années de l'empire, c'était là l'œuvre d'une hardiesse peu commune. Parcourir en personne Rome et ses environs, Herculanum et Pompéi; étudier avec la loupe et le crayon à Pouzzoles, à Terracine, au Vatican, sur les murs du musée Capitolin, partout, chacun des débris qui devaient entrer et se compléter dans sa *Description de Rome antique*; revoir pendant plusieurs années, avec scrupule, toutes les sources des opinions qu'il a citées ou émises; traduire exactement les principaux passages dont il devait nous donner le fond, le dernier mot seulement ; ne rien livrer au hasard, et éviter sur tous les points le charlatanisme de l'érudition, c'était là chez l'auteur l'œuvre de la bonne foi, et je me hâte de dire qu'ici c'est la bonne foi qui a sauvé la hardiesse.

Rome au siècle d'Auguste est divisée en quatre volumes où, sous forme épistolaire, Camulogène, le petit-fils de ce chef gaulois qui se battit contre Labiénus, lieutenant de César, raconte à son ami Induciomare, resté à Lutèce, tout ce qu'il a vu et appris des institutions et des beautés de Rome, où il voyage. Toutes les questions sérieuses ou frivoles, tout ce qui touche à la constitution fondamentale de cette vaste machine dont les ressorts républicains furent peu à peu remplacés par des rouages monarchiques, tout ce qui nous révèle le jeu instructif des petites et des grandes passions, l'action réciproque des mœurs sur les lois et de celles-ci sur les mœurs, la vie des humbles et des riches, des patriciens et des mangeurs de pois chiches, la campagne latine et la ville, l'enfance, l'âge mûr et la vieillesse, tout se développe et trouve sa place distincte ou relative dans les cent dix-sept lettres qui composent cet ouvrage. Un vaste plan topographique de la ville et des *vues* des principaux monuments nous font assister, pour ainsi dire, au spectacle pittoresque des lieux où s'est agité le grand peuple, *campos ubi Troja fuit*, où s'est consommée son élévation et sa chute. Nous avons ainsi tout ensemble l'histoire morale et le tableau matériel de la ville romaine, et nous pouvons sentir, comme à travers mille artères, les pulsations du sang qui vivifia autrefois ce corps gigantesque. Cette distribution, cet ordre, sont ingénieux, et, à part quelques lettres où le sujet devait naturellement faire négliger le ton épistolaire, il n'y a que des éloges à donner à cette réminiscence agrandie du *Voyage d'Anacharsis*.

Un tel ouvrage, par son étendue même, ne pouvait rencontrer partout une rigoureuse exactitude. Le soin donné aux points principaux a dû entraîner quelques erreurs dans les parties accessoires. C'est là que j'essayerai de relever certaines inexactitudes. L'auteur me le permettra : il faut bien que la critique ne perde pas ses droits.

Dans son chapitre sur les *Fénérateurs* (1), l'écrivain, parlant d'une loi des Douze Tables qui fut renouvelée en 398, au sujet de l'usure *unciaire*, dit que cette loi défendit au fénérateur de prendre plus de un pour cent *par an*. Comment cette explication du *fenus unciarium*, cité par Tacite et Tite-Live, n'a-t-elle pas inquiété un instant la justesse d'esprit de M. Dezobry ? On ne fait pas de révolutions sociales quand on ne paye à ses créanciers qu'un pour cent par année. Cependant, dix ans après, cette usure fut réduite encore de moitié, et ne fut plus que *semunciaire*. On alla plus loin encore plus tard, et le prêt à usure fut aboli un moment.

On s'étonne que l'auteur n'ait pas mis ici à profit deux opinions plus

(1) Tome IV, p. 22.

répandues sur l'interprétation possible de l'*unciarium fenus :* 1° l'opinion de Niebuhr (1), qui fait de l'as non pas la centième partie du capital, mais le capital lui-même, et définit l'*unciarium fenus* le douzième du capital par année de dix mois ; 2° l'opinion qui explique l'usure *unciaire* par l'intérêt de un pour cent par mois (2). Peut-être M. Dezobry n'en eût-il pas moins maintenu ses conclusions, mais du moins il les eût motivées dans le texte ou dans une note, s'il avait tenu compte de ces prémisses. Pour moi, je ne puis admettre que l'intérêt de l'argent, s'il avait été de un pour cent par année, eût paru inique aux débiteurs, et j'admets plutôt l'explication de Niebuhr, pour les premiers temps de la république, sans repousser, pour des temps de plus grande prospérité pécuniaire, l'interprétation qui fixait le taux du prêt à un pour cent par mois, avec des fractions plus faibles pour les cas difficiles ou les débiteurs plus exigeants. J'ai la même remarque à faire sur l'abolition du *nexum*, c'est-à-dire de l'usage par lequel le débiteur, faute d'avoir pu se libérer en temps opportun, se mettait, à quelques égards, sous la dépendance de son créancier. L'auteur, sur la seule autorité de Tite-Live et de Cicéron, en attribue la suppression à la loi *Poetelia.* Je ne sais s'il a omis involontairement un passage de Varron qui semble donner une solution différente, et qui n'affranchit du *nexum* que ceux qui prouvaient par serment qu'ils avaient de quoi payer (3).

Voilà mon objection la plus forte ; mes autres observations ne toucheront qu'à de moindres détails. Je n'ai pas trouvé, par exemple, la mention de l'*esclave dotal* dans les Lettres si intéressantes sur *Une noce et deux mariages* et sur les *Captateurs de testaments,* du troisième volume. Il y avait cependant là une occasion bien légitime de faire entrer dans l'excellente nomenclature de mots latins qui termine l'ouvrage le mot *receptitius,* qu'Aulu-Gelle avait jugé digne d'un chapitre. Verrius Flaccus, dans son livre sur les *Obscurités de Caton,* avait défini le *servus receptitius,* un esclave sans valeur, vendu et repris pour vice redhibitoire (4). Si c'était là l'opinion adoptée par l'auteur, que ne nous

(1) Hist. rom., v. p. 70. — Voir aussi dans son tom. II, p. 374, trad., le chapitre fort curieux sur les *nexa,* que M. Dezobry appelle *nexus.* Niebuhr, contrairement à M. Dezobry (*ibid.,* p. 24, note 3), ne confond pas le *nexus* avec l'*addictus.* M. Charles Giraud, dans un mémoire lu à l'Académie des sciences morales et politiq., *Revue de législation et de jurisprudence.* février 1847, p. 482, suit l'opinion de Niebuhr sur ce point et sur l'interprétation de l'*unciarium fenus,* p. 474.

(2) Voir Cicéron, *Epist. ad Attic.,* v, 21 ; — Appien, *Bell. civ.,* I, 84 ; — Tacit., *Ann.,* vi, 16, avec la note de M. Burnouf.

(3) Varron, de L. L.. vii, 105, a dit : Hoc Popilio auctore Visolo (Paetelio) dictatore sublatum ne fieret ut omnis, qui bonam copiam jurarunt, ne essent nexi, sed soluti.

Ce texte est obscur, je le sais, et a été lu quelquefois autrement ; mais les interprétations auxquelles il a donné lieu sont toutes contraires à la suppression complète du *nexum.* Voir Puchta, *Inst.,* II, p. 94, sqq., ei Ch. Giraud, *ibid.,* p. 184.

(4) Aulu-Gell., xvii, 6. Le mot *receptitius* s'appliquait aussi à la dot, en droit romain. Ulpian, *Regular. liber.* tit. vi, § 4, appelle *dos receptitia* la dot qui, ne venant pas d'un parent, faisait retour à celui qui l'avait constituée, quand il en avait fait la condition en la

a-t-il dit un mot sur le *servus dotalis*, cette espèce particulière de serviteurs dévoués spécialement à l'épouse, et par là plus puissants que les
autres dans la maison conjugale, sorte de meuble dotal inaliénable qui
fortifiait encore l'indépendance de la femme contre l'autorité souvent
ébranlée de l'époux (1)? C'eût été le complément des Lettres savantes,
consacrées, dans cet ouvrage, aux classes serviles de Rome.

Et puisque je fais ici la guerre aux mots, faute de pouvoir la faire aux
choses, qui sont solides et résistent à la critique, j'aurais rangé la *capsa*
au nombre des coffrets qui garnissaient la devanture des boutiques de
libraires (2). La *capsa*, dont il n'est question dans ce livre que pour désigner des caisses de marchands de livres ambulants et les boîtes où les
jeunes écoliers enfermaient leurs ouvrages d'école (3), était aussi bien
employée dans la boutique du libraire que les *scrinia*, désignés seulement
ici comme des coffrets cylindriques. Horace demandait, avant le lever
du jour, un roseau, du papier et ses écrins :

> Calamum et chartas et *scrinia* posco (4).

et Martial grondait Sosibianus de ne pas livrer à la publicité les œuvres
nombreuses dont ses écrins étaient remplis (5). J'en conclus que le mot
scrinia a donné naissance à notre mot français *écrin*. Je crois aussi que
le mot *capsa* en était le synonyme et avait les deux acceptions pareilles.
Horace l'emploie dans un sens analogue quand, parlant de son peu
de goût pour les éloges mendiés, il signale le penchant contraire de
Fannius :

> Beatus Fannius, ultro
> Delatis capsis et imagine (6).

donnant. Il est facile d'admettre que cette signification du mot *receptitius* pouvait s'appliquer à l'esclave comme à la dot. La femme *dotée* réservait une partie de son argent et un
esclave qui n'obéissait qu'à elle, C'est l'opinion d'Aulu-Gelle. — Voir aussi Laboulaye, *Recherches sur la condition des femmes depuis les Romains jusqu'à nos jours*, Paris, 1843,
p. 38, et les *Textes sur la dot*, par M. Pellat, doyen de la faculté de droit de Paris. Paris,
1848.

(1) Dans l'*Asinaire*, v, 70, Liban dit au maître de la maison qu'il l'est moins que l'esclave dotal de sa femme :

> Dotalem servum Sauream uxor tua
> Adduxit, quoi plus in manu sit, quam tibi.

Dans la lettre LX, sur le *Jour natal*, les esclaves n'ont pas été nommés parmi ceux qui doivent des présents à leurs maîtres en l'honneur de cet anniversaire.

(2) Tom. III, lett. 89, p. 411.
(3) *Ibid.*, p. 422, et t. II, lett. 88, p. 393 et 394.
(4) *Epist.* II, I, 113.
(5) Martial, *Epig.*, IV, 39, 1; — Cf. Plin. Jun., *Epist.* IV, 6, 2.
(6) *Sat.* I, 4, 21; — Cf. id., I, 10, 69; — Juvénal, *Sat.* X, 117; — Géraud, *Essai sur
les livres dans l'antiquité*, 1840, p. 100 et 219.

Le dernier mot de ce vers m'amène naturellement à demander si en effet les images, les portraits d'auteurs, dont on ornait les bibliothèques publiques, étaient toujours, comme il est dit ici (1), la reproduction enlaidie et amaigrie de l'original. Faut-il, parce qu'Horace et Juvénal, l'un dans son aversion pour tous ces honneurs de l'étalage, l'autre dans sa haine pour ceux qui les cherchaient, ont parlé une fois avec aigreur de ces portraits qu'ils disaient menteurs, faut-il en conclure absolument que ce ne furent que de méchantes images? Pline l'Ancien n'aurait pas dit : « Depuis quelque temps on consacre dans les bibliothèques, en or, en argent, ou du moins en airain, les bustes des grands hommes dont la voix immortelle retentit dans ces lieux; et même, quand leur image ne nous a pas été transmise, nos regrets y substituent les traits que notre imagination leur prête; c'est ce qui est arrivé pour Homère, et certes je ne conçois pas de plus grand bonheur pour un mortel..... L'usage dont je parle fut établi à Rome par Asinius Pollion (2). » Il est douteux que ces honneurs, s'ils avaient été si mal rendus, fussent devenus un engouement et une mode, et je ne pense pas qu'on eût enlaidi comme à plaisir les poëtes vivants qui voulaient être reproduits avec le front ceint de lierre, et les poëtes morts qu'on coulait en métal. Cette profanation eût été possible, si la pauvreté avait été le partage ordinaire des poëtes, comme le suppose l'auteur (3), qui ne tient pas assez de compte du rang et du bien-être dont avaient joui le plus grand nombre après les proscriptions de la république; si Auguste surtout, dans la première période de son principat, ne s'était montré pour les lettres et les écrivains un protecteur empressé, un ami habile (4).

Je termine ici ma revue critique des parties accessoires. Je sens qu'il

(1) Dezobry, t. vu, p. 427.

(2) Pline, xxxv, 2. M. Dezobry l'a cité.

(3) Tom. iii, p. 397.

(4) L'état réel des poëtes à cette époque, y compris Auguste, est particulièrement bien dépeint, quoique avec quelque complaisance pour eux, dans les *Lectiones Venusina* (*Œuvres mêlées*, allem., t. iv), Lips., 1854, de F. Jacobs, et dans son *Libellus Venusinarum Lectionum*, publié en 1843. Ce n'était pas exclusivement d'auteurs faméliques que se composait cette foule de flatteurs dont Horace faisait mépris, comme le croit l'auteur, tom. iii, p. 401, note 7. Le poëte, *Epist.* I, 19, 37, dit simplement :

Non ego *ventosæ plebis* suffragia venor, etc.;

et *Ars poet.*, 420 :

Assentatores ad lucrum jubet ire poeta, etc.

Mécène, son influence, ses vues sérieuses sous une apparence légère, ont été bien déterminés par l'auteur, lettre LXXXII, pages 527 et 542. Voir aussi *J. H. Meibomii Mæcenas*, liber singularis, Lugdun, Batav. Elzev., 1653, in-4°; et Frandsen, *Eine hist. untersuch über dessen leben und wirken*. Altona, 1843.

m'eût été bien difficile de redresser des fautes graves, et l'auteur me pardonnera d'avoir traité la question des infiniment petits : c'était la meilleure manière de louer son travail. Que pouvais-je reprendre, par exemple, dans sa remarquable lettre *sur les volières*, où un passage de Varron a rencontré un si habile et si complet commentaire (1)? Quel grief formuler contre sa lettre sur les *villas*, qui n'a rien omis de ce qui touche à la vie servile des champs et à la question, si vivement controversée de nos jours, sur le partage des terres de l'*ager publicus* (2)? Quel point relever dans ce vaste *Plan de Rome ancienne*, qui semble recréer le passé avec l'aide d'un burin fort exercé, et d'artistes qui ont vu et habité Rome? A qui apprendrai-je quelque chose en reconnaissant que ce livre est devenu le *vade mecum* indispensable de tous les explorateurs du Latium, de tous ceux qui s'occupent de Rome classique ou archéologique? La louange est chose embarrassante pour le critique, parce qu'elle est bientôt monotone : à quoi pourrait-il se prendre, si, comme le préteur romain, l'historien n'avait ici négligé de petites choses, dans sa préoccupation des grandes?

Il y a une lettre de Pline le Jeune où, retournant contre un méchant orateur la vieille définition de Caton, il dit de Régulus : *orator est vir malus, dicendi imperitus*. La critique de nos jours a fait de même pour

(1) Tom. IV, p. 52, sqq. Cette traduction, faite avec un soin éclairé, est un commentaire excellent de la belle gravure 7e, IVe livrais., où la volière de Varron est rendue avec tous ses détails les plus délicats —Dans ce chap. V du 3e livre *sur l'Agriculture*, d'où est tiré le morceau sur cette volière, Varron parle de perches fichées en terre, *ad speciem* CANCELLO-RUM *scenicorum ac theatri*. M. Dezobry a omis ce nom dans sa nomenclature des constructions usitées dans les théâtres. Il eût été intéressant de connaître sa définition des *cancelli*, d'où est venu *cancellarius* et notre mot *chancelier*. — Cette lettre cr, qui m'a beaucoup appris, donne aussi le nom d'un certain Lurco, qui, vers la fin du septième siècle, engraissa par spéculation des paons, fort à la mode alors. Je soupçonne que le premier qui porta ce nom de Lurco devait l'avoir donné ou emprunté à quelque gourmet célèbre, d'où ce vers de Plaute, *Persa*, 117 :

Perenniserve, *Lurco*, edax, furax, fugax ;   *Julia ;*

et celui-ci de Lucilius, *Corpet*, II, 20 :

Vivite, *Lurcones*, comedones, vivite, ventres.

(2) Je me trompe ; il y a un seul point que l'auteur s'est abstenu de traiter, et que M. Macé, dans son travail remarquable sur les lois agraires, a négligé de même, savoir : si la loi Licinienne, contrairement à l'opinion de Niebuhr, au lieu d'être une loi agraire, uniquement appliquée à l'*ager publicus*, n'était pas plutôt une loi somptuaire, destinée à fixer un *maximum* aux possessions et à la propriété de chacun. Cette opinion, que partagent de savants juristes de l'Allemagne, entre autres Puchta, a été habilement discutée par M. Laboulaye, *Revue de législ. et de jurispr.*, août 1846, p. 412, sqq. M. Dezobry est trop modeste : il prononce sans discuter. Cela convient mieux sans doute à la forme donnée à son livre ; mais un mot dans sa note, p. 510, eût dû nous apprendre ce qu'il pensait de cette interprétation, fort admissible, de la loi de Licinius.

une autre devise de l'antiquité. Elle a dit : *Amica veritas, magis amicus Plato*. M. Dezobry, qui sait si bien les choses du passé, qui leur donne la vie et le mouvement avec une vérité qu'on trouve rarement en défaut, et qui les aime avec une prédilection quelque peu dédaigneuse des choses du présent, m'excusera, j'en suis sûr, d'avoir préféré la vieille devise à la nouvelle, et de n'avoir pas sacrifié la vérité à Platon, dont je suis toujours l'ami.

PLINE PANÉGYRISTE.

Pline le jeune, né à Côme, dans la haute Italie, sous le règne de Néron, vers 62 de J.-C., eut pour tuteur Pline l'aîné, frère de sa mère, et pour maître Quintilien. L'exemple constant et les lumières du premier, les leçons du second, servirent à développer les heureuses dispositions et à former le goût de l'élève. Malheureusement il fut privé trop tôt de son oncle, qui, comme on le sait, périt victime de son amour pour la science. Le caractère de Pline le jeune était doux et obligeant : bon parent, ami dévoué, souvent, après avoir siégé comme juge, quand les lois l'exigeaient, il plaidait comme avocat, quand il y avait un opprimé à défendre, une grande cause à soutenir, un ami à sauver. Il se maria deux fois. Après la perte de sa première femme, il avait épousé Calpurnie, qui à des vertus conjugales unissait le goût des belles-lettres. Les succès de Pline furent ainsi compris et partagés par sa femme, qui mêlait les dons de l'esprit et ceux du cœur pour le rendre plus heureux.

Pline n'eut pas d'enfants, mais de nombreux amis, et parmi eux il comptait les noms les plus illustres par les talents et par la vertu. Entre ceux de ces amis que recommandait surtout leur noble caractère, il faut citer Virginius Rufus et Corellius ; entre les lettrés, Cornelius Tacite, l'ami intime, le conseil, le guide et l'émule de Pline le jeune.

Après avoir été tour à tour tribun militaire, questeur, tribun du peuple, préteur, administrateur du trésor public sous Trajan, consul, propréteur en Bithynie et dans le royaume de Pont, commissaire de la voie Emilienne, et enfin augure, il mourut. On ignore l'époque certaine de sa mort ; la date la plus généralement admise est fixée à l'an 110 de J.-C.

C'est à l'occasion de son consulat qu'il prononça, l'an 100, un panégyrique à Trajan. « Je vous ai envoyé, écrit-il à un ami (1), le discours

(1) *Epist.* III, 18.

de remerciment que j'ai adressé à l'empereur au commencement de mon consulat : vous l'auriez reçu quand même vous ne me l'eussiez pas demandé. Ne considérez pas moins, je vous prie, la difficulté que la beauté du sujet. Dans tous les autres, la nouveauté seule suffit pour soutenir l'attention du lecteur : ici tout est connu, tout a été dit et répété. En sorte que le lecteur, n'ayant plus à s'occuper des choses, et tranquille sur ce point, s'attache entièrement au style, et le style résiste difficilement à une critique dont il est le seul objet. Et plût aux dieux que l'on s'arrêtât du moins au plan, aux liaisons, aux figures du discours! car enfin les plus grossiers peuvent quelquefois inventer heureusement et s'exprimer en termes pompeux ; mais ordonner avec art, distribuer les figures avec une agréable variété, c'est ce qui n'appartient qu'à la science. Il ne faut pas même rechercher toujours l'élévation et l'éclat. Dans un tableau, rien ne fait tant valoir la lumière que le mélange des ombres : il en est de même d'un discours ; il faut savoir tour à tour en élever, en abaisser le ton. Mais j'oublie que je parle à un maître : tout ce que je dois lui dire, c'est de vouloir bien me marquer les passages à corriger. »

Aujourd'hui que l'ouvrage a subi l'épreuve du temps et de la critique, il serait facile d'indiquer, comme le demandait un peu orgueilleusement l'auteur, quels sont les passages à corriger. C'est surtout du style, on le voit, c'est du plan, de la distribution des parties, des figures du discours qu'il a dû s'occuper ; c'est là son mérite propre. Ce sera aussi le mérite de Massillon, qui, malgré des différences de toutes sortes, offre, par son origine méridionale, par ses délicatesses de pensées et de style, par la décadence même qui point déjà dans ses œuvres, plus d'une analogie avec notre panégyriste. Pour le fond, Pline traite une matière qui n'est plus neuve : c'est une institution du sénat qu'il observe (1), c'est un lieu commun qu'il a étendu et orné. En se reportant aux habitudes littéraires de cette époque, où se confondaient l'enthousiasme d'un règne plus heureux et le cruel souvenir de la tyrannie de Domitien, on peut comprendre qu'il était difficile à Pline de ne pas parler à la fois comme un esclave échappé aux tortures et comme un rhéteur fleuri. C'est pour les applaudissements de ces réunions privées, qui alors avaient remplacé les plaisirs du théâtre et les acclamations du Forum, et bien peu pour l'enseignement des princes, quoi qu'il dise ailleurs, qu'il a retouché et étendu cet éloge adressé à un empereur (2). Si dans la gravité de son discours on trouve souvent plus de recherche que de force, plus de mots que de pensées ; s'il s'y glisse des subtilités inutiles, des puérilités qui la déparent, c'est que le talent de Pline était plutôt gracieux que grave, et que, comme tous les lettrés d'alors, au lieu de se fortifier par l'étude d'un seul genre, il s'était énervé en les essayant tous ; c'est que, enfermé sans cesse dans la

(1) *Panegyr.*, iv ; — *Epist.* iii, 18.
(2) *Epist.* iii, 18.

contemplation de lui-même, il n'avait pas donné l'essor à sa pensée, et qu'au lieu de s'oublier devant la nature, il la rapetissait jusqu'à lui.

A quatorze ans, il écrit une tragédie. Tantôt il compose des comédies (1), tantôt c'est une oraison funèbre qu'il écrit sur le fils d'un de ses amis (2), et qu'il lit et relit dans des cercles où l'on applaudit indistinctement des essaims de poëtes qui se succèdent pendant des mois entiers (3). Il fait aussi des vers de tous genres et de toutes mesures (4), etc. Cette facilité à tout traiter, à faire de l'inspiration une sorte de métier, il s'en glorifie pour lui et sait même l'admirer dans les autres. Ici, il vante Isée, le rhéteur grec, parce qu'il a des exordes tantôt gracieux, tantôt pleins de grandeur; parce qu'il demande plusieurs sujets de discussion, prie les auditeurs d'en choisir un, et souvent même de lui indiquer l'opinion qu'il doit soutenir, et qu'après cela ses pensées improvisées sont profondes et ses mots élégants (5). Là, c'est Capiton qui s'essaye à faire l'oraison funèbre d'hommes morts depuis longtemps (6). Là enfin, après tant d'autres, c'est Augurinus, poëte universel, dont la veine facile sait produire des vers à la fois doux, délicats, simples, piquants, etc., etc. (7).

Ne nous étonnons donc pas si Pline prodigue les jeux d'esprit là où l'on attendait de la simplicité, s'il y a quelque froideur dans ces éloges entassés que Trajan a trop écoutés, mais n'a heureusement pas entendus comme ils nous ont été transmis (8); s'il abuse de la prolixité, qui peut convenir en effet, comme il l'a dit (9), aux sujets sérieux, mais qui ne doit point exclure la variété. Attachons-nous plutôt à reconnaître l'importance de plusieurs détails qu'on ne retrouve pas ailleurs, et qui sont précieux pour l'histoire de la liberté politique à cette époque; admirons, non pas l'ingénieux travail et l'élégance du style (10), mais ces sentiments purs et tendres parfois, où respire l'âme d'un honnête homme, cette candeur qu'on entrevoit sous la flatterie et malgré l'artifice des mots, et souvent ces images colorées et poétiques qui plaisent pour elles-mêmes, indépendamment de la place où elles sont. Enfin il y a aussi de hautes pensées et un petit nombre de passages vraiment élevés où tout est grand, la forme et le fond : c'est cette force, ce contraste inattendu, ce sont toutes ces autres qualités qui constituent le mérite durable de ce panégyrique.

---

(1) *Epist.* v, 3.
(2) *Id.* III, 10.
(3) *Id.* I, 13.
(4) *Id.* v, 3.
(5) *Id.* II, 3.
(6) *Id.* VIII, 12. C'est quelque chose comme notre Thomas, moins l'enflure et le grandiose.
(7) *Id.* IV, 27.
(8) Homme de style avant tout, il ne livrait pas volontiers à la circulation ses improvisations d'orateur. Il châtiait lentement chez lui ses plaidoyers, ses discours, et les rendait souvent méconnaissables.
(9) *Epist.* I, 20.
(10) Trop ingénieux et trop élégant souvent, car il taille, décompose, raffine la pensée, et obscurcit la vue à force de vouloir l'éblouir.

SYMMAQUE.

Qui de nous ne connaît Symmaque et sa requête à l'empereur Valen-
tinien II, en faveur du rétablissement de l'autel de la Victoire? Qui n'a
lu l'éloquent chapitre consacré par M. Villemain au préfet de la Rome du
quatrième siècle, qui, dans une pétition d'apparence religieuse, poursuivait une restauration politique? Un membre estimable de l'université,
M. Morin, dont les premières études ne s'étaient point tournées de ce
côté, vient d'entreprendre de restituer Symmaque en rangeant ses lettres
et ses discours suivant un ordre chronologique (1). Disons tout de suite que
l'auteur de ce travail a dû beaucoup au livre de M. Beugnot sur la *Destruction du paganisme en Occident*, et que peut-être ce qui manque en
général à l'essai de M. Morin, c'est précisément cette unité vivifiante,
ces gradations et cette variété dans la peinture d'une époque où hommes
et choses offraient de si profonds et de si curieux contrastes, qualités
essentielles qu'il a eu la discrétion de ne pas emprunter, comme beaucoup d'autres choses, à M. Beugnot. C'est donc une dissertation absolument technique qu'a voulu écrire M. Morin : il en a écarté systémati-
quement ce qui me semble être l'indispensable accessoire de la science,
l'attrait de la narration et les vues d'ensemble. J'adopte un instant ce
parti pris, et je veux essayer de discuter sèchement quelques points de
sa dissertation.

Le nom de Symmaque est plus ancien que ne le croit l'auteur. M. Morin nous dit qu'on le lit pour la première fois dans deux lois de l'an 319
après Jésus-Christ : il oublie, parmi les auteurs qu'il a le mieux étudiés,
un poëte d'avant Jésus-Christ, un représentant de la vieille littérature
classique. Déjà Lucile, au commencement du septième siècle de Rome,
avait, dans ses *Satires*, décrit l'agonie du bouvier Symmaque (2). Ce

---

(1) Broch. in-8°, Paris, Dezobry et Magdeleine, 1847.
(2) Lucil., *Sat.*, édit. Corpet, III, frag. 24; — Cf. Nonius, v°. *Deponere et exspirare*.

nom semblait prédestiné à la satire, car, sous l'empire, Martial se moquait du médecin Symmaque, dont il parle dans plusieurs de ses épigrammes (1). Plus tard, sous Septime Sévère, il y eut, nous dit Jornandès, un Samaritain de ce nom qui traduisit de l'hébreu en grec les divines Écritures (2). Sous Justinien, il y eut un Symmaque, sénateur et chef de cavalerie. Cassiodore, dans sa *Chronique*, parle d'un Symmaque venu d'Orient à Rome en 519 (3). Enfin Priscien a dédié son traité *de Figuris numerorum* à un Symmaque qui peut avoir été le patrice Aurel. Mummius Symmaque, beau-père de Boèce, mentionné par M. Morin, — ou Aurel. Anicius Symmaque, fils de Boèce, — ou enfin le Symmaque mentionné par Cassiodore, et qui vécut sous l'empereur Justin. Le prénom d'Aurelius pouvait offrir à M. Morin l'occasion d'un rapprochement ingénieux qui n'a pas échappé à l'abbé Maï : Symmaque était, comme Marc-Aurèle, de la famille Aurelia. Ce mont Célius, où la famille de Symmaque avait une maison, et où se trouve encore une inscription dressée par Fabius Symmachus en l'honneur de son père, et rapportée dans le livre que j'examine, avait aussi été le lieu de naissance et le séjour de Marc-Aurèle. Cette similitude curieuse valait la peine d'être notée: ce sont ces remarques qui, loin d'être inutiles dans un livre bien fait, en relèvent l'intérêt, et qui, dictées à la fois par un goût délicat et par une certaine sensibilité pour les souvenirs, réveillent dans l'âme du lecteur des impressions fécondes, ou lui font mieux saisir la vérité par la justesse du rapprochement. Voyez M. Maï lui-même, de quelle émotion il est touché lorsqu'il parle de ces lieux qu'il vient de parcourir, et comme, à son insu, il est poëte par l'érudition !

« *Quam ego sedem*, dit-il, *his diebus perlustrans priscorum dominorum memoria non mediocriter commovebar, præsertim dum ibi titulos familiares in lapides legerem* (4). »

En revanche, la justesse et l'exactitude de l'auteur méritent d'être louées à peu près partout, et la science lui doit quelques restitutions heureuses. Ainsi, il a le premier fixé définitivement la date de la naissance et de la mort de Symmaque. Il montre très-bien que Godefroy s'est trompé en disant que Symmaque n'avait pas vécu après un 404, parce que les dates certaines de la correspondance ne vont point au delà. M. Morin nous prouve avec évidence que cette correspondance ne nous est point parvenue en son entier, et que Symmaque vivait encore quand parut, en 404, le poëme de Prudence, destiné à réfuter le rapport relatif à l'autel de la Victoire.

Le nom de Prudence m'amène naturellement à parler d'Arevali, son commentateur, qui diffère d'opinion avec M. Morin sur un point assez

(1) Martial, *Epigr.*, v, 9 ; — vi, 70; — vii, 18.
(2) Jornandès, *De temporum successione*, xiii, édit. Gruter.
(3) Voir A. Maï, *Commentarius de Symmacho*, édit. Rom., 1823, p. 26.
(4) M. Maï, *ibid.*, p. 23.

important. Celui-ci mentionne, à sa première page, une longue inscription relative, dit-il, à Lucius Aur. Avianius Symmachus, père de l'orateur. Cependant Arevali, et d'autres encore, pensent, au contraire, que cette inscription, mentionnée dans Gruter, concerne l'orateur et non son père. Il était d'autant plus important de ne pas omettre cette divergence, qu'Arevali se sert de cette inscription pour résoudre une grave difficulté relative à un passage de la première lettre où Symmaque parle de ses douze faisceaux, c'est-à-dire de son consulat. C'est là l'avis d'Arevali (1) et de H. Meyer (2); je le partage, et je regrette de n'avoir pas sur ce point l'opinion de M. Morin.

Acindynus était-il, comme le croient M. Morin et M. Maï, l'aïeul maternel de Symmaque? Godefroy, Sirmond et Funck disent qu'il était son oncle paternel, en d'autres termes, que la mère de Symmaque était sœur du consul Acindynus (3). Ce nom d'Acindynus prêtait encore à des rapprochements que je crois intéressants. Ausone, on le sait, était fort lié avec Symmaque, et nous avons quelque chose de leur correspondance. L'épigramme XL d'Ausone nous donne sur un certain Acindynus un jeu de mots et un détail assez piquants. D'autre part, on est surpris de trouver ces deux noms de Symmaque et d'Acindynus portés plus tard par deux évêques qui allèrent visiter saint Paulin trois jours avant sa mort (4), comme pour nous mieux montrer, on le dirait, que rien ne résistait au christianisme, et qu'il devait tôt ou tard compter dans ses premiers rangs les plus grands noms du paganisme.

J'ai parlé d'Ausone et de sa correspondance avec Symmaque. On trouve dans une de ses lettres ce passage : « Et expertus es fidem meam mentis atque dictorum, dum in comitatu degimus ambo, ævo dispari : ubi tu veteris militiæ præmia tiro meruisti, ego tirocinium jam veteranus exercui (5). » Cette dernière phrase prête à plusieurs versions. Il me semble qu'il ne faut pas prendre à la lettre le tour métaphorique habituel au poëte bordelais. Ausone vient de louer l'éloquence de son ami : il lui rappelle le temps où ils vivaient ensemble à la cour. Il lui dit que lui, Ausone, dans l'éloquence, tout vétéran qu'il était, avait l'air d'un conscrit, tandis que Symmaque, qui n'était qu'un conscrit, parlait déjà comme un vétéran. Voici donc ma traduction, que je retrouve partout : « Tu as éprouvé ma sincérité de cœur et de parole pendant que nous vivions tous deux à la cour. Nos âges différaient : soldat novice, tu y remportas les couronnes du vieux guerrier; moi, vétéran déjà, je sem-

(1) *Ad Prudentium contr. Symmach.*, II, 771.

(2) Anthol. latin., II, p. x.

(3) M. Morin devait d'autant mieux connaître cette particularité, qu'il cite, p. 2, la note de Sirmond où elle se trouve. (*In Ennod.*, lib. VII, p. 28); — Cf. Funccius, *de Vegeta latinæ ling. senect.*, p. 38.

(4) Voir Uranii presbyter. Epistol. ad Pacatum, œuv. de saint Paulin, Paris, 1688.

(5) Voir l'excellente traduction de M. Corpet, dans l'Ausone de M. Panckoucke, tom. II, page 212.

blais commencer un apprentissage. » Un seul commentateur, Susius (1),
a vu dans les mots de *præmia veteris militiæ* une mention du titre de
comte du troisième ordre, rapporté par Orelli dans l'inscription laissée
sur Symmaque (2). M. Morin, sans autre témoignage, a décidé de même
que le fils d'Avianus avait dû être élevé au rang de comte pendant son
séjour à Trèves. Je ne sais si Ausone avait pensé à tout cela dans le passage que je viens de citer.

Et puisqu'il s'agit ici de citations et de langage, quelle barbarie de style
a pu frapper le jeune professeur dans ce passage où Symmaque vante
l'éloquence d'Avianius, son père : « Unus ætate nostra *monetam* Latiaris
eloquii tulliana incude finxisti (3)? » Cette métaphore n'était pas nouvelle alors. Symmaque l'emploie ailleurs encore. Il dit, dans la deuxième
lettre de son troisième livre : « Spectator veteris monetæ solus supersum. »
On la trouve dans Fronton (4), et Juvénal, en parlant du poëte original,
n'avait-il pas déjà dit :

Nec qui
Communi feriat carmen triviale moneta (5)?

On rencontre déjà quelque analogie avec cette expression dans ce vers
d'Horace :

Et male tornatos incudi reddere versus.

Je crains donc que M. Morin ne se soit un peu laissé emporter ici par
son culte, bien légitime d'ailleurs, pour la pure latinité et pour Cicéron,
et n'ait oublié que Heyne, cet appréciateur si sûr de la belle langue latine, a dit de Symmaque : « Stili fingendi diligentissimus, meliore haud
dubie sæculo dignus, » et, à propos de son recueil de ses lettres : « Studium
stili fingendi mirum lucescit in omnibus, ut mireris illa ætate, in tanta
corruptela eloquentiæ omnisque orationis, laudem tamen et famam ex
scriptionis elegantia quæri potuisse (6). »

Il est vrai que Heyne, dans sa notice si complète sur le fils d'Avianius,
lui avait attribué à tort le titre de *pontifex maximus*, et que cette assertion lui aura nui dans l'esprit de l'auteur. M. Morin n'a pas manqué de
redresser cette erreur (p. 10), et de démontrer avec détails que Symmaque n'était que *pontifex major*, c'est-à-dire membre du collège supé-

(1) *Susiana ad Symm.*, partic. sect., p. 15. — Voir M. Morin, p. 15.
(2) *Inscript. latin. select.*, vol. 1, p. 261, n° 1107.
(3) Voir la traduct. et les réflexions de M. Morin, p. 34.
(4) Edit. de Rom., p. 249.
(5) Juvénal, *Sat.* VII, 55.
(6) Voir l'excellent opuscule de Heyne : Censura ingenii et morum Q. Aurelii Symmachi,
Opuscul., t. VI, p. 6 et 9.

rieur des pontifes, qui avait la surveillance du personnel et des objets du culte. « C'est donc à tort, dit-il, que Heyne et d'*autres savants* prétendent qu'il fut appelé au souverain pontificat. » Je regrette que M. Morin n'ait pas rapporté cette découverte à son véritable auteur, M. Beugnot, qui, dans son *Histoire de la décadence du paganisme en Occident*, avait réfuté le premier cette opinion, commune à Lebeau, à Orelli et à Heyne (1). Il n'y a jamais que du profit à indiquer ses véritables sources et à laisser à chacun le mérite qui lui appartient.

Je termine cette série d'observations, peut-être minutieuses, par une dernière réflexion relative au fait le plus célèbre de la vie de Symmaque. Il s'agit de sa requête pour le rétablissement de l'autel de la Victoire. M. Morin, dans une note de la page 53, nous apprend qu'il existait déjà une traduction de cette requête en 1639, publiée à Paris chez Camusat. M. Morin ne la croit citée *nulle part,* et suppose qu'elle est la seule avec celle de M. Beugnot. Je suis heureux de pouvoir ajouter à cette courte indication que cette traduction de 1639 est de Louis Giry, l'un des premiers membres de l'Académie française, et qu'elle est longuement mentionnée dans la Biographie universelle et dans Moréri, à l'article Giry. J'ajoute que personne de nous n'ignore la belle traduction qu'a faite des principaux fragments de ce discours M. Villemain dans ses *Mélanges*, et enfin peu de personnes savent que, dès 1741, Duranti de Bonrecueil l'avait traduit en entier dans le tome premier de ses *Lettres de saint Ambroise* mises en français.

J'ai touché sèchement, on le voit, les points accessoires de cette thèse, qui témoigne de recherches nombreuses. J'attendrai que M. Morin nous donne une édition complète des œuvres de Symmaque pour discuter ses vues et examiner, s'il y a lieu, les considérations générales qu'il devra fournir sur l'ensemble des événements de cette époque. Cette fois, il m'a appris quelque chose sur plusieurs parties de la biographie de Symmaque. Je serai trop heureux si ces courtes observations ont pu lui rendre le même service.

(1) Voir le livre de M. Beugnot, t. I, p. 489.

THÉATRE DE HROTSVITHA,

PAR

M. MAGNIN.

Voici un livre traduit avec la plume d'un bénédictin et avec le goût d'un lettré du XIXe siècle, un livre qui restera parmi les œuvres solides de notre temps, et qui n'effrayera pas même la curiosité des amateurs frivoles, parce qu'il mêle à un fond moral des détails piquants et des passions. J'entends d'ici les objections : « Une religieuse du Xe siècle, et une religieuse allemande encore ! voilà, dira-t-on, quelque chose de bien sévère et de fort ennuyeux ! Du latin traduit en français, et inspiré de Térence, ce doit être froid et timide, quelque pastiche honnête, mais trop innocent ! Rien de saillant, de vif, d'un naturel un peu hardi ; une sourdine mise partout, un petit ruisseau limpide, mais monotone, roulant sur des cailloux luisants et symétriques, au lieu d'un torrent capricieux qui mugit et s'emporte, et nous entraîne avec lui ! » Objections banales, qu'on fait habituellement quand on ne veut pas lire et que c'est une femme auteur, une Allemande du moyen âge, qu'on a sous les yeux.

J'ai à répondre à toutes ces critiques qui s'adressent à la couverture du livre, et j'aime à le faire avec quelques développements, parce que j'y vois tout à la fois un enseignement et un plaisir.

Ce n'est pas d'aujourd'hui que Hrotsvitha est l'objet de la curiosité des lettrés. Avant 89, *le Mercure* avait déjà donné une analyse de la pièce de *Paphnuce*, et *l'Esprit des journaux* de 1788 contenait sur la nonne auteur une intéressante notice écrite par un bénédictin. Avant la révolution, le théâtre allemand était traduit par Bonneville et autres, comme le théâtre anglais. Le serment du Jeu de Paume arrêta toute cette ardente curée littéraire, dont *l'Allemagne* de madame de Staël fut plus tard la suite, et non le commencement, comme on l'a cru. L'histoire de la religieuse était donc connue, quand M. Villemain et

M. Magnin en parlèrent pour la première fois. Quelques points seulement méritent d'être touchés.

L'abbaye de Gandersheim ne me semble pas avoir été le seul foyer des lumières saxonnes à l'époque dont nous sommes occupés. Les Othons avaient rêvé le rétablissement du vieux monde, et l'élément ancien s'unit fortement à l'élément moderne sous l'action de leur volonté, qui tenta de fonder dans l'Ouest un empire allemand semblable à l'empire grec dans l'Est.

Othon Ier aimait à s'entourer de savants, comme Charlemagne : Rathert, Gerbert, Gunzo furent, dans la Saxe, les introducteurs de l'antiquité classique. La langue grecque était fort répandue dans toute cette famille d'empereurs et tout autour d'eux : c'est une remarque que Gervinus en Allemagne, et parmi nous M. Philarète Chasles, ont déjà faite. Othon II avait épousé une princesse grecque. Bruno, archevêque de Cologne, frère du premier Othon, et fort érudit dans les littératures classiques, avait fait venir de la Grèce des professeurs et des architectes. La sculpture, la peinture, la musique furent cultivées dans ce coin du monde barbare avec un succès qu'on a peine à croire, et, dans les lettres latines, le nom du chancelier Wippo brillait à côté de celui de Hrotsvitha (1).

Ce goût régnant des livres païens, Hrotsvitha le reconnaît elle-même. « Comme plusieurs hommes pieux, dit-elle, ne peuvent s'empêcher de préférer les agréments de livres profanes à l'utilité des livres saints, et que beaucoup de ceux mêmes qui méprisent les fictions des Gentils se plaisent à la lecture du poëte Térence, j'ai cru devoir, moi, la voix forte de Gandersheim, imiter celui que d'autres lisent. »

Mais est-ce bien Térence qui a inspiré Hrotsvitha ? On a essayé de le prouver tout récemment par quelques passages, quelques lambeaux de pensées ; on y a faiblement réussi. S'il s'agit de la forme, je ne vois guère d'analogie entre cette prose laborieuse et le vers net et brillant du comique latin. Ce n'est pas Térence qui fait intervenir une puissance supérieure comme le Dieu de la pièce de *Callimaque*; ce n'est pas lui qui se serait permis de dépeindre le combat d'un amoureux avec des casseroles et des lèche frites, comme dans la comédie de *Dulcitius*. Je reconnaîtrais plus volontiers dans cette mise en scène des légendes du moyen âge un souvenir à demi effacé de la *Casine* et du *Rudens* de Plaute, ou du dieu Lare de *Querolus*, si la digne abbesse n'avait pris soin de déguiser ses emprunts et de couvrir de christianisme sa gaîté

(1) Je ne puis qu'indiquer, sur l'état des études classiques au moyen âge, trois ouvrages importants qui complètent les données générales de Gervinus. Ce sont : 1º le *Rabanus Magnentius Maurus*, monographie du docteur Friedrich Kuntsmann; 2º le livre de Giesebrecht, *De litterarum studiis apud Italos primis medii ævi sæculis*; 3º Heeren, *Geschichte der Klassischen litteratur im Mittelalter*.

païenne. Hrostvitha eût rougi d'être associée au nom de Plaute. Pour dépister les curieux et un peu pour s'en faire accroire à elle-même, elle a mieux aimé nommer Térence.

Oui, s'il s'agit, non pas de style, mais de décence extérieure, je reconnais chez elle la trace de Térence, du délicat et pudique Térence, de celui qui craignait de dire la vérité crûment et naturellement à son siècle, de peur de le blesser ; de cet amateur des demi-teintes et des demi-caractères, qui ne devait jamais être plus que la moitié d'un Ménandre, parce qu'il lui manquait cette libre et vive allure qui mène seule au premier rang, parce qu'il n'osait pas oser. J'ai dit la décence extérieure de Hrotsvitha, parce que tout dénote chez elle un combat intérieur entre la chair et le devoir, entre les sens qui se révoltent et le Christ qui leur impose. La lettre, dans ses œuvres, est chaste comme dans Térence ; mais l'esprit l'est-il autant ?

Quand on lit son *Histoire de la passion de sainte Agnès, vierge et martyre*, de cette pieuse fille forcée de céder aux désirs du fils de Sempronius ; quand on la voit mourir sous l'épée du bourreau et prendre définitivement place auprès du Christ, dans le chœur immortel des vierges, il semble qu'on assiste aux brûlantes aspirations que la jeunesse et une imagination nourrie de paganisme ont sans doute excitées dans la tête vive, dans le cœur palpitant de l'aimable nonne.

La lutte a ses charmes et ses périls. Le cœur bat, les tempes brûlent ; le plaisir est si séduisant, le devoir et l'abbaye si austères ! Mais, d'autre part, que deviendra cette fougue, si on ne l'arrête ? La Didon de Virgile n'est-elle pas morte sur un bûcher pour avoir trop aimé ? Et ne vaut-il pas mieux encore baiser les pieds du Christ, comme Madeleine, ou plutôt se repentir avant d'avoir péché, que de braver, dans cette ardeur sensuelle et juvénile, la voix de l'opinion, qui est un guide ; la voix de l'Évangile, qui est un frein ; la voix du monastère, qui est le salut ?

C'est là l'histoire des plus grandes saintes ; c'est la lutte qui fait leur vertu ; elles ne sont saintes que par là. Cette flamme qui brûle tous les cœurs de vingt ans, il semble qu'on la voie mourir dans celui de Hrotsvitha, sous l'étreinte de la règle, comme tout à l'heure Agnès sous l'épée du bourreau ; et cette place définitivement choisie par Agnès auprès du Christ n'est pas autre chose, on le dirait, que l'image de la résignation au devoir, de l'ascétisme finalement adopté, à la place des doux péchés, par la raison de la savante Saxonne. N'oublions pas que le monde avait laissé sa trace dans cette brillante imagination. Hrotsvitha n'était entrée au couvent qu'à vingt-trois ans. Elle avait déjà vécu de la vie commune, probablement même de la vie choisie, à peu de distance de ces Othons dont elle écrivit un panégyrique, et tout ce qu'elle a montré des passions humaines dans ses ouvrages témoigne d'une expérience personnelle, souvent désenchantée, de nos plus aimables faiblesses.

L'amour, dont elle nous donne de si hardis tableaux dans son théâtre, l'a-t-elle ressenti comme on l'éprouvait de son temps et à son âge, l'a-t-elle dépeint d'après les Latins, ou a-t-il quelque analogie avec l'amour moderne ?

La première préface dont elle a fait précéder ses comédies est semée de précautions qui trahissent bien des raffinements. Pour faire accepter la licence de ses peintures, elle les met sous le couvert d'une intention morale et aussi du goût régnant. Il y a tant de gens, dit-elle, qui lisent les récits de l'amour païen, qu'il faut, pour leur complaire, écrire dans le goût qu'ils aiment. Elle rougit d'avoir à raconter le délire des âmes livrées à *la décevante douceur des entretiens passionnés* (*male dulcia colloquia*). Mais cette rougeur même ne paraît pas être sans charmes pour elle ; elle s'en pare comme d'un témoignage de pudeur. C'est un couvert de plus pour faire passer toutes ces scènes de joies défendues qui, pour elle, ont aussi leurs délices, quoi qu'elle dise. Quand le fait n'est plus, ou que la discipline l'a empêché d'être, il reste l'attrait du récit. L'oreille, doucement chatouillée, soulage de l'austérité, et si, comme je le crois avec M. Magnin, les pièces d'Hrotsvitha ont été représentées, les yeux se complaisent à l'aspect du malin que les mains n'oseraient toucher.

Ici, comme ailleurs, le diable n'est pas si loin qu'on pense. On se croirait déjà au xviie siècle, à Saint-Cyr, par exemple, avec madame de Maintenon, devenue dévote. Ce mélange hardi, où le sacré laisse trop entrevoir le profane, rappelle cette pieuse visite que les plus nobles duchesses de Paris allèrent faire à Harlay de Chanvallon, lorsque Louis XIV eut érigé en sa faveur l'archevêché de Paris en duché-pairie. Là aussi le saint homme disparaissait sous les grâces de l'homme, et la duchesse de Bouillon était beaucoup trop païenne en lui adressant ce compliment, sous prétexte de christianisme :

Formosi pecoris custos, formosior ipse.

Je m'arrête à la comédie de *Callimaque*, la plus touchante de ce livre. Elle résumera une partie de ces observations. Cette épouse qui, plutôt que d'obéir à la passion d'un amant, préfère la mort ; cet amant qui va jusque dans la mort chercher celle qu'il a aimée, ont été habilement comparés par M. Magnin à Roméo et à Juliette. Mais notons les différences. Drusiana est mariée, Juliette ne l'est pas. Les deux amours de Callimaque et de Roméo offrent plus d'analogie, et je m'en défie, parce qu'ils sont nés d'un regard. Ce double sentiment vient du corps, c'est là son malheur et son tort, et, bien qu'il poursuive la femme aimée jusque dans son tombeau, il ne saurait survivre longtemps à la satisfaction qu'il cherche.

L'amour de ces deux hommes nous ramène à l'amour romain. Térence et Plaute ne procédaient guère autrement, ou plutôt ils étaient

6

plus respectueux dans leur sensualisme. Roméo, à Vérone, voit la fille d'un noble au bal, et se sent atteint par ce magnétisme du regard, par cet éclat de la beauté qui le ravit pour jamais. Callimaque, quand Drusiana, la femme mariée, lui demande ce qui le porte à l'aimer, répond de même : « Votre beauté, *tui pulchritudo!* » Le théâtre latin nous montre aussi les jeunes gens épris, mais de qui? d'esclaves et de courtisanes, jamais de filles notoirement libres, jamais de femmes mariées. L'amour alors ne franchissait pas le seuil du gynécée; il n'osait point attenter, sur la scène, à la dignité de la naissance et de la famille; tant cet instinct brutal que les anciens nommaient à tort l'amour gardait encore de réserve jusque dans sa fougue, tant le respect des rangs était plus fort que lui !

Voyez, quand cet ardent instinct se dégage de ses liens matériels pour s'élever, comme il prend un caractère de douceur et de bonté qui semble plus près de l'amour fraternel que de l'amour ! Tantôt c'est un sentiment de reconnaissance qui attache la courtisane à celui qui l'a affranchie, comme Philématie dans la *Mostellaire* de Plaute; tantôt c'est je ne sais quel tendre caprice qui entraîne l'amante vers un ami plus doux. Le berger, comme elle dit, n'a-t-il pas toujours un agneau de prédilection dans sa bergerie? Telle est Philénie dans *l'Asinaire*. Ce sentiment touche presque à l'amour moderne lorsque, dans un moment d'effusion, elle souhaite de mourir avec son Argyrippe, parce que dans ce vœu éclate le dévoûment, qui est un des caractères de l'amour vrai. Mais qu'on y songe : c'est aussi pour échapper à la domination importune de sa vieille mère qu'elle demande instinctivement la mort. En elle, le dégoût personnel des tourments qu'elle endure se mêle, à son insu, au désir de mourir à deux.

La passion de Juliette pour son Roméo est plus désintéressée, et c'est en cela qu'elle me frappe davantage, parce que c'est à la grandeur du désintéressement que l'amour se mesure. Juliette a plus à perdre que Philénie. Pour Roméo, elle sacrifie tout, rang, honneurs, repos. C'est un ennemi de sa famille qu'elle veut suivre. Elle renonce avec joie à sa fortune selon le monde, pour réaliser, avec Roméo, sa fortune selon son cœur.

> Roméo, Roméo, pourquoi faut-il, cher ange,
> Que tu sois Roméo? Change un nom fatal, change;
> Ne sois plus Montaigu, par grâce, ou, si tu l'es,
> Juliette n'est plus l'enfant des Capulets.
> Laisse donc, Roméo, ce nom qui n'est pas toi,
> Et je t'offre mon cœur, ma vie; accepte-moi !

De telles pensées corrigent bien et font pardonner l'origine de cette double passion. La beauté de Juliette n'est plus seulement ici dans la pureté du visage, dans l'harmonie des traits; elle est le reflet de la noblesse morale. C'est l'âme qui parle cette fois et qui faire taire le sang : il reprendra son empire, il brûlera plus tard, à la fin du drame, comme pour faire éclater la misère des plus sublimes sentiments, et montrer combien la plus divine partie de nous-mêmes est sans cesse à la merci de la plus vile.

La pièce de *Callimaque*, au contraire, garde quelque chose du vieux monde, et porte déjà la marque du nouveau. L'amant aime encore comme au temps de Plaute, mais c'est une femme mariée qu'il recherche; il est moderne par là. Toutefois le christianisme, dans sa plus grande ferveur, retient et élève tout. Il est là comme une admirable transaction, comme un tempérament sans égal entre le sensualisme latin et le spiritualisme déjà corrompu de l'ère nouvelle. Il épure l'amour terrestre par l'intervention divine. Le cri du devoir arrête et fait taire la voix de la chair, et l'ordre triomphe définitivement de la passion du désordre.

Drusiana, aux premiers mots d'amour de Callimaque, craint pour elle-même; malgré sa piété, elle tremble d'être entraînée par cette séduction irrésistible qu'exerce le mal sur les plus fortes âmes, et elle demande à Dieu de mourir: symbole touchant de la vertu, qui reste si fragile dans sa force, qu'elle ne se peut retrouver tout entière que dans le sein de Dieu! Drusiana personnifie ici la pureté chrétienne, comme le païen, l'adultère Callimaque représente le paganisme déchu. L'apôtre Jean, en ressuscitant ensemble l'amant et la femme pure, malgré la différence de leurs actes, caractérise la charité qui dispense ses faveurs à toutes les âmes sans distinction, pourvu que les plus perverses se laissent transformer par le repentir. Enfin j'aime jusqu'à l'allégorie qui nous montre le sacrilége fossoyeur Fortunatus ressuscité, non plus par l'apôtre Jean, mais par Drusiana elle-même, comme un exemple de ce que le bien a de vivifiant et combien il communique sa vie à tout ce qu'il touche.

Il y a là, comme dans tout ce qu'a écrit Hrotsvitha, quelque chose d'elle-même, de ses études et de sa propre vie. Cet assaut du sang et du corps contre la vertu pieuse, cette transformation du péché en repentir, et ce passage de la mort pour le mal à la vie pour le bien, n'est-ce pas l'histoire secrète, non-seulement de la savante nonne, mais encore des âmes les meilleures? Et peut-on n'avoir pas essuyé ou engagé le combat, quand on le décrit si bien et si habilement?

M. Magnin a apprécié plus savamment cette touchante légende de Callimaque. Comme pour tout ce qui est sorti des mains de Hrotsvitha, il a jugé avec prédilection, sans abdiquer cependant cette finesse de goût et cette sûreté de jugement qui sont les qualités de son talent. On se plaît à voir ainsi les esprits sérieux, comme M. Magnin, s'exercer et s'attacher aux esprits délicats, comme Hrotsvitha. C'est une joute brillante où la critique met en jeu tout ce qu'il a de plus tendre et de raffiné, et où la femme qu'on analyse finit par livrer ce qu'elle a ressenti de plus secret, ce qu'elle a dit de plus sincère. La traduction même devient de la sorte un jugement. C'est apprécier justement que de traduire avec fidélité, et là, comme dans plusieurs passages délicats de *Dulci-tius*, par exemple, M. Magnin a été un critique ingénieux, je veux dire un exact traducteur.

Quand on a une si rare expérience du théâtre de notre moyen âge, il est bon qu'on l'exerce sans cesse dans cette carrière inépuisable. Déjà l'éditeur de Hrotsvitha nous a donné ailleurs et tout récemment une habile et nouvelle explication des *Mystères* qui ont suivi le théâtre de l'abbesse saxonne.

Nous demandons plus encore après de telles prémisses, ou plutôt à cause d'elles. Les leçons faites autrefois à la Sorbonne, dans la chaire de l'illustre Fauriel, sur toute cette partie de notre théâtre, n'ont point encore été publiées, malgré ce qui avait été promis. Que M. Magnin les livre à notre curiosité. Si tout le monde n'y trouve pas l'art drama- tique partout où l'auteur a voulu le rencontrer, si la critique estime que, dans certaines pratiques religieuses du moyen âge, c'est l'élément plutôt que l'art dramatique qu'il faut reconnaître, du moins elle goûtera là, comme dans tous les écrits de M. Magnin, la science la plus sûre -mise au service d'un goût choisi.

HISTOIRE

DE LA

RENAISSANCE DES LETTRES EN EUROPE

AU XVe SIÈCLE,

PAR M. CHARPENTIER.

M. Leclerc, dans le remarquable discours préliminaire qu'il a mis en tête de sa collection des œuvres de Cicéron, a fait de la renaissance des lettres en Italie un de ces résumés habiles, un de ces courts tableaux, où l'érudition et l'esprit se prêtent un mutuel appui. Le culte de Cicéron, qui entraînait le Pogge à la recherche de découvertes nouvelles, que Pétrarque poussait jusqu'à l'enthousiasme, et Bembo jusqu'à l'extravagance, devient pour M. Leclerc l'occasion d'une peinture vive du mouvement littéraire de cette époque. Tiraboschi, Ginguené avaient déjà retracé, développé les mêmes événements, la même révolution intellectuelle. M. Villemain, à son tour, outre ce qu'il a dit ailleurs sur Dante, a montré, dans quelques pages de sa notice sur l'Hôpital, un coin de cette Italie où avait reparu, dès le onzième siècle déjà, cette science du droit qui avait été une des gloires de la Rome d'autrefois, et qui, dans l'Italie du quinzième siècle, renaissait au milieu de l'élégance des beaux-arts, des ardeurs de l'érudition et de la théologie. D'autres écrivains se sont occupés de la même époque en France, et sont remontés aux origines de notre langue et aux travaux qui ont précédé les *Essais* de Montaigne et préparé l'avénement littéraire du grand siècle. M. Saint-Marc Girardin et M. Ph. Chasles ont chacun, dans un travail que l'Académie a couronné il y a plusieurs années, traité avec éclat cette question et décrit les premiers essais de l'esprit français. Mais personne, que je sache, n'avait encore réuni et envisagé sous un même coup d'œil le même mouvement dans les deux pays, et, sous ce rapport, c'était un travail nouveau à tenter. M. Charpentier l'a fait : il a même étudié ce que fut la même époque en Allemagne, en Angleterre; il a caractérisé avec soin, à côté de la rénovation littéraire, la réaction philosophique qui eut lieu sur ces divers points, et a fait ainsi de parties différentes un ensemble nécessaire et harmonieux.

Peut-être cependant l'harmonie n'est-elle pas ce qu'on doit le plus louer dans ce travail. Je vois en effet M. Charpentier passer de l'Italie à l'Allemagne, puis à l'Angleterre, et revenir tout d'un coup aux études philosophiques de l'Italie, qu'il aurait pu, ce me semble, nous montrer dans un cadre unique, au lieu de l'entrecouper ainsi. L'ouvrage se termine ensuite par la réponse à cette question, qui ne paraît pas appartenir au sujet : « à laquelle des deux littératures, grecque ou latine, la littérature française est-elle le plus redevable? » avec un supplément d'études littéraires sur quelques noms romains, lesquelles perdent de leur mérite par la place qu'elles occupent. Placés dans un volume de mélanges, ces morceaux détachés auraient trouvé, sous un jour plus favorable, une valeur d'à-propos et de convenance nécessaire aux meilleures choses. Ajoutés sans nécessité à une étude développée du quinzième siècle, ils gênent la réflexion comme un hors-d'œuvre.

Dans tout ce que l'auteur dit de l'Italie, on retrouve cette sévérité d'études, cette exactitude de savoir que ses précédents ouvrages avaient déjà fait distinguer. Dans l'analyse de la vie et des travaux de Pétrarque, par exemple, c'est la partie philosophique qui est traitée avec le plus de précision. Par ses traités *du Loisir des religieux, de la Vie solitaire, des Remèdes contre l'une et l'autre fortune, de sa Propre ignorance et de celle des autres, du Mépris du monde,* Pétrarque s'est peint lui-même tout entier. On pourrait faire son portrait rien qu'en réunissant les pensées qui remplissent ces divers écrits. Je ne veux m'arrêter qu'à un point, qui caractérise d'ailleurs toute cette époque : c'est la passion du style et de la forme.

Pétrarque, cet homme que les tourments du cœur ne pouvaient détourner de son ardeur pour la science, et qui, en fuyant Laure, cherchait encore et faisait rechercher partout des manuscrits, à la manière d'Atticus, n'offre-t-il pas l'emblème de cet amour des livres et de la forme qui domine tous les savants d'alors? En lisant l'exclamation de Pétrarque, heureux d'avoir retrouvé à Vérone les lettres de Cicéron, son auteur favori, on se rappelle involontairement cette religion un peu fanatique de l'antiquité, qui faisait appeler *Patres conscripti* les membres de la Quarantie, et les harangues que Longueil adressait *au sénat et au peuple romain* en plein Forum, à l'imitation de celles de Cicéron, et les scrupules de ce Paléarius qui, pour ne pas se nommer comme le meurtrier de Cicéron, échangea son nom d'Antoine contre celui d'*Aonius.* On se demande même si, jusque dans l'enthousiasme de Pétrarque pour Rienzi, ne dominait pas l'amour du tribun antique, de la personnification de l'éloquence romaine, plus encore que celui de l'indépendance italienne. Peut on oublier que c'est au titre de poëte que Rienzi dut une première fois d'échapper à la mort, et que Pétrarque, d'autre part, avait refusé la place de secrétaire apostolique du pape Clément VI, *de peur de gâter sa latinité?*

Il y a un portrait plus complet encore dans ce livre, c'est celui de Léon X. Je ne saurais trop louer l'élégance concise des pensées, la finesse des aperçus avec lesquels les goûts et la cour de Léon X sont appréciés. La prédilection dominante du siècle pour les arts et les lettres profanes fait habilement pressentir l'avénement de la Réforme. Mais il est un point sur lequel, tout en louant la netteté des explications de l'écrivain, je ne saurais partager son opinion : c'est lorsqu'il affirme que Léon X, s'il avait vécu, aurait pu arrêter les foudres de la Réforme et écarter le trouble de l'alliance qui se formait entre le christianisme et l'art antique. M. Charpentier, contrairement à ses habitudes d'induction philosophique, n'étudie principalement, dans cette révolution religieuse, que la question de l'art et des formes, et, comme beaucoup d'autres, c'est du Nord qu'il fait venir l'esprit de révolte et de réformation.

Et cependant qui, mieux que M. Charpentier, sait que Rome, avant d'être le siége des empereurs et des papes, avait été une république jalouse de ses prérogatives, ombrageuse contre l'autorité, fière de sa liberté? Cette passion de l'indépendance, qu'elle avait communiquée à toutes les villes environnantes, s'y était conservée quand Rome l'avait déjà perdue. Les empereurs eux-mêmes, dans l'origine, M. Charpentier l'a écrit ailleurs, n'étaient si supportés par le peuple que parce qu'ils s'en faisaient en quelque sorte les représentants et les soutiens contre les envahissements de l'aristocratie. On sait ce que fut en réalité cette confraternité impériale avec les sentiments populaires, à quelle atroce tyrannie elle aboutit. Mais il faut ne pas oublier que de Rome, de cette tête du monde d'autrefois, sont sortis primitivement, tout armés, l'esprit de révolte et de personnalité transmis par les peuples, et l'esprit de domination et d'obéissance propagé par les empereurs. Plus tard, quand Rome devint métropole religieuse, les papes perfectionnèrent l'œuvre des empereurs : la règle et la soumission passive furent imposées par eux, tandis que, de leur côté, les peuples portaient jusque dans les choses religieuses leur goût des franchises municipales. Les sectes des Albigeois, des Vaudois, l'audace des Cevennols, l'ardeur de réforme qu'avaient montrée les petites cours de Nérac et de Béarn, avaient remplacé les retraites sur le mont Sacré, les soulèvements contre les décemvirs, et les meurtres des consuls.

Le Midi n'avait donc pas besoin de l'exemple du Nord pour devenir réformateur. C'est l'empire de l'autorité, émané de Rome, qui a provoqué les libertés de l'insubordination; c'est lui qui a créé et agité les républiques italiennes. Le besoin de protestation est de tous les pays : il est aussi naturel à tous les hommes que le besoin de la règle.

On trouve dans le livre de M. Charpentier ce qu'on remarquait déjà dans ses ouvrages précédents, l'élégance à côté des pensées les plus saines, le goût et la concision. Mais cette concision pourrait être reprochée à l'auteur ici comme dans ses autres écrits. M. Charpentier ne développe pas assez ses idées, même les plus originales, et c'est une perte pour le lecteur. Il craint d'être long, mais alors il devient trop court ; ses arguments ne sont pas assez étendus ; ils se laissent deviner au lieu de se déployer franchement. Il y a peut-être là, et je le crois, de la modestie plutôt que de la prétention ; mais, à coup sûr, les opinions intéressent moins, ainsi présentées et rapetissées. Aussi je chercherai volontiers chicane à l'auteur pour le titre de son livre, car c'est là un *Résumé* plutôt qu'une *Histoire*. Dans quelques passages on saisit les habitudes de l'enseignement oratoire, un souvenir de la chaire de rhétorique. Ainsi, tom. 1, p. 130 : « Ce traité, qui offre d'agréables détails, n'a pu toutefois rajeunir un lieu commun : douceurs et avantages de la vie religieuse opposée à la vie inquiète et agitée des gens du monde, tel est le cercle dans lequel roulent nécessairement les descriptions et les sentiments de Pétrarque. » N'est-ce pas là un texte de narration, la matière bien disposée d'un discours de rhétorique? Ailleurs, tom. 2, p. 5 : « Il y avait alors pour la foi ce qui, en certains temps, avait lieu pour les mœurs : la naïveté libre des expressions est un témoignage de leur pureté : on n'a pas la crainte des mots, parce que l'on a la pudeur des idées. » Voilà, je le crains, un sophisme de rhétorique qu'il serait facile de réfuter.

C'est là d'ailleurs, dans tout le reste du livre, une qualité plutôt qu'une tache. A une époque où le style était tout, les observations sur le ton, la forme, sur le choix des sujets, sont en quelque sorte la loi de l'historien.

Pourquoi d'ailleurs répudier ces traditions de l'école, quand, comme pour M. Charpentier, elles sont devenues d'heureux souvenirs? Ne servent-elles pas à orner, à varier les études sévères ; ne donnent-elles pas quelquefois du poids et de la force aux moindres pensées de l'écrivain ; ne sont-elles pas l'orgueil du professeur et la grâce du moraliste?

Il y a quelques années, un des meilleurs élèves de M. Charpentier, M. Sapey, prononçait, à la rentrée du conseil de l'ordre des avocats, un discours remarquable où il citait un beau passage d'un autre livre de son professeur, et rappelait, d'après lui, qu'au seizième siècle on avait eu, *non pas seulement le culte, mais le fanatisme de l'antiquité ;* que c'était *non pas l'avénement, mais l'invasion de la littérature.* M. Charpentier s'est plu à développer cette vérité dans le livre nouveau que nous analysons. La citation de son élève, en même temps qu'elle est un souvenir flatteur pour le professeur, pourrait être, pour l'écrivain, l'épigraphe la plus convenable à ce dernier ouvrage.

JORDANO BRUNO.

———

Le seizième siècle a tout commencé sans rien finir, mais il a entamé les plus grandes choses. Ce n'est pas pour des intérêts qu'il s'est mis en mouvement, ou plutôt c'est pour le plus noble des intérêts, pour la souveraineté de la pensée. La Réforme et la Renaissance en sont les plus grands actes, parce que l'une émancipait la foi, et que l'autre retrempait l'esprit aux hautes sources du beau. Contraste frappant et qui marque bien l'antagonisme de notre double nature! La foi, dans un jour de révolte, produisait la Réforme, lorsque l'imagination, secouant sa stérile indépendance, s'asservissait, au contraire, au culte des monuments de l'antiquité païenne. C'est que l'imagination, en France, est venue du Midi en traversant Rome, le pays de l'obéissance passive, tandis que la Réforme est venue du Nord, de Wittemberg, l'école de Luther, le foyer du doute. De même l'unité et l'ordre politiques, qui sont une des conquêtes du même siècle, personnifiés dans Henri IV, se réalisent alors, à côté du désordre des systèmes philosophiques, représentés par Jordano Bruno. A cette époque, tout n'est qu'action et réaction : le Nolain Bruno devait, comme plus tard Vanini, payer de sa vie le tort d'avoir renié les traditions religieuses du Midi, lorsque Henri IV se voyait forcé de les adopter sous peine de perdre un trône.

Rien ne caractérise mieux ce mélange de contradictions qui semblent se disputer l'esprit humain, que la vie et la philosophie de Jordano Bruno. Détaché du culte visible, c'est vers le pur amour que cette âme inquiète s'élève et se rattache, à peu près comme sainte Thérèse ou comme Mme Guyon. Par ce côté, la philosophie de Bruno est mystique. A ses yeux, la superstition prend un caractère que l'inquisition a méconnu en le condamnant. La superstition pour lui, c'est l'adoration extérieure de tous les objets matériels, quelle que soit la religion qui la prescrive. En confondant dans une réprobation générale toutes les superstitions, sans acception d'origine, Bruno devait embrasser de même toutes les religions dans un ensemble systématique, cherchant à concilier toutes les contradictions et à établir cette souveraine harmonie, qui est l'espérance ou plutôt la chimère des esprits supérieurs. Comme Abélard, il confondait l'idée du Saint-Esprit avec celle de l'âme du monde ; il ne distinguait pas les prophètes et les apôtres des mages et des hiérophantes, le Christ de Moïse, parce que les uns et les autres ne sont à ses yeux que les organes d'une puissance unique, qui est Dieu, le Dieu universel, aussi bien Jéhova que Jupiter. On reconnaît là des traces de l'école de Pythagore, mêlée au platonisme et surtout à la doctrine de Porphyre et des Alexandrins. Il eût fallu moins que cela pour irriter Rome et pour mériter au Nolain la prison de Venise.

Sa théorie cependant va plus loin encore, et c'est ici qu'elle touche aux entrailles mêmes de l'Église et à des intérêts temporels. Tout à l'heure, il s'agissait du principe même de toute religion ; ici, il s'agira des pontifes. Puisque tout apôtre n'est pas autre chose qu'un interprète, choisi au hasard, de la puissance céleste, tout homme peut devenir apôtre, et le savoir, qui jusque-là était le partage unique de l'Eglise, pourra devenir infaillible hors d'elle. La nature, en effet, est antérieure au temple ; les lois du monde peuvent être étudiées et comprises sans l'intervention du prêtre, et le privilége de les expliquer appartient à tout le monde. Par suite, plus de cosmologie catholique, plus de cosmogonie pontificale, plus d'astronomie romaine. En fallait-il davantage pour irriter l'inquisition, qui confondait aveuglément le déiste et le panthéiste avec l'athée, et qui brûlait tout libre penseur, « parce qu'il n'est pas permis à chacun de croire et de professer ce qu'il lui plaît, *non licere unicuique quidvis et credere et profiteri?...* »

D'autre part, on est presque surpris de voir Bruno, cet esprit élevé, mais confus dans les matières de philosophie, montrer une sorte de prédilection pour la clarté et l'unité dans les choses littéraires. Mais cette contradiction n'est qu'apparente et se dissipe à la moindre réflexion. Quand il se range bien loin de ces espèces de philosophes qui n'ont de science que par leurs livres et leur mémoire, quand il marque, avec une mesure qui a manqué à son siècle, le sage emploi qu'il faut faire des beautés des anciens, en préférant en tirer le suc plutôt que le calque trop fidèle, le Nolain ne sort pas de sa voie première. Il est conséquent avec ses vues philosophiques ; car tout à l'heure, dans sa cosmologie, dans son système religieux, supprimant toutes les barrières, il voulait réunir tous les sacerdoces en un seul, celui de la souveraine pensée et de la lumière universelle; absorber tous les cultes en un culte unique, celui de la raison dégagée de toute forme extérieure, et enfin confondre toutes les aspirations dans l'uniformité du pur amour. La pratique seule vint démentir de si belles théories, et ce mélange des idées de Platon, de Pythagore et de théories panthéistes, qui par lui-même offrait déjà des contradictions, en trouvait de plus grandes encore dans la vie agitée et souvent dans les railleries de Bruno.

Il en est de même pour ses goûts littéraires : il parle de style large et simple, de grandes pensées, pareilles au fleuve pour la limpidité et la profondeur ; et cependant il court après la déclamation et se dissémine au lieu de se concentrer. Il blâme, il combat la scolastique, les subtilités du métier, tout ce qui touche à l'école péripatéticienne, et sa dialectique tombe trop souvent dans les mêmes écarts, comme pour mieux attester qu'à cette époque de rénovation et de hardiesse c'était déjà beaucoup de tenter de secouer les vieux préjugés, et que c'eût été trop de réussir du premier coup.

Le caractère particulier du Nolain est cependant une des causes principales de ces divergences, et M. Bartholmess l'a analysé avec une sagacité peu commune. C'est l'imagination qui fut à la fois la cause de la gloire et des écarts de Bruno. Il entrevoyait un monde plus harmonieusement réglé que celui qu'Aristote et saint Thomas d'Aquin avaient institué, et son imagination, fortement empreinte des mobiles tableaux qu'elle se créait, donnait aux pensées du philosophe une force éclatante, mais leur ôtait quelquefois la logique nécessaire. Il faut à ces époques brûlantes des âmes exaltées qui échauffent les esprits des émotions qu'elles ressentent, qui frappent, soulèvent, entraînent, sauf à être entraînées elles-mêmes dans le tourbillon qu'elles produisent ; il fallait que la philosophie moderne eût Bruno pour chevalier errant, comme on l'a appelé, avant d'avoir Descartes pour organisateur.

Cette imagination du Nolain ne se borne pas à mettre en déroute la logique dans quelques-unes de ses théories, elle chasse aussi quelquefois la décence et le goût de ses meilleures pages. Comme Bembo et Sadolet, Bruno se permet souvent des sarcasmes et des *concetti* licencieux qui rappellent les libertés les plus grossières des comédies *Del l'Arte*. M. Bartholmess n'a pas manqué de mentionner à ce sujet que Tansillo, le célèbre poëte, avait déjà illustré Nola, la terre natale de Bruno. « Nola, ajoute-t-il, est voisine du berceau des atellanes. » C'est là que, sous l'inspiration des railleries audacieuses du théâtre du bas peuple, Tansillo écrivit son poëme du *Vendangeur, Vendemmiatore*, et donna ainsi de l'ombrage à l'inquisition.

Bruno fut tout ensemble l'admirateur et le disciple de Tansillo ; mais c'est la partie sardonique, c'est le bel esprit et la licence de son talent qu'il imita, mêlant de la sorte, dans sa lutte, les caractères de Savonarole et de Michel Menot, le grandiose et le trivial. Vains efforts d'une éloquence qui ne connaît plus de règles, d'une rhétorique qui a épuisé tous les expédients ! extrémités inutiles d'une philosophie poussée à bout ! Bruno devait finir par une dernière contradiction, en rentrant volontairement, après dix ans, dans cette Italie d'où il avait été forcé de s'enfuir. Enfin, en 1600, il était brûlé au Champ de Flore, terminant, dans d'affreux tourments, une vie qui fut l'exacte image de son temps, parce qu'elle osa tout, exagéra tout et n'acheva rien.

M. Bartholmess, en retraçant cette vie si pleine et si intéressante, a fait un livre où rien ne manque, ni les vues philosophiques, ni les faits. Il a traité son sujet avec prédilection, ce qui est rare de notre temps, avec trop de prédilection peut-être, car il a quelque peu exagéré l'importance de Jordano Bruno, et mis en scène tout un siècle à propos d'un homme. Mais nous y gagnons de connaître quelques curiosités inédites sur cette époque, et d'apprécier mieux la science variée de l'écrivain qui nous les découvre.

SECONDE PARTIE.

DU SPIRITUALISME EN LITTÉRATURE.

———

Je crois que toute littérature qui ne s'appuie pas sur le spiritualisme n'est pas destinée à une longue durée. En effet, si la mission de l'éloquence est d'élever, par la persuasion, les esprits au-dessus du monde et des choses communes, ou de rendre aimable, en l'idéalisant, l'objet souvent le plus vulgaire ; si la poésie est en général la peinture des sentiments, il faut admettre dans l'orateur et dans le poète plus que le talent de la forme, et une pensée qui relève de plus haut que toutes les combinaisons de l'art : autrement la parole ne serait qu'une harmonieuse tromperie et la littérature qu'un métier. Mais heureusement il n'en est pas ainsi. De même que, dans l'état de société, tout homme a besoin d'abord d'un extérieur décent pour se faire juger sans défaveur, et plus tard de qualités morales pour se faire estimer ou admirer, de même il faut à toute littérature, pour prendre un rang, des beautés extérieures avant tout, et, si elle aspire à un éclat durable, des beautés d'un ordre plus élevé, et, pour ainsi dire, plus intime. Qui ne sait d'ailleurs que l'inspiration est indispensable à toute production grande et belle, et qu'elle est complètement étrangère au style, bien que celui-ci s'élève presque toujours avec elle ? Elle en est même si différente, que chez les peuples les moins policés, où l'art d'écrire n'a reçu aucun perfectionnement, l'inspiration a produit souvent des chefs-d'œuvre, tandis que chez les autres, d'une civilisation plus avancée, le talent d'exprimer finit ordinairement par détruire l'inspiration. Chez les premiers c'est l'art qui manque, chez les seconds c'est l'enthousiasme. La littérature donc qui réunirait ces deux conditions, et serait à la fois correcte et inspirée, ou au moins spiritualiste, serait la plus parfaite à notre avis.

Je suis loin de penser qu'il existe des écrivains qui, dans leurs compositions, ne s'attachent qu'à la lettre et négligent l'esprit. Toute pro-

dnction littéraire, même la plus vide, est toujours dominée par une
pensée quelconque, de même qu'au fond du plus aride matérialisme se
trouve toujours quelque chose qui n'est pas la matière. Mais je demande
au grand, au véritable écrivain plus que l'imagination vive qui prend
ses caprices pour du génie, plus qu'une verve de hasard, autre chose
que des paradoxes brillants ; ce qu'il faut, selon moi, à ses œuvres,
c'est une marche toujours égale et sévère, un jet toujours châtié dans sa
hardiesse, quelque chose d'incessamment vrai et senti qui décèle de
profondes méditations sur l'art, et une pensée mère qui descende de
haut. C'est là ce qui donne de la vie à la parole et qui fait produire de
grandes choses ; voilà ce que j'entends par spiritualisme en littérature.

Parmi tous les sentiments puissants qui peuvent convenir au grand
écrivain, choisissons le sentiment religieux comme étant un des plus
féconds, et, pour le prouver, allons en demander un petit nombre
d'exemples au passé et à la littérature moderne.

Chez les Grecs d'abord, qui sont à la tête des lettres païennes, on
trouve, en remontant à leurs premières idées religieuses, qu'ils ne
voyaient rien dans l'homme au delà de l'heureux accord de toutes ses
facultés. Sous leur climat privilégié, presque tout était rapporté à la nature extérieure, et avait une expression au dehors comme elle. C'est ce
qui explique les progrès auxquels les beaux-arts atteignirent alors. La
sculpture surtout, le premier et le plus parfait de tous à cette époque,
reproduisit les dieux comme modèle du beau idéal ; et la littérature, en
rapport avec elle, semblait n'avoir pour but que de donner le mouvement à toutes ces statues divines, et de les faire descendre du haut de
leur piédestal. Homère et Eschyle, qui nous semblent résumer en eux
la littérature de cette première phase du paganisme, ont fait poser leurs
héros avec toute la noblesse sévère du groupe et la variété du bas-relief,
et c'est de l'intervention toujours intéressante des dieux qu'ils ont su
tirer leurs moyens d'émouvoir les plus puissants. En effet, dans ces
temps où la foi partait de l'imagination plutôt que du cœur, où l'on divinisait l'art, que seraient devenues la tragédie et l'épopée, ces deux
genres qui ont besoin d'un caractère élevé et d'une pensée qui domine
les faits humains, si les dieux n'étaient venus y mêler la fatalité et le
merveilleux ?

Plus tard, quand les croyances païennes commencent à faiblir sous les
attaques des sophistes et déjà presque de la raison, un penseur profond,
Platon, vient nous découvrir un monde nouveau que Pythagore avait
rêvé, et que Socrate avait entrevu. Et ici, observons de quelle ineffable
beauté l'œuvre se revêt quand elle porte l'empreinte d'une pensée céleste! Si d'un côté Platon élève le système des idées, et développe admirablement celle d'un être parfait, créateur de toutes choses, de l'autre
il est difficile d'écrire avec une pureté plus soutenue, de porter plus de
grâces dans la logique, plus de réserve ou de poésie dans l'abandon,
et il a été justement regardé par les anciens comme le premier de tous

les prosateurs. C'est de sa bouche que Quintilien croyait entendre les paroles de l'oracle de Delphes; c'est de lui enfin que Cicéron disait, et personne de nous ne contestera la compétence de Cicéron : « Si Jupiter voulait parler grec, c'est le langage de Platon qu'il emprunterait. »

Mais une religion nouvelle s'élève enfin : voici le christianisme qui apporte des lois, des mœurs et une vie nouvelle au monde civilisé des Romains et de l'Europe moderne. La littérature du monde régénéré va puiser ses inspirations dans l'avenir; celle du monde ancien les demandait au passé. Car le paganisme était, pour ainsi dire, la religion des souvenirs; le christianisme est celle de l'espérance. Le passé d'une grande nation, qui se compose de la tradition, de la mémoire des âges héroïques, de commencements plus ou moins fabuleux, doit avoir des bornes quelconques; tandis que l'avenir embrasse l'humanité entière, et la perspective d'une perfection vers laquelle nous marchons sans cesse, à la voix de Dieu qui nous crie d'avancer toujours : l'avenir est sans limites, et les œuvres produites sous son inspiration doivent avoir quelque chose de grand et de sublime comme lui.

La littérature chrétienne en général offre ce caractère. La religion nouvelle, en naissant, fut, comme tout ce qui est supérieur, en butte à la jalousie et à la controverse; mais elle y gagna plus tard en ascendant. La lutte des sectes donna plus de vigueur à ses principes naissants, à son triomphe plus de retentissement que ne l'eût fait peut-être un avénement paisible; car la lutte fortifie, et, sans elle, qui sait si nous aurions eu Chrysostôme, saint Ambroise, Lactance, et tant d'autres défenseurs entraînants du Christ? L'enthousiasme désintéressé, et dans la suite une conviction plus éclairée, firent éclore aussi de beaux talents, depuis Synésius, l'évêque platonicien, jusque vers l'époque des Croisades, où les lettres chrétiennes firent une sainte invasion dans l'Orient.

Mais c'est depuis le quinzième siècle surtout, et dans ceux qui suivirent, depuis le Dante, dont l'Enfer respire l'exaltation religieuse la plus vive, que les lettres, longtemps oubliées, renaissent partout, en prenant, comme autrefois, pour point de départ l'Italie, encore maîtresse du monde par la religion. Les arts suivent les lettres, et s'ennoblissent comme elles sous l'influence du catholicisme et des Médicis. C'était le temps où le Tasse racontait dans une magnifique épopée l'histoire d'une conquête religieuse; où une nouvelle lutte, plus puissante cette fois, réveillait le courage et la verve des amis du christianisme menacé; où Erasme trouvait dans ses croyances et dans son érudition de quoi écrire des pages fameuses, et se faire lire et admirer à côté de Luther; où enfin, à Milan, au sortir d'un drame chrétien, sous l'émotion de la grandeur de Dieu, un poëte inconnu devenait Milton.

- Qu'est-il besoin de parler après cela des génies que le sentiment religieux donna aux siècles plus récents? Que peut-on ajouter quand on a nommé Bossuet, Fénélon, Massillon, les deux Racine? Ces beaux noms ne portent-ils pas en eux toute leur gloire, et ne signifient-ils pas tout ce

7

que la foi et l'art ont produit de plus digne, de plus pur? Cette rapide
énumération, où trop de noms encore figurent, aura suffi, je le crois,
pour faire conclure ce que j'ai établi au commencement, qu'un sentiment profond et élevé seul peut créer d'une manière durable.

C'est peut-être ce que n'a pas tout à fait compris la littérature appelée
romantique, de notre époque. Ceux qui ont voulu innover ont cru d'a-
bord que la forme avait besoin d'être renouvelée, et ont eu pour théorie
de lui ôter toutes ses entraves. De la liberté des mots devait naître naturellement celle des idées. La théorie s'élargit donc; elle adopta la
liberté pour la forme et le fond. Bientôt le blâme de la poétique ancienne
se mêla aux applaudissements de la nouvelle : on reprocha à nos maîtres
en littérature leurs allures discrètes et la réserve de leurs sentiments. On
ne comprit pas que c'était là non-seulement une question littéraire, mais
surtout une question de moralité, et que le grand art, celui qui fait la
gloire des lettres anciennes et de celles qu'on appelle classiques, consiste
surtout à savoir s'abstenir à propos, à tempérer la verve par le goût, qui
n'est, après tout, que le sentiment de la décence. Un philosophe, Kant,
a dit que le beau est le symbole de la moralité : le genre romantique
semble avoir renversé la définition. En consacrant la fougue de l'esprit
et toutes les fantaisies de l'imagination, il s'est surtout appliqué à chercher de nouveaux moyens de plaire par les ornements extérieurs. On a
cru que plus d'exactitude locale, des costumes plus vrais, plus de familiarité dans les termes, étaient une réforme suffisante, tandis que, pour
le choix et la disposition du sujet, on laissait pour règle de n'en plus
garder, comme si la permission d'abuser pouvait constituer une amé-
lioration. Il est arrivé de là, ce qui arrive aux peintres qui prennent le
coloris pour l'expression, que le luxe des mots a été en raison du vide
ou de l'extravagance des idées, que la profusion de moyens mécaniques
et de couleur locale a fini par étouffer l'idéal, cette conscience de l'esprit
si nécessaire à toute composition sévère.

Cette littérature éblouit cependant par la nouveauté et la richesse de
ses beautés extérieures, par le talent de quelques-uns de ses écrivains ;
elle se soutint quelque temps moins par la minutieuse représentation des
crimes de toute sorte, par l'apothéose de la laideur, qu'en excitant la
curiosité et en introduisant, comme par instinct, des êtres vrais et
touchants au milieu de ces natures d'exception ; elle s'est perdue par
l'absence d'une conviction morale et d'une haute portée intellectuelle.
Ceux de ses écrivains qui, tout en rajeunissant la forme, ne lui ont pas
sacrifié l'esprit, ont seuls survécu ; et pour terminer, comme nous avons
commencé, par une remarque sur le sentiment religieux, Lamartine et
Châteaubriand, échappés du naufrage romantique, ne restent-ils pas
comme pour témoigner, par leurs écrits, que la foi, ainsi que tout sentiment énergique, produit les œuvres belles et durables, et que l'art
n'est rien quand l'âme en est absente? . . . .

M. SAINT-MARC GIRARDIN.

COURS DE LITTÉRATURE DRAMATIQUE.

PREMIER VOLUME.

I.

La *Revue de Paris* du 11 janvier 1846 contenait l'article suivant de
M. E. Pelletan, sous le titre de *la Littérature de l'Université :*

Franchement, nous avions cru cette querelle-là terminée. Il nous
faudra donc toujours revenir sur cette éternelle question des anciens et
des modernes ? Nous ne pourrons donc jamais vivre en liberté sans
penser que les anciens devraient vivre à notre place et faire notre be-
sogne. Les morts ne sont pas tous morts ; il y en a encore parmi nous
une quantité qui portent la croix, qui parlent, qui marchent, qui enseignent. Or, ceux-là sont nombreux, surtout dans l'Université.

Qu'est-ce que l'Université ? C'est une petite église qui nous enseigne
pendant huit ans du grec et du latin. Or on ne débite pas, durant un
quart de leur vie, du grec et du latin à des jeunes gens qui doivent être
médecins, pharmaciens, ingénieurs, marins, soldats, commerçants,
industriels, sans être obligé de donner une raison bonne ou mauvaise
pour une pareille ingurgitation forcée de thèmes et de versions.

Le sacré collége de l'Université a donc besoin de proclamer dans toutes
ses chaires qu'il n'y a qu'une seule littérature qui ait compris, pratiqué,
maintenu les lois immuables de la beauté : la littérature grecque, et sa
petite sœur cadette, la littérature latine, type de perfection pour tout
poëte, comme le Christ est le type de toute vérité pour le chrétien.

Pour arriver à cette démonstration, M. Saint-Marc emploie la plus
indulgente de toutes les méthodes. Sous prétexte de faire son cours de
littérature dramatique, il prend de toutes mains, ici et là, une citation
de Robinson Crusoé, une autre d'Homère, une autre de Piron, une autre
de Sophocle, une autre de Shakspeare, une autre de M. Etienne ; ensuite
il lance toutes ces citations les unes contre les autres, va comme je te

pousse, mais de façon cependant que la littérature actuelle soit toujours battue. Les modernes, dans le livre de M. Saint-Marc, remplacent les esclaves de Plaute et les valets de Molière; ils ont le dos invariablement tourné du côté des coups de bâton.

Ce procédé rappelle un peu celui de Fénélon dans ses missions de Saintonge. Alors tout petit abbé sortant de Saint-Sulpice, il se faisait suivre d'église en église par un ministre protestant, converti sous main, honnête compère qui était chargé de discuter en conférence publique, et de s'avouer toujours battu à la fin de la discussion.

Que peuvent signifier un morceau pris là et un autre morceau pris ailleurs? Avec une pareille tactique, un écolier pourrait prouver que les vessies sont des lanternes. En voulez-vous une preuve? En s'adressant à cette complaisance illimitée des citations, M. Saint-Marc a quasi démontré que l'art antique est éminemment spiritualiste et l'art moderne éminemment matérialiste.

« C'était, dit-il, une des règles de l'ancienne poétique d'aider à ce que les passions ont de pur et d'immatériel, et de résister à ce qu'elles ont de grossier et de terrestre. Nous faisons le contraire; nous représentons les passions comme les passions du corps, nous les matérialisons; il semble que nous n'ayons foi qu'aux sentiments qui nous font faire un geste, je me trompe, une contorsion physique. »

Voilà qui est entendu : l'antiquité n'est qu'une chaste et virginale rêverie platonique. L'Olympe ne nous étale que toutes les variétés de l'idéal. Si Jupiter fait de fréquentes absences en compagnie de Mercure, c'est pour purifier ses passions. Les drôleries des satyres, *transversa tuentibus hircis* sont des œuvres mystiques pour mettre à l'épreuve l'indulgence des nymphes. Les héros d'Homère sont de véritables ascètes, qui, au lieu de manger, de boire, de piller, de tuer et l'inverse, un peu comme des sauvages, passent leur vie à soupirer aux étoiles. Mais pourquoi donc M. Saint-Marc, puisqu'il était en veine de citations, n'a-t-il pas cité les odes d'Horace à ses maîtresses, les élégies de Tibulle, les leçons érotiques d'Ovide, les pièces d'Aristophane et de Plaute? Nous aurions trouvé à chaque mot une nouvelle preuve de ce qu'il entend sans doute par spiritualisme. Que n'a-t-il traduit à ses auditeurs ces paroles d'Aristophane, ces manières de gesticuler si éthérées, que la traduction française est continuellement obligée de faire la police du texte et de jeter des mots latins, comme autant de couvertures, sur les abominations du grec? On n'aurait jamais cru que le latin pouvait autant braver l'honnêteté des mots.

Que dire d'un professeur qui affirme dans une chaire et qui imprime dans un livre ce que vient d'affirmer et imprimer M. Saint-Marc Girardin? La littérature n'est-elle plus qu'une affaire de polémique, et suffit-il de travestir courageusement les faits pour avoir raison? Avec un démenti écrit à chaque ligne de l'antiquité, à chaque vers de ses poëtes, à chaque usage de la vie publique, à chaque action de la vie privée, à chaque légende de sa théogonie, M. Saint-Marc n'hésite pas ; il laisse tomber de ses lèvres cette sentence : La littérature grecque est spiritualiste.

Eh bien ! monsieur, jusqu'à nouvelle et complète transformation de sa part, la poésie de la Grèce est matérialiste. C'est là son originalité ; c'est là ce qui fait d'un poëme d'Homère le plus précieux alphabet de l'âme humaine, à cette époque enfantine où l'instinct et la raison, l'imagination et la sensation, flottent vaguement confondues dans la brume matinale de l'histoire. C'est par la littérature antique, par le matérialisme qui y est d'abord presque exclusivement déposé, et ensuite par ce spiritualisme qui en émerge peu à peu, comme le lotus du fond des eaux, que nous pouvons constater les sentiments nouveaux, les idées nouvelles qui ont fait successivement leur entrée dans nos âmes.

Prenez la passion qui partage le plus les deux natures de l'homme : l'amour, et de bonne foi dites-nous si l'amour de Saint-Preux pour Julie, je cite un amour que vous avez blâmé, n'est pas mille fois plus idéal que celui d'Horace pour Canidie, d'Achille pour Briséis, et de Virgile, cette chaste vierge de Parthénope, pour Cébétès.

Les anciens songeaient si peu à dépouiller l'âme de son enveloppe terrestre, qu'ils donnaient au contraire des enveloppes matérielles à de pures créations de l'âme. Ils avaient beaucoup de respect pour les corps ; ils s'y intéressaient autant qu'aux esprits ; ils ne craignaient pas de mettre sur la scène la colique, absolument comme nous y mettons la mélancolie.

A ce propos, puisque M. Saint-Marc aime les citations, nous lui rappellerons un passage d'un inspecteur général de l'Université qui a traduit Sophocle, et par conséquent lui porte toute l'admiration traditionnelle d'un traducteur :

« Sophocle, dit-il, semble décrire avec complaisance les souffrances physiques du héros ; il en retrace tous les détails avec un soin, une exactitude, une justesse d'expression, que trouveraient difficilement les modernes. Nous verrons qu'il en est de même des souffrances de Philoctète, qui sont tout aussi corporelles. C'est là un trait particulier des mœurs grecques, plongées plus avant que les nôtres dans le monde des sens. Avec les siècles, l'humanité tend à se dégager des liens de la matière. Le progrès se remarque déjà dans Cicéron, qui a traduit ce morceau. Il passe bien plus légèrement sur tous ces détails horribles, et il ajoute quelques traits pris à la source des sentiments moraux. »

A la bonne heure ; mais quand Hippocrate dit oui, et quand Galien dit non, que répondra le pauvre écolier ? Si M. Saint-Marc Girardin l'interroge, il devra dire : Les Grecs sont des anges, et si c'est M. Artaud qui l'interroge, il devra chercher un mot latin pour exprimer sa pensée.

En toute chose il n'y a que le premier pas qui coûte. Une fois que M. Saint-Marc avait décrété l'idéalisme dans la poésie antique, il n'avait plus qu'à se laisser aller à ses fantaisies. Ce qui lui plaît surtout dans la mise en scène du théâtre grec, c'est qu'on n'y trouve rien d'artificiel, que le spectateur est toujours assis en face de la nature ; point de quin-

quets, de décoration, de niches , de coulisses. Le théâtre antique, dit-il ,
était placé sur le penchant d'un coteau ; avec le ciel pour plafond , les
montagnes et la mer pour décoration.

Il pouvait en rester là, car, à vrai dire, le théâtre était en plein
air , ce qui épargnait des frais de machinistes; et si la scène se passait
dans les montagnes, les spectateurs avaient le bonheur de voir la mer ,
ce qui ne devait guère contribuer à l'illusion. Mais le professeur est si
enthousiasmé de voir une tragédie au soleil , que son idée l'emporte,
et qu'il se met à battre la campagne. « Beau pays , s'écrie-t-il, que mes
yeux ont vu , qu'ils n'oublieront jamais , dont ils aiment à évoquer le
souvenir, pour éclairer les brouillards de notre ciel ; montagnes , qui
vous transfigurez dans une auréole de lumière ; îles charmantes , mer
azurée , qui faites le plus gracieux mélange de la terre et des eaux ;
fleuves qui remplacez vos eaux, que tarit l'été, par la verdure et la fleur
des lauriers-roses ; clarté pleine de pourpre et d'or ; douce vue , aspects
chéris, c'est vous qui serviez de décoration au théâtre antique. »

Admettons que chaque spectateur , assis sur son gradin , vit à la
fois les îles charmantes , la mer azurée, des montagnes qui se trans-
figurent dans une auréole de lumière , des fleuves qui tarissent l'été,
de clarté pleine d'or et de pourpre, s'ensuit-il qu'avec tout ce beau mélange d'eau et de terre sous les yeux, les Athéniens aient repoussé volontiers de leur mise en scène les machines , les artifices et les conventions,
pour s'en tenir exclusivement à la lettre de la nature? M. Saint-Marc
a-t-il donc oublié que les acteurs étaient masqués , et avec des masques
qui avaient au milieu une affreuse ouverture en forme d'entonnoir, et
par-dessus deux flammèches d'une perruque à la Louis XIV , laquelle
retombait en longues tresses le long des épaules, et que, montés sur des
échasses , enveloppés dans de longues robes attachées sous les bras avec
la ceinture, et rayées comme des toiles à matelas, les personnages avaient
une mine tellement fantastique, que le jour où l'on joua pour la première
fois la tragédie à Hispalis , les spectateurs , à leur apparition, commencèrent à rouler des yeux effarés, et qu'au premier mot qui passa par l'ouverture du masque , ils crurent entendre le diable , et décampèrent?
Peut-être que si M. Saint-Marc Girardin y avait été , il se serait sauvé
aussi.

On a demandé pourquoi l'art dramatique de l'antiquité intervient si
souvent dans toutes les discussions de notre littérature. Car, enfin, quelle
similitude y a-t-il entre notre théâtre et celui des anciens? Nous allons
entendre la tragédie par curiosité littéraire ; les anciens l'entendaient par
dévotion. Ils allaient au théâtre , comme nous allons à l'église lorsqu'il y
a sermon. Nous mettons des violons dans l'orchestre ; les anciens y pla-
çaient des prêtres, pour brûler le styrax d'Arabie et faire des libations.
Aujourd'hui le poëte invoque l'indulgence de la critique ; autrefois il se
mettait une couronne sur la tête, et allait adresser publiquement des
prières aux Muses.

Voilà pour la forme. Pour le fond, l'antithèse des deux arts est encore plus tranchée.

Aujourd'hui le poëte tire l'émotion dramatique de la liberté humaine, du droit d'intervention de chacun dans sa destinée, de la lutte que nous soutenons à un degré ou à un autre, au nom de la morale, contre la passion, de la vertu contre la nécessité. Autrefois la tragédie reposait tout entière sur la fatalité ; elle tendait à montrer que volonté humaine, aspiration vers la vertu, réaction de l'âme contre des événements, révolte contre le mal, tout cela demeurait écrasé sous une volonté implacable, mystérieuse, qui pesait de tout le poids d'une montagne sur la conscience et sur la destinée de tous les hommes. Nous demandons des pleurs, des regrets, des applaudissements à cette sympathie, à cette commisération éternelle que nous avons les uns pour les autres, à cette solidarité qui nous lie dans le bien comme dans le mal, à cette idée morale surtout que nous sommes des ouvriers de notre perfection ici bas et ailleurs ; qu'il doit y avoir punition, remords pour le crime, parce qu'il y a liberté ; qu'il doit y avoir récompense, rectification de justice lorsque la hache tombe sur une tête innocente. C'est ainsi que nous nous identifions aux victimes, et le coup qui les frappe retentit longuement dans toutes les poitrines.

La tragédie, au contraire, hérite, dans l'antiquité, de cette sauvage et lugubre doctrine qui a introduit dans le culte tant de cruelles expiations, et fait couler à flots le sang de l'homme sur les autels. C'est la voix mourante et harmonieuse de ces conceptions théogoniques qui ne conçoivent la Divinité que comme une puissance de destruction, et qui mesurent sa grandeur à la misère des hommes, qu'elle écrase en passant, avec l'indifférence du bœuf qui écrase une fourmilière.

La tragédie de Sophocle retire à l'homme tout remords, toute délibération de conscience, toute pitié pour les malheureux, toute haine pour les bourreaux, car les bourreaux sont les dieux. La grandeur morale se trouve chez les victimes, et cependant la sympathie pour elles devient une impiété, et les pleurs sont des actes d'athéisme.

Les modernes se renferment exclusivement dans l'humanité ; ils étudient surtout l'homme, les allures de la passion, son langage, tels que la nature les indique ; ils ne se contentent pas d'un caractère général qu'on puisse appliquer indifféremment à toute une catégorie d'hommes, ils veulent encore spécialiser ce caractère dans un personnage qui soit celui-ci et non pas celui-là. Toutes les figures de Phidias ont les mêmes traits, toutes celles de Raphaël sont des portraits idéalisés. Nous voulons en un mot la reproduction de la vie, de la réalité ; nous disons que tout dans ce monde est à la fois général et particulier ; que, s'il y a l'amour, il y a l'homme amoureux de telle et de telle façon ; que, s'il y a ressemblance, il y a dissemblance de mœurs, de langue, de coutume, de désirs. Voilà pourquoi l'art moderne procède à la fois et par une conception générale, et par une analyse particulière très-approfondie des caractères.

Est-ce aux mêmes signes que l'on peut reconnaître la tragédie grecque? Assurément non. Les anciens, ces grands faiseurs de classification, d'abstraction, de géométrie, de généralisation en toute chose; qui avaient des règles canoniques pour la sculpture, qui admettaient le chœur, ce personnage collectif, dans leurs actions dramatiques, ne peignaient jamais que des caractères généraux. Ils demeuraient enfermés dans ces grandes chroniques religieuses qui leur fournissaient des caractères mythologiques et des actions légendaires. Caractères et actions avaient besoin de rester dans une vague atmosphère de merveilleux. Loin de s'accommoder à la réalité, ils y répugnaient au contraire. Il ne faut pas oublier d'ailleurs que la tragédie antique se passait en quelque sorte sur deux scènes, le ciel et la terre; l'action était nouée là-haut, dénouée ici-bas. Le théâtre devait donner aux personnages des costumes et des rôles qui ne fissent pas trop descendre la Divinité aux proportions de notre nature. C'était un peu une représentation magique, beaucoup moins pour produire des jouissances littéraires que pour jeter une terreur religieuse dans les esprits.

Enfin les anciens adoptaient la simplicité comme loi fondamentale de l'art. Ils n'ont pu passer de la mélodie à l'harmonie; ils aimaient mieux dans un tableau une seule figure que deux figures. Les modernes, au contraire, adoptent pour conclusion dernière de leur esthétique l'unité, qui implique la variété, la disposition et la combinaison de plusieurs éléments. Nous n'en trouvons pas pour cela l'art antique moins admirable; mais nous dirons de lui ce que Mme de Sévigné disait de Bourdaloue: Il ne joue bien que dans son tripot. Si nous voulons comprendre un art, l'admirer véritablement, il ne faut jamais l'abstraire des circonstances historiques, sociales au milieu desquelles il s'est édité et ensuite transformé.

Cependant, de toutes les différences que nous venons d'indiquer, M. Saint-Marc Girardin ne semble pas avoir aperçu la plus légère. Dans un cours de littérature dramatique fait à la Sorbonne, c'est-à-dire à toute l'Europe, il n'a pas soupçonné un seul instant qu'il était tenu de nous révéler l'esprit du drame antique comparé au drame moderne. Des travaux de l'Allemagne, des beaux travaux de M. Magnin, de tant d'illustres et savants critiques, pas un mot. Il continue, tout le long du volume, à comparer Victor Hugo et Sophocle, absolument comme nous irions comparer MM. Dumas et Scribe; aussi son livre n'est-il qu'un perpétuel anachronisme. Mais pourquoi cet anachronisme? car enfin M. Saint-Marc Girardin ne peut se faire illusion; il sait bien que nous ne pouvons redescendre au siècle de Périclès. Cherchons donc l'explication plausible de la méthode critique adoptée par M. Saint-Marc Girardin.

Quand on met en accusation toute une littérature sans exception, quand on ne trouve pas dans tout son siècle un juste, un seul juste à sauver du déluge, alors on est contraint d'aller chercher ses autorités le plus haut et le plus loin possible. Des noms d'hommes ne traversent pas impunément trente siècles; ils ont acquis dans cette pérégrination on sait quelle magique auréole, quelle mystérieuse grandeur, indépendamment d'ailleurs de leurs chefs-d'œuvre. On n'a pas un vers d'Orphée, et cependant on n'oserait pas comparer à Orphée le plus grand poëte vivant ; l'amant d'Eurydice flotte toujours entre le ciel et la terre, entre les étoiles et les fleurs de la prairie. C'est à l'aide de ce culte pour les noms que la critique essaye de combattre les forces vives du génie ; elle marche ainsi chargée de reliques, prenant souvent aussi un peu pour elle-même l'adoration qu'on porte aux reliques. Pascal demandait des raisons, et non pas des moines ; le mot nous a porté malheur, car depuis ce jour on ne nous a plus donné que des moines.

II.

Il fut répondu à M. E. Pelletan par la lettre suivante :

« MONSIEUR,

» Vous avez trop d'esprit pour ne pas supporter la contradiction et pour aimer à avoir raison sans réplique. Permettez-moi donc de répondre à l'article que vous avez écrit contre les opinions classiques de M. Saint-Marc Girardin. Si vous me battez après m'avoir entendu, vous aurez raison une fois de plus, et il ne me restera d'autre consolation que d'avoir tort avec M. Saint-Marc Girardin ; c'est un honneur, je pense, assez enviable que d'être battu en pareille compagnie.

» Vous ne voulez pas admettre que l'antiquité ait eu une poésie spiritualiste, et que les temps modernes matérialisent la pensée. Vous choisissez pour exemple la mythologie et l'amour, deux témoignages que la Grèce même n'aurait pas voulu admettre, parce que la mythologie était une tradition presque divine où le sensualisme païen dominait, et que l'amour était, chez eux, un sentiment secondaire où le corps avait bien plus de part que l'âme. Les satyres, Mercure et Jupiter, les leçons érotiques d'Ovide et les maîtresses d'Horace, peuvent donc prêter à de piquantes railleries, et vous en usez avec un incontestable esprit, sans être un argument contre le sentiment du beau moral qui fut la règle des anciens dans les arts. Je doute que cette inspiration de la poésie grecque, qui, au moment où Niobé tombe au dernier degré du désespoir, la change en rocher pour nous cacher ses convulsions qui sont à la fois une laideur physique et une sorte de dégradation morale, je doute que cette inspiration soit plus matérialiste que ce coup de poignard dont Antony, au dernier acte, frappe la femme qu'il a déshonorée de sa brutale passion. La beauté physique, que les Grecs aimaient tant parce qu'elle était à la fois pour eux une copie de la beauté des dieux et une sorte de reflet de la pureté morale, la beauté physique me semble ne contrarier en rien l'idée du beau spirituel.

» Eh quoi ! chaque jour, autour de nous, la régularité des traits, l'élévation de la taille, la fraîcheur du sourire, un certain air de tête, ne nous donnent-ils pas, à première vue, la pensée qu'ils cachent une âme noble et distinguée, sans réveiller en nous la moindre excitation des sens et le plus vil des appétits? Et d'autre part, dans cette société que vous croyez si parfaitement tournée au spiritualisme, ces femmes que vous n'entendez parler que vertus et sentiments, ces moralistes qui font affiche de leur sensibilité et de leurs affections, ne sont-ils pas trop souvent les amis les plus faux, les cœurs les plus glacés, livrés aux orgies et à la matière, et s'inquiétant fort peu de mettre le sac en contradiction avec l'étiquette?

» Ne cherchez donc pas, je vous prie, la preuve du matérialisme dans ce culte tout naturel qu'avant le christianisme l'antiquité vouait au beau physique. La tradition mythologique ou épique, qui était presque la seule matière de la poésie dans ces pays païens, avait popularisé des sujets matériels que l'art embellissait, autant que le sujet le permettait, des plus vrais sentiments du cœur. Philoctète, que vous citez, est une tradition, et vous avez beau demander que Sophocle ne parle pas de ses douleurs physiques, qui étaient presque passées à l'état de croyance en Grèce, vous ne sauriez réussir à prouver que le tragique grec n'a pas relevé tous ces détails, que la vérité rend plus touchants que rebutants, par l'émotion morale des sentiments qu'il prête à Philoctète. Cet homme, dont le cœur nourrit la haine contre Ulysse, trouve encore des pleurs pour d'autres que lui-même. Le sentiment filial, l'amour de la patrie, lui arrachent des larmes que le spectateur aime à partager, parce qu'ici c'est l'âme et le corps qui semblent se faire valoir l'un par l'autre, et que le poëte a su vivifier la tradition par le pathétique. J'en dirais autant d'OEdipe, personnage traditionnel aussi, et qui, malgré ses yeux sanglants, agite en nous les sentiments les plus profonds et les plus nobles, si cette preuve ne ressemblait presque à un lieu commun. Voyez, dans l'Antigone du même Sophocle, comme le sentiment fraternel épure toute chose et fait oublier jusqu'à l'amour d'Hémon, le fiancé d'Antigone ! Vous dites, monsieur, que notre théâtre est plus spiritualiste. Comparez. Racine, à vingt-cinq ans, tout plein encore des souvenirs de Théagène et de Chariclée, nous avait montré, dans sa *Thébaïde*, Antigone amoureuse. Au milieu des horreurs d'une guerre fratricide, Hémon, le compagnon d'armes de Polynice, n'oubliait pas les petits-maîtres, si peu matériels, vous le savez, du XVII° siècle; il disait à Antigone :

Permettez que mon cœur, en voyant *vos beaux yeux*,
De l'état de son sort interroge les dieux.

Dans Sophocle, au contraire, Hémon, lorsque Antigone va être frappée, ne lui donne pas une seule fois le titre d'amante. C'est au nom de la justice, au nom de l'admiration du peuple entier, ce n'est point au nom de son propre amour, qu'il vient la défendre. Parler de soi-même et de son cœur dans un si solennel moment, c'eût été de l'égoïsme orgueilleux, comme l'aime notre théâtre moderne, c'eût été oublier le respect dû au père, au roi, au sentiment religieux qui domine le drame, toutes choses qui vous semblent peut-être trop matérielles. « Ils pleurent, dit Hémon, le sort de *cette jeune fille* injustement condamnée au supplice pour l'action la plus belle. » Il ne dit pas : *Mon amante.* Sophocle, à cette heure suprême, aurait cru manquer au goût, à la loi du beau idéal, en rappelant l'amour. J'ai la faiblesse de reconnaître ici, bien plus que dans les deux vers de Racine, une marque délicate d'amour dans ce silence même de l'amour le plus chaste.

» Voulez-vous voir l'amour dans Plaute, que vous citez aussi, dans cet immortel comique, le plus libre des peintres romains de nos passions quotidiennes? Je choisis une de ses pièces les plus immorales, *l'Asinaire,* et la femme dans sa condition la plus vile, la courtisane Philénie. Philénie n'a qu'une pensée : être tout entière et toujours à celui qu'elle aime, bien qu'il n'ait ni argent ni espérances. Argyrippe, son amant, ne fait qu'un vœu : garder longtemps et pour lui seul l'amour de Philénie. Pour atteindre ce but, tout leur est bon, tous les moyens sont acceptés ; l'amour épure et soutient tout. Philénie, au milieu de honteux désordres, sous le joug de la mère la plus vile, se relève de son abjection par la pureté de son attachement. Elle exprime avec une vérité sentie ce profond dégoût d'une vie sans dignité et sans affection permise, qui, dans ces âmes perdues pour ce monde, ressemble déjà à je ne sais quel vague pressentiment d'un monde meilleur :

— Oh! tu es pour moi plus douce que le plus doux miel! s'écrie Argyrippe.

— Et toi, tu es ma vie! Serre-moi sur ton cœur, lui répond Philénie.

ARGYRIPPE. — De tout mon cœur!

PHILÉNIE. — Que ne pouvons-nous mourir ainsi ensemble!

» Voilà, monsieur, comment les anciens entendaient l'amour quand il ne venait pas des sens. Quant à la colique, dont vous les blâmez de parler, je doute que notre théâtre, qui s'honore du *Malade imaginaire,* ait rien à leur envier sous ce rapport ; seulement les maux physiques, que la tragédie antique représentait parce que la religion et la sculpture en avaient transmis la tradition au théâtre, ont disparu de notre scène tragique, parce que la bienséance et l'étiquette, deux choses que l'antiquité ignorait, parce que les raffinements de l'amour, que nous devons à la chevalerie et à des mœurs sociales plus blasées, ont changé, j'allais dire ont perverti les lois de l'art dramatique. Le procédé, l'utile, dans son acception la plus vulgaire, y ont remplacé, selon moi, le beau, qui cependant n'est autre chose que l'utile dans son acception la plus élevée et sous sa forme la plus brillante.

» Voilà ce que, dans son livre comme dans ses leçons, M. Saint-Marc
Girardin a développé avec une expérience que rarement le goût du paradoxe vient gâter. Voilà les tendances de notre époque qu'il cherche,
chaque jour et à chaque leçon, à combattre par l'exemple des anciens. Il
ne s'agit donc pas de savoir si les règles du théâtre étaient chez ceux-ci
autres que chez nous, si les masques destinés à donner plus d'ampleur et
de majesté à l'homme et à le rapprocher davantage du type céleste, si
l'aspect de cet air pur qui enveloppe cette terre d'élite, si la mer et la
montagne pour amphithéâtre, si toute cette pompe naturelle que nous
avons remplacée par du fard, des jupons et quatre châssis de toile peinte,
peuvent nous servir de leçon et de correctif. Ce n'est là que l'accessoire,
ou à peu près, d'un art qui ne faisait de la splendeur matérielle que
l'expression ou le complément de la beauté morale. Ce sont les principes
esthétiques de nos aïeux, et non leurs coutumes religieuses ou dramatiques, que le professeur veut populariser; c'est le fond et non la forme
qui doivent nous captiver.

» Quoi qu'en disent quelques esprits chagrins, il y a, il y aura toujours pour le goût je ne sais quel charme à revoir ces prairies sereines où
Théocrite et Virgile ont promené notre jeunesse. C'est un air pur et fort
qu'on respire, c'est une terre choisie où l'on se repose avec délices, où le
bon et le beau semblent répandre des parfums salutaires (salutaires surtout à ceux qui ont voulu mettre le beau dans le laid), où rien ne fatigue,
parce que rien n'y est futile, où l'âme s'abreuve de justesse et de vérité.
Il semble que l'écrivain, en lisant toutes ces œuvres, doive vouloir dépouiller ces dons artificiels dont le temps et les déviations du goût ont
composé son talent, pour saisir cette simplicité où l'art est si profond qu'il
ne s'y montre pas, cette nudité de formes qui ressemble à la nature même,
et ce je ne sais quoi de robuste qui appartient encore plus au génie romain. Ce qui distingue la Grèce, c'est la grâce sans la recherche, la force
contenue dans une heureuse mesure; c'est le ton toujours juste et simple,
comme le ton d'Homère; c'est la beauté nue sans cesser d'être pudique,
comme la beauté de Polyxène.

» Pardonnez-moi, monsieur, d'avoir été si long dans une démonstration bien imparfaite. Ma controverse aura du moins un mérite, ce sera de
vous ramener sur le terrain; elle servira à faire vider la question, si toutefois c'est sérieusement que vous avez voulu combattre les théories du
beau antique, qui sont aussi celles de l'homme que je défends bien incom-
plètement ici. La discussion a cela de bon, qu'elle intéresse et finit par
éclairer. Le lecteur y a quelque goût et finit par prendre parti pour quelqu'un, au lieu de rester indifférent. La Fontaine l'avait dit :

> La dispute est d'un grand secours;
> Sans elle, on dormirait toujours.

» MAURICE MEYER. »

III.

A cette lettre, M. Arsène Houssaye, rédacteur en chef de *la Revue de Paris*, répondit le premier :

M. Eugène Pelletan aura raison *une fois de plus*, soit par la réplique, soit par le silence. En homme d'esprit, le jeune professeur au Collége de France déplace la question. M. Eugène Pelletan demandait si, en 1846, il était permis encore de battre les modernes avec les œuvres des anciens. La thèse n'est pas neuve; les pédants ont toujours eu intérêt à la soulever, on le comprend. Qu'il y ait eu parfois du spiritualisme dans l'art de l'antiquité, personne n'en doute; mais le sentiment matérialiste y dominait plus que dans l'art moderne. Voilà ce qui a été résolu et démontré par notre collaborateur.

Déjà nous l'avons dit ici, les Grecs n'ont cherché à rendre la créature humaine que dans son aspect extérieur; ils l'ont douée, il est vrai, de toute la force, de toute la grâce, de toute la beauté que Dieu a données à l'homme et à la femme; ils l'ont fait vivre de toutes les splendeurs visibles, exprimant même ses passions par les mouvements du corps; mais on peut affirmer que ce rayon de divin sentiment qui a illuminé l'œuvre des peintres, depuis le Pérugin jusqu'à Prudhon, ils ne l'ont pas senti, ils ne l'ont pas deviné, ils ne l'ont pas vu briller sur leur palette. Phidias lui-même, Phidias, le Raphaël des Grecs antiques, Phidias qui fut plus expressif dans sa sculpture que les peintres de son temps, est d'une majesté souveraine; on ne peut trop admirer la grandeur de ses attitudes, la beauté hardie de ses lignes, le caractère élevé de ses figures; mais, sous sa main toute-puissante, le marbre n'a jamais pleuré. C'est qu'alors la douleur de l'âme n'était qu'une faiblesse; le Christ en a fait une poésie.

La beauté idéale des Grecs, telle que la comprenaient Homère et Phidias, était dans les traits bien plus que dans l'âme. Les poëtes et les artistes excellaient surtout à exprimer les affections passives; le calme et le caractère étaient pour eux la suprême beauté. L'antique Atalante vole paisiblement, malgré la rapidité de sa course; le Laocoon, dans ses efforts pour se défendre contre les serpents, conserve toute sa mâle et grave beauté. Niobé est frappée de stupeur, mais l'âme n'éclate pas sur sa figure. Après avoir consulté Phidias et Myron, on peut ouvrir Homère. A chaque page, on verra que le sentiment, qui, chez nous, domine le caractère, était une faiblesse indigne d'un cœur grec. A-t-on oublié ces paroles de l'Électre de *Sophocle* : « Je rougis, chères compagnes, de me livrer devant vous à des douleurs immodérées; daignez me le pardonner. » Chez les Grecs, toutes les passions de l'âme étaient réprimées par le courage et la sagesse : les Grecs croyaient bien plus que nous à l'empire de l'homme sur lui-même. Ils croyaient à sa force et à sa beauté; ils ne voulaient pas altérer ces deux symboles de puissance divine par le spectacle de la nature souffrante. Mais que de sources vives de poésie qui ne coulaient pas pour eux ! Nous avons d'ailleurs, plus que les universitaires, une admiration profonde pour les chefs-d'œuvre de l'antiquité ; nous croyons même les juger d'un point de vue plus élevé en appréciant par le sens poétique ce que d'autres soumettent à la froide analyse du raisonnement.

Nous dirons en outre que nous ne divisons pas la littérature en deux espèces arbitraires, comme avait fait un universitaire de beaucoup d'esprit — il y en a — dans cette *Revue*, il y a douze ans : la littérature facile et la littérature difficile ; mais nous croyons qu'il faudra toujours diviser en deux camps la république des lettres : les esprits timides et enchaînés qui vont en arrière, les esprits fiers et libres qui vont en avant, les universitaires, comme M. Saint-Marc Girardin, et les fantaisistes, comme M. Alfred de Musset ; les pédagogues comme M. Villemain, qui n'arrivent à la science que tout épuisés et tout impuissants ; les hommes de génie comme M. de Lamartine, qui arrivent à tout, à la poésie, à la science, à la philosophie, comme l'aigle de Jupiter, et non comme la tortue de la fable. Nous nous arrêterons dans ce parallèle par générosité ; nous aurions trop beau jeu. L'archéologie est certes une science respectable ; mais nous sommes de ceux qui préfèrent la forêt vierge à défricher au champ trop épuisé par les moissons. Les archéologues de l'Université découvrent d'ailleurs toujours les mêmes richesses dans le passé. Est-ce qu'ils ont découvert Dante, Shakspeare, Schiller ? Une inscription insignifiante d'Horace, à la bonne heure. En peinture, les universitaires sont les imitateurs ; or, qui n'aimerait mieux se casser royalement le cou, sur une cavale indomptée, dans l'âpre montagne du génie, que de trotter sur la grand'route, comme un bon curé de campagne, sur une rosse vieillie au service de tout le monde? Mais que fais-je? J'ose écrire quatre lignes sans m'appuyer d'une autorité de deux mille ans, ou tout au moins de deux siècles !

Tout en protestant contre les règles absolues qui étouffent le génie avant de le féconder, nous protestons aussi contre cette littérature du hasard, littérature à la toise, *littérature facile* si vous voulez, qui a envahi la presse comme une plaie d'Égypte, mais qui périra par le dégoût d'elle-même. Nous sommes de ceux qui, dans les arts, veulent l'étude sérieuse comme la liberté ; non pas seulement l'étude avec l'horizon stérile du passé, mais l'étude avec des échappées infinies vers l'avenir. Si l'art a grandi en France depuis vingt ans ; si la poésie est aujourd'hui ce qu'elle fut en Grèce du temps d'Homère, une *peinture parlante* ; si la langue française a développé ses forces par la couleur, par la hardiesse du dessin, par l'éclat des lignes sculpturales, est-ce aux universitaires qu'elle doit ces conquêtes fécondes?

IV.

M. Pelletan répondit ensuite :

(*Revue de Paris*, du 26 janvier 1846.)

Volontiers, monsieur. Mais, prenez-y garde, M. Saint-Marc Girardin n'est pour moi que le nom propre d'une erreur dans un moment donné. Ne faisons pas d'une question de doctrine une question de personne.

Mais d'abord M. Saint-Marc Girardin a-t-il une doctrine? J'ai lu très-attentivement son *Cours de littérature dramatique*, et je vous avoue n'y avoir trouvé la plus petite idée qui pût m'expliquer le caractère de la poésie, ses évolutions, ses tendances. Je sais bien qu'on a beaucoup abusé des idées, mais, en vérité, votre client y met trop de parcimonie.

Cependant la bonne intention ne lui a pas manqué, car, dès les premières pages de son ouvrage, il se lance en pleine théorie. *La sympathie que l'homme sent pour l'homme*, dit-il, *est la cause du plaisir que donnent les arts*. Il est vrai qu'il emprunte cette doctrine à Jouffroy, qui l'a longuement et savamment développée autrefois, devant la cheminée, les mains derrière le dos, à un auditoire de quinze ou vingt personnes. Mais M. Saint-Marc éteint bien vite la petite lanterne qu'il avait allumée au feu du philosophe; il aime mieux continuer sa route dans les ténèbres.

Vous venez à son secours pour me prouver que le spiritualisme était non pas le caractère exceptionnel, mais le caractère dominant de l'antiquité. Je dis non, vous dites oui; appelons nos témoins. Vous avouez pourtant que l'amour était, chez les anciens, purement un appétit, un léger compte à régler entre les sens, et dont l'âme était parfaitement désintéressée. Mais prenez garde de nuire à votre client, car il a écrit de son côté : *De toutes les passions dramatiques, l'amour est la plus touchante, parce qu'elle est la plus générale*; il est vrai que, quinze pages plus loin, c'est l'amour de la vie qui se trouve être *la passion la plus générale, et conséquemment la plus touchante*. Mais passons; avec M. Saint-Marc, nous n'en sommes pas aux contradictions près.

Si l'amour se trouve être avant, après ou avec l'amour de la vie, la passion la plus touchante du drame, nous espérons trouver dans un livre intitulé : *de l'Usage des passions au théâtre*, au moins un chapitre, au moins un souvenir consacré à l'amour. Eh bien! monsieur, il y a toute sorte de chapitres pour l'amour de la vie chez les hommes et chez les femmes, pour la lutte contre la douleur, pour les naufrages, pour les suicides, pour l'amour paternel et maternel, pour l'égoïsme des grands parents, pour l'ingratitude des fils, toutes choses que M. Saint-Marc range dans la catégorie des passions; et de l'amour, rien. Que diront les femmes?

L'amour ainsi escamoté, quelle explication tant soit peu équitable M. Saint-Marc pourra-t-il donner du théâtre moderne? N'entend-il pas les voix gémissantes de Juliette et de Bérénice réclamer, pour les poëtes chrétiens une gloire qu'ils ne partagent avec personne, ni avec celui-ci, ni avec celui-là, dans toute l'antiquité?

Au demeurant, savez-vous, monsieur, que je vous trouve prodigue de concessions? Une fois accordé que le matérialisme domine dans les amours et les croyances religieuses de la Grèce, les conséquences font irruption de tous les côtés. Si les anciens, dans leurs relations avec les dieux et les femmes, n'apportent que des idées, des formes grossières, par quelle évocation subite, par quel coup de baguette, peuvent-ils appeler une autre âme tout éthérée pour l'épancher dans leur poésie? Est-ce que l'esprit humain peut se diviser ainsi : ange sur la scène, démon dans le gynécée? Les Grecs traitaient donc avec moins de respect leurs femmes que leurs tablettes?

Enfin, puisque tout l'idéalisme des anciens s'était réfugié, concentré dans leur poésie, où est-il visible? Est-ce dans l'Iliade ou l'Odyssée, chez ces héros perpétuellement occupés à éventrer de leurs mains royales, à embrocher les bœufs; chez ces convives d'un interminable repas, penchés sur les entrailles rôties et les coupes pleines d'hydromel? Est-ce dans les longues descriptions des blessures, dans les plaisanteries à coups de bâton, dans les vomissements de Polyphème, dans l'affreuse boucherie finale de l'Odyssée, dans les longues querelles matrimoniales de Jupiter et de Junon, au milieu desquelles le roi des dieux a toujours la main levée sur sa femme pour lui administrer quelque correction? Est-ce enfin dans la vengeance graveleuse de Vulcain, que les dieux et les déesses regardent, en pouffant de rire, par le trou de la serrure?

S'il n'est pas là, où donc est l'idéalisme? Est-ce dans la poésie dramatique? Mais, monsieur, le seul fait d'avoir mis sur la scène les pustules de Philoctète et la colique d'Hercule, pour nous attendrir, remarquez, et non pour nous faire rire, prouverait irréfutablement, à mon avis, que les anciens avaient la fibre sensible beaucoup plus grossière que les modernes. Aristophane me semble très-bien d'ailleurs commenter, toute différence gardée, le génie de Sophocle. Telle comédie, telle tragédie. Trouvez-vous qu'Aristophane ait reculé souvent devant le plus grossier matérialisme? Dans *Lysistrate*, dans *les Fêtes de Cérès*, dans *l'Assemblée des Femmes*, ne remue-t-on pas les ordures à pelletées? Le public n'écoutait-il pas ces pièces dans le même temps que celles d'Euripide? Les anciens avaient-ils donc une âme de rechange?

Serait-ce sérieusement que vous me voudriez citer les comédies de Plaute, pour y trouver ces rares lueurs d'idéalité qui flottent çà et là, comme des feux follets sur l'eau croupie d'un marais? Conseillerez-vous à un père de mettre Plaute dans les mains de sa fille pour lui apprendre à aimer convenablement un honnête homme? Croyez-moi, imitez la réserve de M. Saint-Marc, qui n'a soufflé mot d'Aristophane.

Ainsi donc, ni dans l'épopée ni sur la scène ne brillent ces belles vertus idéales que vous chantez dans un duo avec M. Saint-Marc Girardin. Où les trouverons-nous donc? Dans la poésie d'Anacréon, *Vinosus senex*, qui résume toute la sagesse de la vie; dans cette ode : *La terre boit l'onde, l'arbre boit la terre, le soleil boit la mer, et la lune boit le soleil ; ainsi donc pourquoi combattre mes désirs quand je veux boire à mon tour ?* Ou bien est-ce dans la poésie d'Horace, qui chante Néera couronnée d'ache et de lis, Pyrrha penchée sur les rênes de soie de son quadrige, Leucorée, Glycère, Chloé, Bazine, Néobule, Galathée; Chloris, Phyllis, Phrynée, Cinara, Inachia, et la coupe de neuf cyathes, et les cheveux noués à la laconienne, et les soupirs du hautbois de Bérécynthe dans la rue Suburra, et ses métairies à Utica et à Digentia, et enfin toutes les bonnes petites voluptés de son existence épicurienne ?

Et, comme annotation à toutes ces poésies, faut-il ajouter les peintures pornographiques si abondamment semées sur les vases et les figurines secrètes du musée de Naples ? Mais sortons de cette atmosphère imprégnée de ces âcres parfums que Messaline rapportait sur sa robe, et levons nos regards plus haut. Cherchons ensemble les vrais caractères de la civilisation antique et de la civilisation moderne. Toutes les erreurs de M. Saint-Marc découlent de sa méthode : il a voulu juger l'art isolément, extérieurement aux circonstances qui l'ont produit et modifié, et à son insu il a fait de l'art pour l'art, en critique s'entend.

Un jour, M. Magnin, qui a, m'est avis, beaucoup de science et d'idées, exposait sa foi inébranlable au perfectionnement continu de nos facultés. Mais, au milieu de sa profession de foi, il s'arrêta devant la statuaire, la tragédie antique, et il s'écria douloureusement : Où est le progrès ?

Je crois que si M. Magnin avait eu la véritable notion du progrès, il n'aurait pas été contraint de laisser subsister une contradiction dans le développement de nos facultés. Comment peut-il concevoir une faculté qui s'avise d'être parfaite du premier coup, et qui s'arrête en chemin pour laisser les autres facultés, ses sœurs, se traîner péniblement, et de siècle en siècle, à leur perfection ? Est-ce que la vie de l'âme n'est pas une ? Est-ce que, dans une pendule, une roue peut tourner et l'autre se reposer ?

Cherchons donc, monsieur, une définition du progrès assez vaste pour envelopper toutes les facultés, toutes les manifestations, aussi bien l'art que la politique et la science. Qu'est-ce donc que le progrès ?

C'est l'accroissement de vie. Ne vous effrayez pas, nous arriverons à la question. Maintenant, qu'est-ce que la vie ? C'est, chez les êtres finis, chez vous, chez moi, la communion plus ou moins multiple, plus ou moins consciente d'elle-même, avec les formes ambiantes ou les forces générales du monde. Ne suis-je pas assez clair ? Je vais m'expliquer. Pourquoi, dans nos idées, l'arbre vit-il plus que le rocher ? Parce qu'il a des rapports plus fréquents, plus nombreux avec les fluides, avec la lumière, parce qu'il se les assimile et les élabore. — Pourquoi, de son côté, l'animal vit-il plus que l'arbre? Parce qu'il participe plus largement à la grande répartition des forces de la nature, parce qu'il se déplace, parce qu'il se sent vivre, parce que plus d'éléments contribuent à son organisation. Enfin, pourquoi l'homme a-t-il une vie supérieure à celle

8

de l'animal? Parce que, de tous les spectateurs que Dieu s'est donnés sur cette terre, il est celui qui communique le plus intimement et le plus largement avec la vie universelle et avec l'âme de la vie universelle, celui qui a le plus conscience de son être, la plus grande immixtion dans sa destinée, la perception exclusive de la vérité, de la beauté, de la justice. Ne vous impatientez pas, monsieur, nous arriverons à l'art.

Ainsi donc, en histoire naturelle, il y a progrès du rocher sur les molécules, car il y a de plus une force d'agrégation, et conséquemment intervention à un premier degré de la vie universelle. Il y a progrès de l'arbre sur le rocher par la même raison, et ainsi de suite. Cela étant admis, quel progrès peut-il y avoir de l'homme à l'homme?

Il faut augmenter la vie en lui, ou autrement étendre ses relations avec la beauté, la Providence ou les forces du monde. Or nous avons trois facultés pour atteindre le Dieu vivant autour de nous : la sensation, le sentiment, l'intelligence. Voilà un sauvage : il n'a qu'une vie instinctive, végétative, physiologique ; il a une femelle et des petits qu'il aime d'une affection animale. Il vit à peu près exclusivement de la vie des sensations. Débouchez-lui l'organe encore obstrué du sentiment, inspirez-lui l'amour du beau, le respect de la femme, la notion du droit, le désir de la charité, vous avez l'Athénien d'abord, le chrétien ensuite, qui vous voudrez, mais vous avez un homme qui a étendu l'exercice de sa vie à tout ce qui est bon, ce qui est beau, ce qui est juste, et qui substitue à l'ivresse des sens l'enthousiasme de l'admiration. Voilà qui est convenu, n'est-ce pas?

Vous convenez aussi qu'en politique, qu'en religion, le progrès consiste à convoquer un plus grand nombre d'élus à la vie du sentiment et de l'intelligence, à introduire dans chaque homme plus de sympathies et plus d'idées ; et le plus vivant d'entre nous est celui qui sent, qui aime, qui sait le plus de choses.

Ce qui est vrai pour l'homme est vrai pour les œuvres de ses facultés. Qu'est-ce que l'art? C'est un des actes de l'âme humaine ; il est toujours identique à l'âme comme l'effet à la cause. Quand l'intelligence de l'homme est encore assoupie dans ces premières limbes que nous nommons époques antédiluviennes, il n'y a pas de science. Là où le sentiment se cherche encore, il n'y a pas d'art.

Ainsi donc, si nous voulons juger l'art de la Grèce, nous devons chercher d'abord de quelles idées, de quels sentiments l'âme d'un Grec était constituée. Vous rappelez-vous ces vers où Tyrtée semble énumérer toutes les perfections? *Un mortel*, dit-il, *n'est pas pour moi digne d'estime, fût-il vainqueur à la course ou à la lutte, eût-il la taille et la force de Cyclope; fût-il plus agile que l'aquilon de Thrace, plus beau que Tython lui-même, plus riche que Meida et Cynoia, plus puissant que Délos, fils de Tantale; eût-il une voix aussi mélodieuse que celle d'Adraste, il n'est rien s'il n'a pas la valeur guerrière : la valeur est la plus précieuse qualité de l'homme.* D'une époque où un pareil idéal de perfection dominerait, quel art pourriez-vous espérer? Un art, à coup sûr, où les plus nobles sentiments de l'humanité, la foi, le dévoûment, la grandeur, la pureté morale, l'enthousiasme, seraient relégués derrière l'horizon.

Si l'on veut juger l'art antique, le comparer au nôtre, on doit d'abord se demander quels sont les nouveaux sentiments qui ont fait irruption dans le monde moderne; et si ces sentiments sont plus vrais, plus profonds, plus épurés que ceux des anciens, l'art moderne doit bien en avoir contracté quelque chose. D'abord nous avons de plus que les anciens l'amour, que vous semblez regarder comme une maladie, comme une dégénérescence de l'esprit. Est-ce inadvertance de votre part, ou une mauvaise influence du livre de M. Saint-Marc Girardin? Messieurs de la Sorbonne ou du Collége de France seraient-ils les successeurs des moines? Est-ce que l'idéal de l'amour moderne, avec sa poésie, avec toute la pudeur, tout l'enthousiasme dont nous l'entourons, l'amour de Roméo et Juliette, de Hermann et Dorothée, de Paul et Virginie, est-ce que cette passion qui ennoblit la femme par l'homme, et, en vertu d'une loi éternelle de réversibilité, l'homme par la femme; qui active, qui échauffe toutes les autres nobles passions de l'homme, et qui s'en échauffe à son tour, ne détermine pas une supériorité immense des modernes sur les anciens? N'en dirais-je pas autant de l'apostolat, de la charité, de la fraternité, du sentiment de l'infini, de la nature, et de tous ces sentiments moraux, inconnus ou étouffés dans le monde avant que le blond révélateur de la philosophie essénienne vînt les distribuer, en paraboles, aux douze et aux femmes accoudées sur les puits de Béthanie?

Faites une étude attentive, comparée, des sentiments qui se trouvent dans Shakspeare et dans Sophocle, et vous verrez que les plus beaux effets de Shakspeare eussent été impossibles sur le théâtre d'Athènes.

Ainsi, monsieur, ce qui constitue la loi du progrès dans l'art, comme en toute chose, c'est l'affluence d'un plus grand nombre d'éléments et la combinaison de plus en plus savante de ces éléments. L'harmonie est un progrès sur la mélodie, contrairement aux idées d'Aristote, qui proclame le chant d'autant plus agréable qu'il est plus simple. La cathédrale, selon nous, est un progrès sur le temple, parce qu'elle a la sculpture, la musique, la peinture, le son des cloches, les parfums, les processions, les galeries, les costumes, les vitraux, les variétés, les combinaisons infinies de lignes et de colonnes. Enfin l'art plastique, tel que Raphaël l'a conçu, nous paraît supérieur à l'art tel que Phidias l'a réalisé; car Phidias ne voit dans la représentation de l'homme que la beauté de la forme, les molles ondulations du contour, la tranquillité, la solennité de l'attitude. Raphaël cherche tout cela, mais il cherche encore l'idée, le sentiment, l'émotion, le drame. Est-ce que le spectacle de la *Vénus* de Milo ou du Capitole émeut plus les cordes saintes de votre âme que la contemplation de la *Vierge à la chaise* ou à *l'oiseau* dans les galeries de Florence? Est-ce que la procession panathénaïque soulève autant d'idées, de sentiments, que les cartons d'Hamptoncourt ou les 'fresques des Stanze?

L'art grec est donc moins vivant que le nôtre par la raison qu'il s'assimile moins d'éléments intellectuels moraux : voilà pour le fond, ou à peu près. Quant à la forme, quant à la question pure de l'art, c'est une question trop importante pour être mutilée : nous la reprendrons une autre fois; car nous sommes loin d'avoir épuisé les arguments (1).

(1) A notre grand regret, M. Pelletan n'a pas donné suite à ses promesses, et nous attendons encore l'article qu'il avait annoncé sur la question pure de l'art

V

DEUXIÈME VOLUME.

(Ce dernier chapitre est une sorte de réponse à toutes les objections faites par M . E. Pelletan
et autres sur le livre et les doctrines de M. Saint-Marc Girardin.)

M. Saint-Marc Girardin est un moraliste, et c'est là ce qui fait l'originalité de sa critique. Jusque-là c'était le canevas d'une composition, la
disposition des figures et des scènes, le style, la convenance des rôles que
la critique étudiait : la morale n'était que l'accessoire dans cet examen.
Cela s'appelait la critique littéraire. Ou bien la scène était portée sur un
plus grand théâtre ; c'était en regard des événements politiques contemporains, au milieu des mœurs du siècle que l'auteur ou le livre étaient
envisagés. La critique ne détachait pas le morceau à étudier du vaste
cadre où il était placé ; elle remontait curieusement à toutes les causes
qui l'avaient produit, qui lui avaient fait donner préférablement telle ou
telle forme, et l'histoire servait souvent à expliquer le livre. C'était de la
critique que j'appellerai historique.

La Harpe, quoi qu'on ait dit, a compris assez bien les devoirs et les lois
de la critique purement littéraire pour être resté encore jusqu'à nos jours
son plus digne représentant. M. Villemain a donné à la critique historique une valeur telle, qu'il semble l'avoir créée. C'est lui qui le premier
l'a professée, avec quelle verve, quelle nouveauté de coup d'œil, avec
quel esprit, on le sait.

M. Saint-Marc Girardin a voulu faire autrement, sinon mieux, et il a
changé le point de vue. Ce n'est plus l'histoire du livre, l'allusion contemporaine qu'il recherche ; c'est une théorie raisonnée des sentiments, c'est
la vérité des passions dramatiques, c'est la moralité de nos émotions qui
le préoccupent. C'était étendre son domaine bien plus que ne l'avaient
fait encore les critiques précédents. La critique purement littéraire a
naturellement pour bornes les proportions de l'œuvre qu'on étudie, les
lois du langage et de la composition, la comparaison avec des œuvres
analogues. La critique historique ne sort pas du temps où l'œuvre s'est

produite ; rarement elle pousse ses excursions en deçà ou au delà ; tandis que le cœur humain embrasse tout. C'est un monde sans fin, un labyrinthe où chaque recoin cache une passion, chaque passion ses mystères. L'horizon, circonscrit tout à l'heure, se déploie et s'élève. Ce qu'on étudie cette fois, c'est la profondeur, la vérité de tel caractère, et ce caractère, analysé, comparé, devient la source d'une foule d'observations morales, littéraires, non-seulement dans l'occasion où il se développe, mais encore partout où il s'est montré. Le cœur humain est le pivot de tous les sujets, de tous les drames dans tous les pays ; ou plutôt il en est comme la capitale, et M. Saint-Marc Girardin a fait preuve de courage et d'originalité en s'attaquant à ce centre même de l'art, et de l'art dramatique en particulier. En choisissant le cœur pour objet de ses études, dans ses rapports avec la scène, M. Girardin a pu, sans sortir de son sujet, nous montrer dans un panorama ingénieux les meilleurs épisodes de tous les drames, les commenter avec esprit, et varier à l'infini nos points de vue, sans troubler la simplicité de nos impressions, sans nuire à l'harmonie de l'ensemble.

Un autre objet le préoccupait encore ; c'est la conservation et la pureté de la langue, qui ne se sépare pas de la pureté des pensées. On ne saurait le nier : la science des mots et des tours a fait son temps. Les purs modèles du dix-septième siècle ont reconquis leur sceptre. Pour les écrivains d'élite, la correction et l'élégance, animées d'un mouvement plus libre, d'une originalité moins discrète, ont pris aujourd'hui, à peu d'exceptions près, la place des poétiques nouvelles et des innovations impossibles. Aux révolutions a succédé une liberté tempérée. Nos institutions ont ouvert un angle plus large à la pensée : c'est sur l'emploi meilleur de nos facultés, de nos richesses, sur la libre variété des intelligences, sur nos vertus et nos passions qu'elle se reporte aujourd'hui. L'âme humaine, et non plus seulement la forme qu'elle revêt, soit dans les arts, soit ailleurs, voilà le domaine qu'embrassent les meilleurs esprits.

Malheureusement, il faut le dire, la licence, cette triste compagne de la liberté, a laissé de mauvais germes dans les lettres. Il y a une partie de nos écrivains qui portent dans leur style l'épicurisme de leurs habitudes. Leurs pages sont chargées de mots colorés qui font saillie à l'œil, d'enluminures exagérées qui sont comme un fard éblouissant sur des traits appauvris. Rien n'y vient de haut ; aucune idée n'y est simple, comme ce qui est vraiment élevé. Ce sont des parterres chargés de fleurs et de parfums ; ce sont les jardins d'Armide, si l'on veut, mais on n'y voit pas le ciel.

De plus, le progrès des sciences, l'usage des découvertes nouvelles ont introduit dans notre langue des figures et des images qui, tout en renouvelant les métaphores, ont néanmoins contribué à matérialiser le style et la pensée. Le théâtre, qui finira par être plus souvent la parodie que l'expression de nos mœurs, s'est naturellement ressenti de cet envahissement de la matière. La lutte si instructive des cœurs et des passions, la réserve dans l'amour, la décence dans la mort, toute cette poésie des choses et des mots, sont, presque partout, remplacés par la *manière* ou par des pointes d'esprit. On dirait que c'est le sort de l'esprit humain de se complaire aux contrastes, et qu'il recherche la folle gaîté de la scène dans notre temps de troubles, comme il aimait les idylles de Théocrite au temps des Ptolémées, la naïveté de la fable et l'abandon des champs sous le règne de l'étiquette de Louis XIV, ou les bals le lendemain de la *Terreur*.

C'était donc le devoir d'un juge équitable de chercher à sauver la scène de sa décadence, en revendiquant pour le cœur humain ses titres méconnus ou oubliés, en montrant que le langage n'a de prix que par la justesse du sentiment qu'il exprime; que la fantaisie, si brillante qu'elle soit, ne vaut pas la vérité de l'observation ; que l'âme humaine et ses meilleurs instincts donnent seuls la vie au drame, et que le comble de l'art est de savoir être simple. C'était là un moyen presque neuf de relever le drapeau de la critique dramatique, un peu souillé de nos jours. M. Saint-Marc Girardin l'a tenté dans son livre, qui est à la fois un trait d'esprit et une leçon.

Je n'en voudrais pas conclure que, sur tous les points, l'auteur a touché juste, et qu'il n'y a point de réserves à faire avec lui. M. Girardin aime le beau, d'où qu'il vienne, et il l'a cherché avec autant d'ardeur dans les moindres recoins de nos romans modernes que dans les meilleurs drames de l'antiquité. Mais peut-être a-t-il fait souvent la part trop belle au présent, et a-t-il comparé ce qui ne se compare point, Molière avec M. de Balzac, Eschyle avec M. Mérimée. Ç'a été quelquefois pour lui l'occasion d'un facile triomphe en faveur de l'antiquité, et il a été si bien pénétré du tort qu'il avait eu d'avoir trop aisément raison, qu'il a mis des cartons à la deuxième édition de son premier volume. C'est assez reconnaître que M. Girardin ne repousse pas toutes les leçons de la critique, quand elle est fondée, et qu'il a le mérite, qu'on lui a injustement contesté, de lire et de goûter fort les moindres travaux contemporains.

Notre littérature se compose de deux éléments parfaitement distincts : elle s'est formée sous la double influence du génie septentrional et de l'esprit du Midi. Elle a des formes arrêtées et précises; elle a aussi les molles rêveries et les couleurs chatoyantes : elle est à la fois méthodique et mystique. En remontant à ses origines, on retrouve ces deux éléments dans d'inégales proportions. Pendant tout le moyen âge, c'est la barbarie germaine et scandinave, c'est le Septentrion qui domine. Au milieu du quinzième siècle, c'est Rome, c'est le Midi qui l'emporte. Antagonisme curieux, qui réfléchit dans les lettres, comme dans un magique et mobile miroir, les deux tendances de notre caractère, le calme et le mouvement, la discipline et l'esprit d'aventures! A laquelle de ces deux influences obéit la nature de M. Girardin? Est-il mystique et rêveur, ou est-il *Romain*? La réponse, chacun l'a faite. M. Girardin est une nature saine et nette, c'est un *Romain*.

Est-ce à dire que l'auteur soit un esprit positif, un partisan exclusif de la littérature pratique et fasse mépris de l'imagination ? On l'a pu croire, il est vrai, à certains passages de ses livres, à quelques théories de ses *Essais*, où la famille n'était envisagée que sous le point de vue de l'intérêt, et où la paix sociale n'avait d'autre base que la peur de se ruiner. On l'a injustement soupçonné pour quelques réflexions sur les gens de lettres, à qui, disait-on, il ne faisait pas la part assez belle, reléguant la littérature parmi les loisirs, au lieu de la classer au rang des professions. On oubliait que c'était là une protestation et un conseil du bon sens tout à la fois : une protestation contre cette démangeaison d'écrire qui égare tant d'intelligences, qui provoque et fait pitoyablement avorter tant de folles ambitions ; un conseil pour ces écrivains d'élite qui, dans cette vie où chacun doit remplir sa tâche pratique, ont la mission, non pas de se cantonner dans des théories, non pas de s'ensevelir dans un sépulcre de papier, mais de monter à l'assaut, en avant de tous les travailleurs, et d'entraîner par l'action en même temps que de charmer par la parole.

M. Villemain disait : « Les lettres mènent à tout, à la condition de les quitter. » M. Saint-Marc Girardin est plus généreux, je veux dire plus juste pour elles ; il ne les rejette pas, mais leur donne le second rang. Il dit : « Les lettres accompagnent tout, à la condition de suivre. » Au fond, et c'est là, comme dans les meilleures pages de son livre, une reconnaissance de ce qui est plutôt qu'un cri d'anathème contre les littérateurs. L'auteur est de trop bonne compagnie pour anathématiser personne ; c'est un esprit trop pratique pour ne pas apprécier avec originalité les faits et s'y accommoder avec goût. En effet, que voit-il autour de lui dans la famille des grands écrivains ? En est-il parmi eux qui n'aient laissé là l'imagination pour les affaires, et qui ne soient passés avec éclat de la région des rêves à la réalité ? Les noms se pressent sous ma plume ; mais pourquoi les citer, quand chacun les connaît et les désigne ?

M. Saint-Marc Girardin a donc donné là aussi une preuve de sens et de tact, et j'ajoute qu'il s'est montré involontairement, en cette occasion, un digne disciple de l'antiquité. Comme lui, les anciens des meilleurs siècles ont fait des lettres le satellite brillant des affaires ; ils pensaient que l'homme d'État était seul quelque chose de bon et de grand dans l'État, et reléguaient parmi les grammairiens et les gens moindres ceux qui se bornaient à enseigner l'art d'écrire et la stratégie du langage. Voyez Eschyle, le grand poëte, l'inventeur hardi sur la scène ; de quoi s'enorgueillit-il, quels triomphes inscrit-il sur son tombeau ? Sont-ce ses trilogies applaudies, ses victoires sur Phrynicus ou ses poésies écrites pour Hiéron ? Il est plus modeste, ou plus fier plutôt ; car il n'y mentionne que son courage à Marathon, en face des Perses. Les plus grands noms de la politique d'alors se recrutaient chez les lettrés ; le nom même de lettré n'existait pas encore, et ne fut inventé que pour les écoles déchues d'Alexandrie. Les Romains eux-mêmes n'admirent que fort tard comme une profession, mais secondaire et subordonnée à la politique, l'art de louer en vers ou de cadencer la prose. Avant Lucilius, avant qu'un chevalier romain eût daigné descendre jusqu'aux loisirs de la poésie, Lælius et Scipion se cachaient pour dicter à Térence quelques scènes de comédie, et, au septième siècle encore, un poëte était obligé d'insulter un patricien pour le rappeler au respect des lettres et des écrivains.

Ce goût de l'auteur pour la discipline de l'antiquité, même quand l'auteur ne croit écrire que sous l'inspiration des idées modernes et pour l'intérêt présent, ce goût ne lui vient pas seulement d'une claire vue de ce qui est bon, il procède d'ailleurs encore : c'est un goût universitaire. Je sais tout ce que ce nom d'universitaire a déjà soulevé de clameurs et d'objections; je sais qu'on l'a tourné contre l'auteur et contre bien d'autres comme un reproche. Mais je n'ignore pas non plus que M. Girardin le garde et l'arbore comme un de ses meilleurs titres, et je l'en félicite.

L'Université, c'est l'école du bon sens substitué aux désordres de la fantaisie; c'est la maîtresse du sévère et du grand. Elle apprend à se défier de ses propres impressions autant que des parades d'esprit, du clinquant des autres; elle veut de la raison et de la logique partout, même pour les choses d'imagination. Les universitaires, armés de cette circonspection d'école pour tout ce qui séduit dans les lettres, sont naturellement avares de productions, et ne se livrent qu'avec discrétion et sauf examen. De là, je l'avoue, plus de critique que d'invention, moins de poëtes et plus de grammairiens; et comme cette prudence qui se défie a souvent toutes les apparences de la peur qui n'ose rien; comme elle manque de fougue et d'initiative et qu'elle attend pour se conformer, au lieu d'innover avec péril, comme elle a l'admiration scrupuleuse, elle s'est vue accusée par les téméraires d'impuissance et de faiblesse.

Les téméraires, en effet, sont ceux qui osent tout, parce qu'ils n'engagent qu'eux-mêmes. Ce sont les mondains de la littérature; ils y créent la mode et la suivent, ils y donnent de l'importance au passager et en négligent le durable. Les hasards de l'imagination, ce qu'ils appellent la fantaisie, et qui n'est autre chose que le déréglement érigé en règle et intronisé dans les lettres, voilà le guide qu'ils invoquent et au nom duquel, se permettant tout, ils font mépris de l'Université, qui se permet moins.

Ils oublient que l'Université a charge d'esprits, et qu'il lui est défendu de se tromper, parce qu'elle doit moins encore les exciter que les régler. Naturellement plus disposée à observer le mouvement autour d'elle qu'à s'y laisser emporter, elle abandonne volontiers aux mondains ou aux téméraires la chance des hardiesses de toutes sortes, avec le goût des colifichets en littérature, saisit sagement au passage l'utile et le vrai dans la mobilité des tentatives environnantes, s'assimile ce qui est bon, et s'étudie à modifier graduellement ses méthodes, sans cesser d'en conserver le fonds excellent.

Ainsi, pour ne citer qu'un exemple, le culte du beau antique, qui est simple, avait toujours été préconisé par l'Université plutôt que l'usage du beau moderne, qui est complexe. Il y a, en effet, quelque chose de plus net, de plus approprié à la portée d'une imagination sereine dans la perspective du Laocoon, de l'Apollon du Belvédère, ou, pour me borner à l'art dramatique, dans l'immobilité majestueuse de *Prométhée*, que dans le mouvement multiple de *Macbeth*. L'esprit saisit mieux et d'une vue plus satisfaite ce qui lui arrive sans mélange que ce qui s'offre à lui avec confusion. Si l'impression que nous laisse le jeu croisé de mille passions qui s'entremêlent est plus vive, parce qu'elle se compose d'une multitude d'émotions diverses, il faut reconnaître que l'uniformité d'un sentiment unique, produit par une action grande et isolée, nous élève davantage. Le drame moderne, avec ses péripéties diverses, remue tout en nous, la vase et les plus gros bouillons; il nous fait tourner au terre-à-terre et à la prose. Le drame antique, en subordonnant toutes les passions accessoires à une grande passion principale, nous touche plus profondément, parce qu'il se concentre sur un point et nous frappe plus haut, parce que c'est de plus haut que partent ses coups.

Cependant, comme la multiplicité est une des formes les plus habituelles de la nature, comme d'ailleurs cette multiplicité n'a pas été omise dans ces grands drames de la Grèce, où le dix-huitième siècle seul s'est avisé à tort de ne pas la voir; comme enfin l'épuisement des théories anciennes et le goût des théâtres de l'Espagne et de l'Angleterre ont rendu nos émotions plus exigeantes, les universitaires finissent par admettre des formes moins simples que celles du drame ancien, et se rapprochent davantage des nouvelles. Mais, ne l'oublions pas, dans les meilleurs esprits, la conversion n'est pas si grande qu'on croit, et leur tendance native vers ces pures unités de la scène antique, en se déclarant moins ouvertement, semble au fond se fortifier de tous les exemples du théâtre de notre temps.

C'est parmi ces esprits choisis que se range M. Saint-Marc Girardin, c'est dans son livre que sont multipliés ces exemples, comme les pièces d'un procès dont l'arrêt se trouve écrit à chaque page. Pour lui, comme pour beaucoup d'autres, c'est aux vieux modèles de la Grèce et de Rome que la palme reste; et la complaisance qu'il met à nous montrer comment les temps modernes ont traité les mêmes sujets, les mêmes sentiments, tourne encore au profit des anciens. Il plaide en même temps leur cause autrement que par des rapprochements. Il conclut, il définit ou décrit avec un style simple, flexible, touchant, sans contorsions et sans soubresauts, qui est aussi une protestation contre la syntaxe contemporaine

Peut-être cependant M. Girardin n'est-il pas aussi *Romain* dans son second volume qu'il l'a été dans son premier, et s'est-il trop ému des réclamations de la critique. On lui avait dit : « Vous êtes trop bourgeois pour goûter *nos* poètes. — Vous n'avez d'entrailles que pour l'idéal

grec. — Vous ne dites rien de l'amour. Vous le supprimez donc? » Et il
a voulu prouver que, lui aussi, il avait, au besoin, des sentiments modernes; qu'il savait, mieux que ses adversaires sans doute, les origines et
les phases de cet amour que les mondains littéraires s'imaginent avoir
inventé. Cette concession faite à la critique, l'auteur l'a, il est vrai, tempérée par ce sûr bon sens, par ces observations d'expérience et cet atticisme qui s'est raffiné dans le commerce des anciens. Mais fallait-il aller
si loin sur quelques points? Oui, il faut écouter la critique, il est bon de
lui céder, surtout quand on est fort; mais pourquoi lui sacrifier ses plus
légitimes prédilections, quand on peut avoir raison contre elle?

Par exemple, n'est-ce pas dans cette vue que l'auteur a omis de mettre
en regard de l'antiquité ces valkyries du Nord, qu'il se borne à comparer
avec les druidesses plus modernes de la Gaule? Ce sont, il est vrai, « de
belles et hardies guerrières qui, *comme les héroïnes de la chevalerie*,
courent les aventures, » et qui, « plus sévères que ces héroïnes, ont
une chasteté farouche et sanguinaire. » Mais les amazones des anciens
ne sont-elles pas des modèles à étudier en face des valkyries? L'auteur
n'aurait-il point, par hasard, effacé sur son manuscrit le nom de Diodore
de Sicile, ou de Properce, pour le remplacer par ceux de l'Edda et de
Grammaticus Saxo, le lendemain du jour où quelque méchante feuille le
grondait d'être *un ancien*?

Bien avant les druidesses et la chevalerie, des femmes distinguées par
leur courage avaient brillé en Scythie. Sur les rives du fleuve Thermodon, habitaient jadis des amazones exercées, comme les hommes, au métier de la guerre. L'une d'elles, revêtue de l'autorité royale, et remarquable par sa bravoure, forma une armée composée de ses compagnes,
l'accoutuma aux fatigues de la bataille, et s'en servit pour soumettre des
peuplades voisines. Aussi célèbre par sa sagesse que par ses exploits,
elle avait laissé le sceptre à une fille digne d'elle, dont la race s'est per-
pétuée jusqu'au siége de Troie, où figura Penthésilée, appelée l'enfant
de Mars et la reine des Amazones(1). N'y voyait-on pas aussi, nous dit
Virgile, la fameuse Harpalyce de Thrace, dont les coursiers effrénés
devançaient l'Eurus, amazone infatigable qui, pour délivrer son père,
avait armé une phalange de guerrières qu'elle entraînait aux combats? Qui mieux que M. Saint-Marc Girardin pouvait se souvenir de
cette brillante élégie de Properce, que je ne puis m'empêcher de
rappeler?

« O Sparte! les diverses lois de tes jeux sont admirables; mais j'ap-
plaudis surtout à ta gymnastique, où la jeune fille, nue sans indécence,
lutte contre les hommes; soit que son bras détendu rompe le vol rapide
de la balle si prompte à tromper l'œil, soit qu'elle fasse gémir le sabot

(1) Voir Diodore de Sicile, II, 48; — voir aussi, III, 53, ce qu'il raconte des Amazones
d'Afrique. Cf. Creuzer-Guigniaut, *Symboliq.*, tom. II, part. I. p. 87.

bruyant sous la verge crochue, soit que, couverte de poussière, elle gagne le terme de la carrière ou qu'elle affronte les rudes atteintes du ceste. Il faut la voir se jouer du gantelet dont elle arme son bras, lancer le disque massif et pirouettant, soumettre un cheval fougueux à des voltes circulaires, ceindre d'une épée ses flancs éblouissants, couvrir d'airain son front virginal, ou, la tête hérissée de frimas, parcourir avec des chiens de Laconie la vaste cime du mont Taygète. Telle on voit une troupe d'amazones, dépouillant leur sein belliqueux, se plonger dans les eaux du Thermodon ; telle autrefois, sur les sables de l'Eurotas, où Castor et Pollux s'exerçaient à vaincre, l'un à la course des chevaux, l'autre au pugilat, Hélène, la gorge nue, sans avoir à rougir devant ses divins frères, les défiait au combat (1). »

Ailleurs la chevalerie, que l'auteur appelle « la fille des traditions germaniques et du christianisme, » n'est pas ramenée, comme l'auteur l'aurait pu, je crois, à sa véritable généalogie. Je vois toujours sur ces pages intéressantes, mais plus discrètes cette fois, le doigt noir de la critique, qui a effacé le nom des vrais aïeux. Cependant je ne sache pas de plus vivant type de la chevalerie que l'Hercule ancien. Hercule renversant les tyrans, étouffant les monstres, délivrant les esclaves et se consacrant aux douze travaux destinés à débarrasser la terre de mille fléaux, préludait certainement à la mission de la chevalerie. Rien ne la caractérise mieux que cette admirable tragédie d'*Alceste*, où Hercule, pénétré des saints devoirs de l'hospitalité, ose combattre le génie de la Mort pour sauver la jeune et belle épouse d'Admète, l'arrache à l'enfer et la ramène inconnue et voilée à son mari ? De même Persée délivrant Andromède, Thésée et ses nombreux exploits, sont, si je ne me trompe, les ancêtres grecs de nos chevaliers modernes.

Et, pour remonter par delà la Grèce, n'y a-t-il pas dans l'*Antar*, roman arabe du douzième siècle, des combats singuliers réglés par diverses lois, des femmes qui ne se donnent qu'au plus brave champion, éprouvé en champ clos, sous leurs yeux et l'arme au poing, avec tout l'attirail enfin de nos romans de chevalerie? Il en est de même du *Schah-Nameh* ou *Livre des Rois*, dont le caractère féerique et chevaleresque tout à la fois semble faire sortir bien loin de l'Europe et du Nord ces traditions pour lesquelles, on le voit, l'antiquité est toujours bonne à consulter ou à rappeler

Sur ce point, je pourrais renvoyer l'auteur à un écrivain qu'il connaît, fort expert en chevalerie, à M. Delécluze, lequel d'ailleurs s'entendrait facilement avec lui sur la part qu'a eue le christianisme dans les mœurs et l'institution de la chevalerie nouvelle. J'aime mieux conclure de tout cela que M. Girardin est, comme on voit, un universitaire de progrès, sacrifiant quelquefois au mondain, et qu'il est de notre temps,

(1) Properce, III, 11.

malgré sa forte attache au passé. Ses théories sur les établissements d'instruction intermédiaire, ses piquantes leçons à la Sorbonne, les meilleures pages de ses *Essais*, et surtout cet excellent *Cours de littérature dramatique*, l'ont rangé d'ailleurs depuis longtemps parmi les savants les plus goûtés, parmi nos maîtres les plus sûrs.

TRAGÉDIES.

I.

LUCRÈCE.

Un humble avocat, d'une humble ville du Dauphiné, envoie à quelques confrères de Paris, ses amis, une tragédie qu'il a longuement élaborée, et sur laquelle il consulte leur opinion. Ceux-ci lisent le manuscrit, et deux d'entre eux surtout restent frappés des beautés inattendues de l'ouvrage. Ils cherchent à faire partager leur surprise autour d'eux, à faire juger leur opinion. Un d'eux, avocat distingué, offre ses vastes appartements; il y réunit à la hâte les hommes les plus éminents de notre barreau, appelés à juger un jeune confrère ignoré jusque-là. La pièce est lue, gravement écoutée et doucement encouragée. De la faveur du salon elle passe bientôt à l'essai des périls de la scène. Chose heureuse et rare! ce qui était de la bienveillance devant un auditoire privé devient de l'admiration devant le tribunal du public, et, à l'heure qu'il est, le nom de l'auteur, M. Ponsard, jouit de la plus éclatante popularité!

A quoi tient ce prodige inespéré, cette charmante récompense survenue à un poëte qui, hier encore, était sans nom? Il faut bien le dire : elle tient surtout à sa probité, et dans ce seul mot se résument les meilleures qualités du jeune auteur. On était si fatigué des mensonges de toute sorte, des invraisemblances impudentes étalés depuis trop longtemps sur la scène tragique, de ces désordres de pensée et de style où l'oubli et le mépris des modèles étaient presque érigés en règle; on avait tant bu de ces liqueurs empoisonnées, qui sont mortelles, surtout pour le goût, qu'un peu d'eau limpide, puisée aux sources antiques et pures, et offerte d'une main honnête, a ranimé tous les esprits et produit une sorte d'enivrement salutaire.

Au lieu de retracer le sujet bien connu de *Lucrèce*, essayons d'en découvrir les emprunts et d'analyser le fond, pour séparer nettement ce qui appartient à l'auteur de ce qu'il doit à d'autres. Peut-être verrons-nous que la plus belle part revient encore aux anciens.

M. Ponsard a surtout suivi la version de Tite-Live. Lorsque Sextus et ses compagnons trouvent Lucrèce occupée à filer de la laine, Tite-Live dit seulement :

Nocte sera deditam lanæ inter lucubrantes ancillas in medio ædium sedentem inveniunt.

M. Ponsard ajoute quelques détails fournis par Ovide :

Lumen ad exiguum famulæ data pensa trahebant...
Mittenda est domino, nunc, nunc properate, puellæ,
Quam primum nostra facta lacerna manu.

LUCRÈCE.

Lève-toi', Laodice, et va puiser dans l'urne
L'huile qui doit brûler dans la lampe nocturne.

LA NOURRICE.

. . . . Que vos esclaves
Filent pour votre époux les robes laticlaves.

N'est-ce pas ainsi qu'Homère nous dépeint Andromaque, ignorant encore le destin de son Hector, enfermée avec ses femmes au fond de son palais, et travaillant à un superbe tissu ? Ailleurs Télémaque dit à Pénélope :

Ἀλλ' εἰς οἶκον ἰοῦσα τὰ σαυτῆς ἔργα κόμιζε
Ἱστόν τ'ἠλακάτην τε, καὶ ἀμφιπόλοισι κέλευε
Ἔργον ἐποιχεσθαι, κ. τ. λ.

Ces conseils que la nourrice donne, en vers harmonieux, à sa maîtresse pour retenir son aiguille trop active, je les retrouve dans une autre *Lucrèce*, celle d'Urbain Chevreau (1637). Cécilie, la confidente de Lucrèce, lui dit aussi :

Il est temps de guérir votre extrème douleur,
Il faut que votre teint prenne une autre couleur ;
Ranimez vos attraits, faites que ce visage
Lui montre, à son retour, son premier avantage..

Mais ce que l'on ne retrouve guère ailleurs, c'est ce calme, cette couleur vraie de la vie intérieure d'une vertueuse Romaine, telle que l'a dépeinte Virgile, ce naturel, souvent exquis, du récit, et surtout ce mélange d'apologues ingénieux qui sont une heureuse innovation. Brute, dédaigné comme Ésope, cache, comme lui, de profondes vérités sous la simplicité de ses fables. Le dirai-je pourtant? Brute ne paraît pas assez fou. Ses paroles ne font illusion à personne; on en touche trop aisément le fond; et si l'on n'est pas surpris de le voir si facilement deviné par Lucrèce, on se demande comment Sextus, qui avait tant d'intérêt à le découvrir, ne reconnaît pas Junius dans Brute. Dans l'expression paisible du caractère de Lucrèce, l'auteur semble s'être trop souvenu de ce mot de *nebat*, si heureusement isolé par Ovide à la fin d'un vers où il s'agit de Lucrèce. Ce mot lui seul est une critique; il prouve que Lucrèce n'était pas un personnage dramatique.

Le premier acte, qui est un tableau savant et gracieux, a le tort de ne rien préparer. Sextus se borne à exprimer en vers polis son admiration pour la vertu de Lucrèce, lorsqu'un mot, un seul mot, dit à voix basse à un de ses frères ou à son confident, aurait pu annoncer déjà quelque vague préméditation et éveiller la curiosité (1). Brute, deviné par Lucrèce, pouvait commencer déjà à nouer, de concert avec cette sûre confidente, la trame de sa sublime conspiration, au lieu de tout arrêter par ces vers :

. . . . Rassurez-vous pourtant ;
Sans doute un jour viendra, mais ce jour est distant.

Dans *Britannicus*, comme dans *Lucrèce*, c'est une catastrophe soudaine qui termine la pièce, c'est un attentat qui fait la péripétie. Mais par combien de violences partielles Racine sait préparer le dernier coup, par quel art prudent il esquisse chaque trait avant d'achever et de faire ressortir tout entière l'odieuse physionomie de Néron! Dès le premier acte l'attention est mise en éveil. Agrippine se plaint et veut se venger; Junie est enlevée par le jeune empereur, et Britannicus associe ses ressentiments à ceux de la veuve de Claude. Lucrèce, au contraire, offre l'immobilité de la statue antique, et, de tous ceux qui se meuvent autour d'elle, Brute seul, dès l'abord, inspire quelque compassion.

Ce n'est pas que je veuille approuver le plan qu'a suivi Arnault dans sa tragédie du même nom, en inspirant à Lucrèce quelque tendre intérêt pour Sextus, et en adoptant l'opinion de Verri, dans ses *Nuits romaines*, plutôt que l'antique tradition. C'était acheter un trivial intérêt au prix d'un démenti trop complet donné à la Lucrèce de l'histoire, et affaiblir, sans compensation, la terrible et vertueuse émotion de la catastrophe finale. J'aime bien mieux encore le respect de M. Ponsard pour la version

(1) Je ne puis pas reconnaître une préméditation de ce genre lorsque, dans la surprise que témoigne Sextus la première fois qu'il voit Lucrèce, il s'écrie : *La belle maîtresse!* Cela veut-il dire *la belle maîtresse de ces lieux*, ou *la belle maîtresse pour un amant?* L'auteur n'est ici ni assez clair ni assez explicite.

populaire, et cette fidélité si parfaite à reproduire un caractère antique qu'elle ferait presque oublier qu'il manque de mouvement.

Malgré cela, le poëte a gardé son indépendance; il a quelquefois osé imaginer : il a senti que la simplicité de son sujet avait besoin d'être animée par le jeu d'un intéressant contraste, par l'attrait d'une figure nouvelle, et il a créé Tullie. Tullie est une invention habile et qui jette quelque variété dans cette histoire connue. Je sais qu'on pourrait la retrancher sans que la tragédie en marchât moins, ou plutôt sans qu'elle agît davantage. C'est là le défaut ordinaire des pièces sans action. Mais à étudier le personnage de près, on ne peut se défendre d'y trouver du charme, et d'y reconnaître l'empreinte de cette probité de l'auteur, qui est un charme aussi. Le poëte, en voulant opposer un contraste à la vertu de son héroïne, a choisi le nom qui réveille immédiatement en nous l'idée des vices et du crime, le nom de cette Tullie, qui osa faire rouler son char sur le corps de son père. Mais, même dans ces vices dont M. Ponsard a souillé sa Tullie, que de correctifs encore, que d'hommages rendus à la vertu! La folie de Brute semble excuser, si elle ne la justifie pas, l'infidélité de sa femme. Tullie d'ailleurs a été pervertie par Sextus. Je t'ai trop écouté, dit-elle,

. . . . Sans toi, sans tes discours,
Je connaîtrais la paix qui fait les heureux jours;
Je saurais quels plaisirs habitent la retraite,
Et si l'humble existence a sa douceur secrète.
O paix que j'ai perdue, ô calme que j'ai fui !
Qui donc vous a fermé mon cœur? n'est-ce pas lui ?

Et quel châtiment pour elle que l'abandon de Sextus, que ces regrets et ces remords, dont le récit s'est inspiré des plaintes de Didon, des reproches de Camille à Horace, son frère, et des douleurs de Simèthe dans Théocrite!

Ἴυγξ, ἕλκε τὺ τῆνον ἐμον ποτὶ δῶμα τὸν ἄνδρα
. . . .
Ἀ δ' ἐμὰ οὐ σιγᾷ στέρνων ἔντοθεν ἀνία
Ἀλλ' ἐπὶ τήνω πᾶσα καταίθομαι, ὅς με τάλαιναν
Ἀντὶ γυναικὸς ἔθηκε κακὰν καὶ ἀπάρθενον.

Et dans André Chénier, Néère s'écrie :

Cette Néère, hélas ! qu'il nommait sa Néère,
Qui, pour lui criminelle, abandonna sa mère,
Qui pour lui fugitive, errant de lieux en lieux,
Aux regards des humains n'osa lever les yeux ! etc.

Peut-être il y avait là l'occasion d'une scène vive, mais difficile. Il eût été intéressant de réunir un instant Tullie et Lucrèce dans une entrevue à peu près pareille à celle de Marie et d'Elisabeth dans *Marie Stuart*. On aurait vu, avec un intérêt croissant, l'une brûlante de colère et de remords, l'autre remplie d'une fierté austère; l'une redemandant son amant à la chaste épouse, l'autre étonnée, ne comprenant rien à ce langage, et effrayant la coupable de son mépris ou de sa vertu. C'eût été d'ailleurs couper court au développement trop long que, plus tard, Sextus donne à ses criminels aveux. Mais l'auteur a reculé devant cette tentative : elle devait effrayer sa modestie.

Je retrouve ce même parfum d'honnêteté jusque dans la passion de Sextus. Ce qui le charme dans Lucrèce, ce n'est plus cette vie molle et efféminée, ces délices qu'il décrit en disciple trop prématuré d'Épicure; c'est, au contraire, cet attrait de l'abnégation, cette solitude laborieuse du gynécée, qui la distinguent de tant d'autres Romaines. A son insu, il est entraîné vers sa chasteté plus encore que vers sa beauté. Celle-là le subjugue dès le début, et le fait trembler à l'instant même où il va y attenter :

> O Lucrèce ! j'admire et j'envie à la fois
> Et tout ce que j'entends, et tout ce que je vois;
> Cet aspect imposant du vestibule antique,
> Familier à Vesta, la déesse pudique;
> Ce foyer solitaire où nul bruit de gaîté
> Des lares paternels n'émeut la gravité.

Et au moment du crime :

> Où donc la chasteté prend-elle cet empire,
> Que devant un regard ma hardiesse expire?

C'était donc avec une intention habile que l'auteur mettait dans la bouche de Sextus des maximes empruntées à Tibulle, à Horace, à Anacréon, et lui donnait la perfidie, l'insouciance, le mépris de toutes choses. On est plus frappé ensuite de le voir frémir devant l'ombre de Tullie et devant la noble fermeté de Lucrèce, et substituer, par une louable pudeur, la proposition d'un divorce à la brutalité que lui prête l'histoire. Lucrèce en devient plus grande encore à nos yeux. Malheureusement ce contraste instructif ne dure qu'un instant, et à la voix de Sulpice, son confident, la pensée du crime reprend son empire. Sextus s'était déjà fortifié par le souvenir de sa ruse envers les Gabiens,

> Cepimus audendo Gabios quoque,

avait dit Ovide.

J'ai bien pu , moi tout seul , m'emparer de Gabie,

s'écrie Sextus. Cette audacieuse astuce d'un Tarquin m'amène naturellement à parler de la partie politique de cette pièce.

Il est difficile de penser avec plus de force et d'écrire en plus beaux
vers que l'a fait M. Ponsard dans les morceaux politiques de sa tragédie.
Le second acte, sous ce rapport, est une étude curieuse où les pensées de
Denys d'Halicarnasse, mêlées à celles de Corneille, sont exprimées dans
un langage qui s'est souvenu parfois de la pureté de Racine. Denys
d'Halicarnasse avait déjà, dans son IVᵉ livre, fait tenir à Brute ces
discours amplifiés, dont le fond fait quelquefois pardonner le mensonge.
Ici, par exemple : « Ἔπειτα (ὑμῖν παραινῶ) μὴ ποιεῖν γνώμην μίαν ἁπάντων
κυρίαν, ἀλλὰ δυσὶν ἐπιτρέπειν ἀνδράσι τὴν Βασιλικὴν ἀρχὴν, ὡς Λακεδαιμονίους
πυνθάνομαι ποιεῖν ἐπὶ πολλὰς ἤδη γενέας...... χαλεπὴ ἅπασιν ἀόριστος ἀρχὴ..... τὸ
γὰρ ἐν μέρει τὸν αὐτὸν ἄρχειν τε καὶ ἄρχεσθαι, καὶ, πρὸ τοῦ διαφθαρῆναι τὴν διά-
νοιαν, ἀφίστασθαι τῆς ἐξουσίας, συστέλλει τὰς αὐθάδεις φύσεις, καὶ οὐκ ἐᾷ μεθύσ-
κεσθαι ταῖς ἐξουσίαις τὰ ἤθη, κ. τ. λ. »

Et Cinna dans Corneille :

Ces petits souverains , qu'il fait pour une année,
Voyant d'un temps si court leur puissance bornée, etc.
Le pire des États , c'est l'État populaire.

Le Brute de M. Ponsard est presque complétement calqué ici sur celui
de Denys d'Halicarnasse. On reconnaît partout cette profonde raison
qui , pendant vingt-cinq ans (et non pas vingt), a muri lentement sous le
masque de la folie, l'or qui se cachait sous l'écorce. Mais on saisit aussi
quelque chose de cet amour de la gloire, *laudumque immensa cupido*,
qui se confond avec le patriotisme du prochain libérateur de Rome :

Mais alors, c'est donc moi qui gouvernerai Rome !...
Et cet oracle intime était déjà le signe
Que je dominerais et que j'en serais digne !

Trait profond et juste, admirablement mêlé à des aperçus politiques
qui pourraient bien un jour recommander M. Ponsard à d'autres suffrages
qu'à ceux du parterre !

Il faut louer aussi le tableau du règne de Tarquin. Je reconnais bien
là ce prince superbe qui foulait les lois aux pieds, prononçait dans toutes
les causes absolument et sans contrôle, ce corrupteur des mœurs publiques, Ἔθη τε καὶ νόμους..... συγχέας καὶ διαφθείρας, dont la chute prochaine
n'attend plus qu'un attentat, comme la mort d'Hipparque à Athènes,
cet autre Tarquin que l'auteur rappelle ingénieusement ici. C'est bien là
cet usurpateur cruel, qui ne fut roi que pour lui-même, qui occupait le

peuple à des travaux avilissants, λατομοῦντας, ὑλοτομοῦντας, ἀχθοφοροῦντας :

> Les Tarquins, ô pudeur ! de ces hommes de guerre
> Ont fait des balayeurs et des tailleurs de pierre !

et l'adoucissait en lui donnant les dépouilles des ennemis voisins, *præda delinere popularium animos studebat*. Peut-être le poëte a-t-il conclu un peu légèrement de là que Tarquin avait le peuple pour lui. Il oubliait trop facilement que Tite-Live avait dit : « Popularium animos, præter » aliam superbiam regno infestos, etiam quod se in fabrorum ministeriis » ac servili tamdiu habitos opere ab rege indignabantur. » Au milieu de quelques erreurs ou licences historiques, très-pardonnables d'ailleurs auprès de celles que notre scène permet aujourd'hui, j'ai quelque peine à admettre celle-là. Fallait-il, en dépit de l'histoire, montrer indifférent et satisfait, au deuxième acte, le peuple qui renverse les rois au cinquième ? J'aurais mieux aimé voir, dès ce moment déjà, la foudre révolutionnaire s'amonceler peu à peu dans ces âmes courageuses, impatientes de l'oppression, brûlantes d'indignation et de liberté, que se préparer par les mains débiles du sénat, qui, après tout, ne renversa personne, et qui alors, dit l'auteur, n'était qu'un

> Vieillard impuissant
> .... purgé des humeurs qui lui chauffaient le sang ;
> Comprenant, aujourd'hui qu'il est devenu sage,
> Que la tranquillité convient à son grand âge,
> Et comme incessamment de ce corps tout cassé
> Tombe quelque débris qui n'est pas remplacé,
> Les membres s'en allant ruine par ruine,
> Tout doucement bientôt s'éteindra la machine.

C'eût été plus conforme à la vérité historique et à la vraisemblance dramatique.

La religion, que les Tarquins firent plus spécialement servir à la politique, n'est pas non plus omise. Par une transposition permise, le poëte fait intervenir, pour épouvanter Sextus, la sibylle qui, dit-on, avait offert ses livres prophétiques à son père. Cette apparition n'a pas produit tout l'effet attendu. On la comprendrait mieux dans les premiers siècles de la Grèce, au milieu de l'appareil et des sentiments religieux qui remplissaient l'amphithéâtre et la scène, ou même en présence d'un personnage moins effrontément sceptique que Sextus. Qu'on y songe : c'est après la scène de Sextus et de Sulpice, quand tout a été froidement préparé pour l'infâme attentat sur Lucrèce ; c'est après les belles imprécations de Tullie abandonnée, quand Sextus a répondu par l'ironie, par une apologie égoïste des voluptés les plus méprisables, et par ces deux vers qui terminent :

Va-t'en donc chez Pluton chercher des dieux propices;
Pour moi, des dieux plus doux auront mes sacrifices!

c'est alors qu'apparaît une vieille femme qui vient faire marchandise de quelques cahiers d'oracles. Ses prédictions fatales, prononcées contre Sextus lorsqu'il a refusé de lui acheter ses livres, peuvent sembler dictées, en dépit des plus beaux vers, par un désappointement parfaitement terrestre, beaucoup plutôt que par une inspiration prophétique. En vérité, le prestige ici n'était pas possible, et l'on pouvait prévoir l'attitude et la réponse de Sextus.

On se demande seulement si tant d'impiété dans sa bouche n'est pas une sorte d'anachronisme à cette époque. L'auteur a évidemment tracé le caractère de son personnage d'après ce passage de l'Anglais Thomas Rowe, dans son supplément aux *Hommes illustres* de Plutarque : « Ce prince était né avec un esprit de tyrannie, mais d'une tyrannie qui était à peine connue dans ces premiers siècles de Rome, et que jamais les nations les plus accoutumées à la servitude n'auraient pu souffrir longtemps; rusé, fourbe, dissimulé, perfide, traître dès sa jeunesse, mais à un point où ne purent atteindre les plus grands scélérats, lors même qu'ils ont blanchi dans le crime; d'une ambition démesurée, d'un naturel farouche, capable des plus grandes cruautés, fougueux dans ses passions, *sans foi* et sans loi. » C'est de sa mauvaise foi que Rowe veut parler ici : il ne dit pas un mot de son irréligion. Quand il serait vrai que les Tarquins affaiblirent la foi religieuse des Romains, au lieu de la fortifier, par l'introduction de simulacres des dieux de l'Étrurie; quand même l'institution des féries latines, l'achat de quelques livres sibyllins, et l'élévation du fameux temple de Jupiter sur le mont Tarpéien, seraient plutôt des actes politiques que religieux, il y a un fait qui réclame hautement contre cette complète incrédulité attribuée à l'un des Tarquins. Qui ne se rappelle en effet que Titus et Aruns furent envoyés par Tarquin, leur père, au temple de Delphes pour consulter Apollon sur les suites d'un prodige terrible, et que ces jeunes princes, ayant demandé au dieu lequel d'entre eux régnerait le premier, ils se promirent bien de ne pas rapporter sa réponse à Sextus, leur frère, pour qu'il n'embrassât pas sa mère avant eux? Sextus croyait donc aux oracles prophétiques.

Cette apparition historique d'un serpent, qui avait été la cause du voyage des fils de Tarquin à Delphes, a servi heureusement à l'auteur dans le songe qu'il prête à Lucrèce. Cette scène du quatrième acte, où le respect des croyances de l'antiquité s'unit si parfaitement à celui des traditions de nos grands tragiques, m'a paru traitée avec la conscience littéraire que j'ai déjà signalée ailleurs. L'éloquente inquiétude de Lucrèce, semblable, en plusieurs points, à celle que, dans Homère, Andromaque exprime à son cher Hector, trouve des accents attendrissants, et, dans cet acte un peu vide, supplée au mouvement par l'émotion. Ne sont-ce pas aussi les plus mélodieux soupirs d'André Chénier, ces chants que Laodice essaye de moduler pour apaiser les tourments de sa maîtresse? Tout respire ici une onction, une simplicité touchante que la mélancolie même sait rendre aimables.

Dans ce songe, renouvelé de la *Lucrèce* d'Urbain Chevreau, on pourrait souligner des souvenirs, des mots quelquefois de Virgile, de Racine, habilement rajeunis par la place qu'ils occupent, par leur mélange avec des pensées originales. J'aime surtout cette image des

> . . . . . . Gouttes ruisselantes
> Qui, coulant de son cœur sur les pierres sanglantes,
> Enfantaient en tombant de nombreux bataillons,
> Plus serrés qu'on ne voit les blés dans les sillons.

Ces guerriers qui sont le sang sorti du cœur d'une femme pour menacer tout à l'heure le monde, sous l'égide d'une aigle d'or, me paraissent une figure grande et neuve, bien que j'en rencontre une trace ailleurs. Dans la pièce du même nom de Nicolas Filleul, représentée devant Charles IX (1566), Lucrèce dit déjà :

> Que ne puis-je les dents d'un vieil dragon semer,
> Et de soldats armez tout un camp animer !...
> Mille serpents meurtriers de ce corps renaitraient,
> Tout ainsi que le sang qui coulait dans l'arène
> De la tête à Méduse, ensemença la plaine
> De cruels scorpions. . . . . . .

Les scorpions sont devenus des guerriers dans la *Lucrèce* de M. Ponsard; et puis que de corrections délicates, que d'embellissements, de goût dans la copie, si c'en est une!

Le songe présage l'attentat, et l'attentat ne tarde pas à amener le dénouement. L'auteur en a donné deux, et, si je ne me trompe, son tact fin doit lui faire préférer celui qui n'est pas dans la pièce, telle qu'elle est jouée, à celui qu'on nous montre. Cette double catastrophe d'une mort et d'une révolution, qui tiraille l'intérêt au lieu de le concentrer, n'est point en rapport avec les tableaux plus paisibles que l'auteur avait déroulés jusque-là. A peine l'âme est-elle frappée à la vue du cadavre de Lucrèce, que le bruit d'une révolte détourne brusquement le cours de son émotion et l'appelle ailleurs; la pitié et les larmes sont étouffées par les cris de guerre. Après quatre actes de sensations douces, c'était bien assez de la terreur causée par l'attentat de Sextus au cinquième, sans y ajouter la commotion d'un mouvement populaire. L'auteur l'a senti, et son deuxième dénouement s'arrête sagement à la mort de son héroïne. Lamotte eût préféré le premier, parce qu'il demandait à notre tragédie ces actions frappantes qui veulent de l'appareil et du spectacle; et cependant le deuxième dénouement est plus convenable, plus dramatique relativement, et produirait l'effet attendu.

Telles sont les principales scènes de cette tragédie. Ainsi faite, elle restera comme le signal d'un retour éclatant vers les modèles du passé, comme une protestation remarquable contre le mauvais goût moderne, et comme un témoignage de ce que peut, sur le style surtout, la probité littéraire unie au talent. Si je ne craignais d'avoir été déjà trop sévère dans quelques parties, j'ajouterais que, chez M. Ponsard, cette conscience a été poussée jusqu'à découper quelques hémistiches sur le patron défectueux d'une école moderne. C'est là une politesse qu'elle ne méritait pas, et qui fait tache dans quelques morceaux dont la poésie suave ravit souvent le goût et l'oreille. La sévérité même de ma critique est un hommage : elle a pour but de ramener à la méditation et à l'étude impartiale de lui-même un talent choisi que des ovations exagérées pourraient égarer et perdre.

Si, comme l'a écrit judicieusement M. Villemain, ces sujets morts de l'antiquité, tels que Lucrèce par exemple, ne peuvent être ravivés que par une grande force d'imagination, M. Ponsard aurait réussi complétement, car l'imagination, tempérée par des qualités exquises de goût, ne lui a pas manqué. Mais ce qu'il faut de plus, c'est le tact du choix, c'est l'art de trouver heureusement son sujet. L'antiquité, parmi ses nobles monuments, offre encore des groupes charmants auxquels un poëte d'élite pourrait, à force d'art et de bonheur, rendre la chaleur et la vie. Nous attendrons M. Ponsard à sa prochaine tragédie.

II.

ANTIGONE.

Le théâtre de l'Odéon vient de tenter un essai dont tous les amis des lettres doivent se préoccuper; car il semblerait témoigner, par le succès qu'il a obtenu, d'un retour sincère des esprits vers les saines traditions du beau et du bon. La tragédie d'*Antigone*, de Sophocle, vient d'être représentée sur notre second Théâtre-Français avec une mise en scène empruntée en partie au drame des Grecs, et avec les chœurs chantés sur un mode approprié à la tragédie.

C'est là assurément une tentative curieuse, mais dont il faut chercher l'origine et peser les conséquences dans l'intérêt même de Sophocle et du bon goût. Le roi de Prusse, érudit profond, dit-on, passionné pour les arts, pour la musique surtout, a commandé pour lui et sa cour une traduction allemande de l'*Antigone*, et a chargé le célèbre compositeur Mendelsohn d'écrire la musique des chœurs. Aidé des conseils de Bœck, il a fait représenter cette tragédie à Berlin avec tout l'appareil du théâtre antique : elle a été vue et écoutée avec ce profond respect des souvenirs, avec cette tendresse d'érudition qui sont une sorte de religion en Allemagne. Elle devait avoir et elle a eu un grand succès.

En France, l'Odéon, qui est le théâtre des essais dramatiques et qui vit d'innovations, ne pouvait rester insensible à cette bonne fortune littéraire, et il a tenté de faire pour Sophocle ce qu'avait si heureusement essayé le roi de Prusse. Une traduction en vers français de l'*Antigone* a été écrite par deux jeunes auteurs déjà connus par un travail analogue, et la pièce a été représentée l'autre jour au milieu d'une pompe simple et touchante, complétement inusitée en France et bien faite pour éveiller la curiosité.

Pour être exact, il faut distinguer les motifs qui ont présidé à la restitution de la même pièce dans les deux pays. En Prusse, c'est un besoin d'amateur, c'est un intérêt d'artiste et d'antiquaire qui a provoqué cet heureux essai ; en France, c'est l'appât d'un succès lucratif et populaire, c'est l'exemple de l'Allemagne, mais non pas le goût régnant ou la curiosité de quelque érudit. Rendons néanmoins justice à notre théâtre : il a mis tout le soin imaginable à rappeler la pièce antique. Deux scènes superposées qui séparent le chœur des acteurs principaux, deux escaliers en perron par où arrivent les acteurs du dehors ; au fond, les portes du palais de Créon avec deux entrées latérales ; au-devant de la scène, un autel de Bacchus autour duquel se meuvent les strophes du chœur, un rideau qui descend sous terre quand la pièce s'ouvre, voilà ce qui a été fait pour la décoration. Des chants graves adaptés aux paroles du chœur, une mélopée simple et accentuée, des costumes admirablement assortis à l'époque, une tendance marquée des personnages à parler aux yeux par la pantomime, par la pose, par la symétrie des groupes divers, voilà pour les acteurs.

Et cependant que dirait Sophocle, s'il revenait parmi nous, s'il lui était donné d'assister à la représentation de son œuvre ! Quelle serait sa surprise d'entendre ces chants germaniques adaptés à l'harmonieuse poésie des Grecs, et répétés par des choristes italiens sur des paroles françaises ; de voir des femmes sur la scène, des visages sans masque, des acteurs sans cothurne, les personnages principaux occupant une autre place que le *logeum*, la destination du *thymélé* changée, et l'*encyclème* absent ? Comprendrait-il davantage comment il se fait que, dans un pays où la loi civile encourage les représentations théâtrales et où la loi religieuse les permet à peine, c'est précisément un des pieux divertissements de la Grèce qu'on vient approprier aux exigences profanes de notre théâtre, et qu'on veut exploiter pour en tirer bénéfice ?

Mais une fois cette anomalie acceptée, essayons d'étudier la pièce en elle-même. Qui n'en connaît le sujet ? Créon, devenu roi de Thèbes, défend, sous les peines les plus sévères, qu'on donne la sépulture à Polynice, ce fils d'OEdipe, qui a osé combattre contre sa patrie. Antigone, sœur de Polynice, a eu seule le courage de braver cette défense : elle a donné la sépulture à son frère, malgré les remontrances de sa sœur Ismène, malgré le rigoureux arrêt du roi. Elle va même jusqu'à avouer hardiment son crime, et Créon la condamne à mourir. Les respectueuses remontrances de son fils Hémon, le fiancé d'Antigone, ne réussissent pas à vaincre l'orgueil tyrannique de Créon et à faire révoquer le cruel arrêt : le roi demeure inflexible. Ce n'est que plus tard que le divin Tirésias parvient, par ses fatales prédictions, à faire plier tant de fierté, à faire céder Créon. Le tyran s'humanise enfin, il court faire délivrer la captive ; mais, hélas ! il est trop tard. Antigone est morte ; Hémon, de désespoir, s'est tué à ses côtés. Créon, puni dans son orgueil, dans sa tardive clémence, dans son fils, dans son épouse même, qui, en apprenant la perte de son enfant, s'est donné la mort aussi, Créon demeure atterré sous les coups redoublés de la fatalité.

Dans ce sujet si simple, il y avait certainement de quoi captiver un moment nos imaginations modernes préparées récemment aux habitudes de la scène antique par le drame de *Lucrèce*. Mais là, du moins, il y avait encore l'amour épisodique de Tullie, la flamme coupable de Sextus, tandis que, dans *Antigone*, l'héroïne ne parle pas même une seule fois de cet Hémon qu'elle aime. L'amour, ce ressort éternel de notre théâtre, n'est pas même nommé au milieu de toutes ces nobles scènes. Au lieu du jeu croisé des sentiments divers qui aiguillonne l'intérêt dans nos drames modernes, ce n'est plus ici qu'un sentiment unique qui se déploie avec une majestueuse simplicité. Racine, à vingt-cinq ans, tout plein encore des souvenirs de Théagène et de Chariclée, nous avait montré, dans la *Thébaïde*, Antigone amoureuse. Au milieu des horreurs d'une guerre fratricide, Hémon, le compagnon d'armes de Polynice, n'oubliait pas les petits-maîtres de l'époque; il disait à Antigone :

> Permettez que mon cœur, en voyant vos beaux yeux,
> De l'état de son sort interroge les dieux.

Dans Sophocle, au contraire, Hémon ne donne pas une seule fois à Antigone le titre d'amante. C'est au nom de la justice, au nom de l'admiration du peuple entier, ce n'est point au nom de son propre amour qu'il vient la défendre. Parler de soi-même et de son cœur dans un moment si solennel, c'eût été oublier le respect dû au père, au roi, au sentiment religieux qui domine le drame. « Ils pleurent, dit Hémon, le sort de *cette jeune fille* injustement condamnée au supplice pour l'action la plus belle, » τὴν παῖδα ταύτην οἵ ὀδύρεται πόλις. » Il ne dit pas *mon amante*. Quelle marque délicate d'amour que ce silence même de l'amour le plus chaste (1) !

Sophocle concentre toute l'attention du spectateur sur la sainte passion du dévoûment fraternel. Le poëte craindrait d'affaiblir avec la sincérité du personnage d'Antigone l'intérêt sacré qu'elle inspire, en lui donnant une pensée qui fût pour tout autre homme que Polynice. Il y aurait quelques rapprochements à faire entre cette énergie d'une femme qui brave des lois iniques, et la fermeté de *Prométhée* qui ose défier la colère de Jupiter. L'un et l'autre poussent jusqu'au sacrifice de la vie leur dévoûment à la plus noble des causes; tous deux ils font éclater leur orgueil, mais c'est l'orgueil du devoir rempli. Il y a là un souvenir d'Eschyle qui a dû inspirer Sophocle. On peut reconnaître un rapport frappant entre les plaintes éloquentes qu'Antigone et Prométhée laissent tous deux échapper à la fin, et qui trahissent cette faiblesse inhérente aux natures même les plus intrépides, et peut-être les conseils de réserve et de modération donnés par Ismène ne sont-ils pas sans quelque analogie avec la

(1) Voir plus haut le même passage, page 107.

prudence méticuleuse recommandée par le vieil Océan. Mais ce qui distingue Sophocle, c'est cet art excellent d'adoucir toutes les couleurs, de
les fondre en nuances délicates, c'est le rôle nouveau qu'il fait jouer à la
Fatalité. Dans Eschyle, la Fatalité est aveugle : elle atteint l'innocent,
elle épargne le tyran. C'est ce dieu sombre et farouche de l'antique théogonie qui plane au-dessus de Jupiter même, et qui, dans son vol ténébreux,
frappe sans cesse les coups les plus imprévus. Dans Sophocle, il semble que
le Destin est descendu sur la terre, et qu'au lieu d'occuper des régions
inaccessibles, il a pris pour demeure le cœur de l'homme. Ici, ce sont
les passions humaines qui deviennent aveugles comme la fatalité : c'est
l'orgueil, c'est l'enivrement de la puissance, c'est la jalousie, qui accu-
mulent les malheurs et qui précipitent la catastrophe ; c'est le crime, dans
quelque rang qu'on le trouve, c'est l'injustice qui succombent ; c'est le
soupçonneux Œdipe, le furieux Ajax, le fier Créon qui sont punis,
tandis que l'innocence triomphe, souvent même jusqu'au sein de la mort,
comme dans la tragédie qui nous occupe.

Mais, à part *Œdipe roi*, chacun de ces drames n'offre qu'une action
simple dans ses incidents et sans le moindre rapport avec nos idées actuelles sur le théâtre. Nous pouvons admirer la largeur de la pensée, l'é-
lévation du but, mais nous ne saurions nous attacher longtemps à une
chaîne de faits aussi peu compliqués. Au milieu de la décadence dont
l'art dramatique est atteint, nous pouvons bien, par extraordinaire, essayer de nous reprendre un instant à des sentiments vrais, à de nobles
caractères ; cela nous rend un moment de verdeur, cela nous fait croire à
un retour de jeunesse et de naïveté ; mais nous retombons bientôt dans
nos défauts habituels, et notre esprit, que des péripéties et des coups de
théâtre invraisemblables sauraient seuls galvaniser et retenir, s'endort
tôt ou tard au sein de cette paisible succession de scènes naturelles. Nous
sommes comme ces débauchés dont parle Pétrone ; notre goût s'est blasé
par l'abus des mets de haut goût. Un peu de miel, un peu de lait peuvent
bien flatter un moment nos palais fatigués, mais nous ne tardons pas à
trouver tout cela fade et bien au-dessous du poivre et des épices. Cependant,
s'il est un public qui, malgré tout, doive s'applaudir plus que les autres
de cette résurrection du drame antique, c'est l'école appelée Romantique.
Elle ne manquera certainement pas de se prévaloir du succès d'*Antigone*
pour prouver qu'elle-même n'a jamais fait autrement que Sophocle. Elle
rappellera ses trilogies, l'usage qu'elle a préconisé du mot propre à la
place des périphrases, l'emploi des rôles bouffons mêlés adroitement aux
parties les plus tragiques du drame, les cadavres montrés sur la scène en
plus grand nombre encore que dans la tragédie grecque ; et ce ne serait pas
un des moindres inconvénients de cette tentative dramatique, si elle nous
valait quelques drames nouveaux de cette école déchue qu'on appelle
Romantique.

Ce n'est pas de ses rangs assurément que sont sortis les deux jeunes
traducteurs de la pièce en question. Ils ont essayé souvent de reproduire

la vérité, l'élévation de l'original, et ils y ont réussi plusieurs fois. Entre autres passages, j'ai noté ces vers qui se rapprochent assez bien du texte.

Antigone dit à Ismène :

> Je ne te presse point : tu m'offrirais ton aide,
> Je ne l'accepterais que d'une âme assez tiède ;
> Mais vois ce que tu fais. Moi je l'enterrerai ;
> Et si je meurs, eh bien! mon nom vivra sacré,
> Je rejoindrai là-bas mon frère, aimante, aimée,
> *Fière*, car, au tombeau tout à l'heure enfermée,
> J'ai moins longtemps à plaire ici qu'aux sombres lieux.
> Toi, méprise pourtant *ce qu'admirent les dieux*.

On peut comparer l'original :

> Οὔτ' ἂν κελεύσαιμ', οὔτ' ἄν, εἰ θέλοις ἔτι
> Πράσσειν, ἐμοῦ γ'ἂν ἡδέως δρώης μέτα.
> Ἀλλ' ἴσθ' ὁποῖά σοι δοκεῖ· κεῖνον δ' ἐγὼ
> Θάψω. Καλόν μοι τοῦτο ποιούσῃ θανεῖν.
> Φίλη μετ' αὐτοῦ κείσομαι, φίλου μέτα,
> Ὅσια πανουργήσας'· ἐμεὶ πλείων χρόνος
> Ὅν δεῖ μ' ἀρέσκειν τοῖς κάτω, τῶν ἐνθάδε·
> Ἐκεῖ γὰρ αἰεὶ κείσομαι· σοὶ δ' εἰ δοκεῖ,
> Τὰ τῶν θεῶν ἔντιμ' ἀτιμάσασ' ἔχε.

Malheureusement il y a plus d'une tache dans cette traduction distinguée. On rencontre à regret des endroits où les traducteurs ont voulu donner de l'esprit à Sophocle, d'autres où la loi de la césure est négligée, comme ici :

> Mais voici venir son plus jeune enfant,
> Hémon qui, tremblant pour sa fiancée,
> La vierge Antigone à la mort laissée,
> *Veuf sans être époux*, s'avance en rêvant.

Sophocle disait beaucoup moins ingénieusement :

> Ἀπάτας λεχέων ὑπεραλγῶν,

et n'ajoutait rien de plus. Il y a enfin d'autres parties où les traducteurs ont osé retrancher quelque chose du rôle, comme dans le récit du gardien du cadavre, récit plein d'une bonhomie comique, d'un naïf égoïsme, destiné à trancher avec la farouche arrogance de Créon et la générosité d'Antigone. C'était se priver à tort d'une originalité de plus. Ce sont là des hardiesses qu'il est nécessaire de blâmer, et que ne se serait pas permises, je ne dis pas Baïf ou Garnier, mais un autre plus habile traducteur du théâtre des Grecs, M. Puech, mort il y a peu d'années, enlevé trop tôt au milieu d'études pleines d'espérances, après nous avoir donné deux traductions en vers qui resteront.

Mais je reviens à Antigone, et je termine par une conclusion que tout le monde aura pu prévoir. La curiosité, l'intérêt qu'éveille naturellement une chose presque inconnue en France et tout à fait opposée à nos usages, des vers souvent heureux, le jeu remarquable des acteurs, ont fait le succès, très-passager du reste, de cette belle tragédie. Mais elle ne le doit certainement ni à l'exactitude d'une mise en scène qui rappelle nécessairement trop peu celle d'Athènes, ni à la simplicité de situations qui ne peuvent plus guère émouvoir notre époque.

Barthélemy, en nous donnant la description, fort imparfaite d'ailleurs, d'une représentation d'Antigone, fait dire à Anacharsis : « J'ai vu des » Athéniens faire étendre sous leurs pieds des tapis de pourpre, et s'as- » seoir mollement sur des coussins apportés par leurs esclaves ; d'autres » qui, avant et pendant la représentation, faisaient venir du vin, des » fruits, du gâteau, etc. » Ces détails peuvent encore fort bien s'appliquer à nous ; ils doivent rassurer nos amateurs de couleur locale. Sous ce rapport, nous valons encore les Athéniens, et notre théâtre n'a pas dégénéré.

III.

VIRGINIE.

On revient de plus en plus à la simplicité. On cherche le vrai à sa meilleure source, dans l'antiquité. Réaction salutaire, pourvu qu'elle ne soit pas poussée aveuglément jusqu'à sa dernière limite, et n'amène pas la réaction contraire ! La simplicité est la marque du bon sens dans tous les arts ; elle est la condition du beau ; mais, dans le drame, elle a besoin d'être modérée et circonscrite ; autrement il n'y aurait plus de drame, et partant plus d'intérêt. C'est du choc des passions que jaillit l'étincelle qui électrise tout un auditoire, et c'est de l'ombre habilement mêlée à la clarté que doit sortir la lumière.

Le sujet choisi par M. Latour offrait par lui-même assez d'incidents pour n'avoir pas besoin, comme *Lucrèce*, de quelque personnage d'invention ; seulement l'exemple de M. Ponsard a guidé l'auteur dans la route à suivre, parmi toutes celles que tant d'autres avaient ouvertes devant lui. Pour montrer Virginie, fiancée à Icilius, convoitée par le décemvir Claudius, disputée à ses foyers, à sa famille par un client du décemvir, et poignardée enfin par son père avant de tomber entre les mains du tyran, fallait-il accepter à la lettre la version de Tite-Live et reproduire la froide rhétorique de Campistron, imiter les timides précautions de La Harpe, ou suivre la trace brûlante d'Alfieri et de Sheridan Knowles ? L'auteur, en se conformant plutôt à la donnée de Sheridan Knowles et d'Alfieri, a modifié néanmoins, sous l'inspiration plus modérée de *Lucrèce*, ce que la tragédie anglaise avait de trop mélodramatique, et la tragédie italienne de trop déclamatoire.

J'aime mieux la courte phrase de Cicéron au sujet de l'attentat de Virginie (1), que toutes les amplifications de Tite-Live sur le même

_____

(1) Cicéron, dans ce passage, a réuni les deux sujets de Lucrèce et de Virginie, comme ils le sont dans cet article :

« Lucrèce, dit-il, que le fils d'un roi venait d'outrager, prit les Romains à témoin et se fait. La vérité, même un peu nue, me paraît plus éloquente dans une pareille matière que tous les artifices de l'art oratoire. Je ne saurais donc blâmer l'auteur de *Virginie* de n'avoir pas conservé le personnage d'Icilius, et, avec lui, son méthodique et inutile discours contre Appius, et d'avoir substitué le nom d'un Fabius au personnage obscur de Numitorius, oncle de Virginie. Une fois le sujet donné, il était permis au poëte dramatique de faire pour l'intérêt de sa tragédie ce que Tite-Live et Denys d'Halicarnasse ont imaginé pour le succès de leur récit, et nous n'avons à examiner ici que la vraisemblance des moyens et le jeu des ressorts.

Cet épisode des annales de Rome était assez noble, quoi qu'en aient dit les frères Parfait, pour servir de matière à une tragédie. La noblesse du rang de décemvir en lutte avec la noblesse de cœur d'une fille de centurion, suffisent, à mon sens, pour élever le sujet à la hauteur tragique, et Sénèque aurait dit que c'était là un duel bien digne du cothurne. Il y avait une difficulté bien plus sérieuse à maintenir à un égal niveau le double intérêt qui s'attache au sort de Virginie et au salut de la liberté romaine : c'est là que La Harpe et Alfieri ont échoué, en ne mettant pas Virginius au premier plan de la pièce. Virginius est le nœud qui rattache la cause de Rome à celle de sa fille ; c'est sur lui seul que peut se concentrer cette double sympathie qui fait le fond et la puissance de cette tragédie ; car Virginius est à la fois soldat, citoyen et père. D'une part, il soutient dans l'Algide les intérêts de la liberté romaine, et de l'autre il va être appelé à défendre au Forum les droits de la paternité et l'honneur de son enfant. A Virginius substituez sa femme, le sujet se rapetisse ; ce n'est plus qu'une catastrophe de ménage, où la liberté de Rome n'a plus rien à voir, et ne peut que compromettre l'unité et la vraisemblance. Ce défaut, où sont tombés Alfieri et La Harpe, M. Latour a su habilement l'éviter en faisant, comme Sheridan Knowles, reposer le fond de sa pièce sur le caractère de Virginius, en nous montrant le père, le citoyen, à la fois sensible et fort, au sein de la vie domestique, pour nous intéresser plus vivement à la cruelle tendresse du dénoûment.

Seulement, chez Knowles, le drame s'ouvre par une scène de Forum et par le spectacle des divisions intestines de la politique romaine, pour se rétrécir ensuite dans les minutieux détails du toit paternel. Dans la *Virginie* française, le rideau se lève sur une vue d'intérieur qui rappelle le début de *Lucrèce*. La paix du foyer, le culte des dieux lares, les

<hr/>

tua. L'indignation que le peuple en conçut fut cause que Rome, par le moyen de Brutus, se mit en liberté ; et, pour honorer la mémoire de cette femme, dès la première année, son mari et son père furent élevés au consulat.

» Soixante ans après, L. Virginius, qui n'était qu'un homme du peuple, tua lui-même sa propre fille plutôt que de souffrir qu'elle fût livrée à la brutalité d'Appius, qui était alors tout-puissant. » *De Finibus bonor. et malor.*, II, 20.

épanchements de l'affection et le goût austère du devoir, remplissent, de part et d'autre, les premiers entretiens. M. Latour a su, comme M. Ponsard, se préserver de l'afféterie dans la tendresse; il a eu le bon goût de ne pas montrer, comme Knowles, Virginie occupée à broder les initiales du nom de son fiancé en les entourant d'une guirlande de roses. Ce détail, que M. Delavigne pouvait reproduire dans son *Marino Faliero*, est puéril ici, et aurait nui à la sévérité toute romaine de ces préludes.

Je regrette qu'Acté, la confidente de Virginie, ne soit pas cette nourrice dont parle Tite-Live, et qui accompagnait la fille du centurion quand son père la conduisit, pour la frapper, près du temple de Vénus Cloacine. Acté n'est ici qu'une esclave; elle n'élève pas la voix contre les mensonges de Maxime, quoiqu'elle ait vu naître Virginie; elle ne la défendra pas contre les faux témoins subornés par le décemvir. C'est une protestation de moins contre le crime, et, par suite, une émotion de moins. Si cette esclave avait pu s'écrier : « C'est moi qui l'ai nourrie, cette femme dont vous vous dites le maître; c'est l'enfant de Virginius; j'en atteste les dieux! vous mentez! » elle eût mieux suppléé sa mère à cette heure de crise solennelle, et rendu plus odieux encore l'attentat de Claudius. M. Guiraud, dans une *Virginie* représentée en 1827, avait fait voir tout le parti qu'on pouvait tirer de ce rôle de nourrice. Dans son drame, Appius l'avait, à force d'or, associée à son mensonge. La nourrice allait attester les dieux qu'elle avait consommé la substitution d'une esclave à la fille du centurion, et l'on se rappelle ce retour sublime et ce cri de la conscience à la vue de celle que ses mamelles avaient nourrie :

Tyran, reprends ton or, je reprends ma vertu !

Appius Claudius, pour empêcher le mariage de Virginie et d'Icilius, a su gagner une conscience bien plus flexible. Par son ordre, le prêtre Flamine annonce de fâcheux augures, qui suspendent toute cérémonie. Icilius, Virginius partent pour l'armée, et, nous le savons, l'assassinat a bientôt délivré Claudius du premier. En supprimant le personnage d'Icilius, en le faisant mourir traîtreusement, l'auteur donnait plus de saillie encore au caractère du père, qui doit ramener ainsi sur lui seul tout l'honneur de la défense, et ajoutait un mobile de plus à la résistance de Virginie. Son dégoût vertueux pour les honteux projets du décemvir s'accroît encore de toute la douleur de la perte d'un époux et de l'horreur que lui inspire un si lâche assassinat. Appius cependant essaye toutes les sortes de séduction sur Virginie. Il passe de la douceur à la menace, des promesses à la brutalité, sans réussir davantage; et c'est alors qu'il se décide à faire réclamer Virginie, comme esclave, par l'infâme Maxime, son confident et son client.

Mais un homme, et c'est là ce qui maintient sans cesse dans cette tragédie l'intérêt politique à côté de l'intérêt de la famille, un Fabius, un descendant de ces trois cents Fabius qui moururent bravement en luttant contre les Véiens, supplée ici habilement à l'absence de Virginius. C'est un patron qui protége un client, c'est un patricien populaire : son dévoûment est une sorte de trésor héréditaire qu'il met au service d'un malheur privé qui deviendra tout à l'heure une calamité publique. Quand Virginie est entraînée loin du foyer paternel dans la maison de Claudius, le patronage déploie pour la défendre son éloquence la plus légitime. Noble rôle ! car c'est à la tutelle, et non à l'asservissement des plébéiens qu'était destinée avant tout cette institution sortie de la richesse territoriale, et si fortement enracinée dans la société romaine ; et c'est pour avoir méconnu trop souvent cette condition de son existence qu'elle en compromit maintes fois ailleurs les plus nobles prérogatives. Ici Fabius personnifie l'idéal du patronage ; il rappelle la loi, il éclate en reproches contre le décemvir ; il encourage la fille de son client, mais il fait la faute de lui donner un poignard pour se tuer :

Prends ce fer !

VIRGINIE.

Je suis libre, et mon bonneur l'emporte.
Oui, j'aurai l'âme pure et j'aurai la main forte !

A quoi servira alors la résolution finale de Virginius, et comment l'auteur, qui l'avait isolé jusqu'ici pour le mieux faire ressortir au dénoûment, lui a-t-il ôté par là la meilleure part de son héroïsme ? Comment Virginie, si fière d'avoir trouvé cet instrument de salut, n'en use-t-elle pas pour échapper au déshonneur ? M. Latour peut répondre qu'il aurait perdu l'occasion du récit de l'attentat du quatrième acte, narration empruntée à *Lucrèce*, et du coup traditionnel frappé par Virginius au cinquième. Mais alors ce poignard dans la main de Virginie était inutile et n'était lui-même qu'un motif de tirade. Un poignard, pour une courte tirade ! c'est de la prodigalité en pure perte.

On sait la fin du drame. Virginius revient du camp ; il a profité de la discorde des vainqueurs pour se dérober à la captivité. Il ignore tous les malheurs qui l'attendent. Il ne trouve d'abord au foyer que le vigilant Fabius. Mais tout finit par lui être révélé. La haine du plébéien éclate avec l'indignation et la douleur du père, et le jour du jugement luit enfin. C'est ici seulement que se déroulent l'agitation du Forum, les mouvements divers du peuple. Son silence obstiné et inquiet devant les prières réitérées du centurion et de sa fille est plus expressif que toutes les déclamations, et lorsque le décemvir va l'emporter et que Virginius a frappé sa fille pour la conserver pure, quand il dévoue aux enfers la tête de l'infâme, comme dans Alfieri :

A gli infernali dei
Con questo sangue il capo tuo consacro,

on comprend mieux la tempête populaire qui suit, et l'on excuse le léger anachronisme qui termine la pièce.

Ainsi, sans recourir à ces moyens violents que Sheridan Knowles a eu le tort d'employer dans son dernier acte, ce drame se soutient par la force même des situations que la tradition nous a transmises. En remontant à Campistron, on s'explique comment, au premier abord, cette tragédie paraissait, même à Grimm, impossible ou difficile. La pièce de Campistron, pour sauver l'unité de lieu, se passait tout entière dans le même palais, et les récits étaient substitués à l'action. De nos jours, où le poëte, corrigé de sa soumission trop aveugle aux vieilles poétiques, et enhardi par l'exemple des théâtres étrangers, s'est affranchi de l'embarras des unités, il devenait plus facile de concilier les deux caractères de *Virginie*, et M. Latour n'avait qu'à choisir parmi ses devanciers et à transformer avec talent.

Je n'oserais pas cependant prédire à sa tentative un de ces succès qui marquent, une de ces fortunes qui grandissent à la lecture et défient l'épreuve du lendemain. La précipitation, la fausse grandeur, déparent, dans plusieurs passages, d'heureuses intentions. Quand Virginius apprend l'attentat commis sur sa fille, et s'écrie :

Qu'ai-je fait de mes armes?
Des armes! et pourquoi? pourquoi prendre ce soin?
Quand on venge sa fille, on n'en a pas besoin,

il n'est ni juste ni vrai, il fait de la déclamation ; car, lorsqu'il y va de la vie, le cœur ne saurait suffire, et devant le décemvir Claudius et ses affidés, c'était avant tout avec des armes qu'il fallait venir se défendre. Le style, qui vise à la netteté du vers de M. Ponsard, en a rarement la distinction et la rare précision. M. Latour, en voulant tout imiter dans *Lucrèce*, a emprunté jusqu'aux tours vicieux et jusqu'aux antithèses puériles.

Entre autres exemples que je ne cite pas, ces vers :

A l'appareil guerrier qui remplit cette enceinte,
Romains, qui m'écoutez, n'ayez aucune crainte...
Ton premier cri...
Fit jaillir de mon sein mon âme paternelle...
C'est bien en vain,
Le cœur étant lié, qu'on affranchit la main,

rappellent ceux-ci de M. Ponsard :

> Ma vengeance, elle-même, est prompte à calouler
> Que son *chemin au but* est de dissimuler...
> Et que de *ses aïeux, absous par sa démence,*
> *Il révélât* Tarquin capable de clémence,..
> . . Qu'importe
> Que le corps soit vivant quand la pudeur est morte !...
> La ride au front sied mieux qu'au nom la flétrissure.

C'est là l'écueil d'une imitation qui, en d'autres endroits, a été plus heureuse. Peut-être, à ce sujet, ne sera-t-il pas superflu de rappeler à la muse estimable de M. Latour ces vers d'un autre poëte dramatique qui, lui aussi, avait quelquefois recours aux emprunts, mais qui savait choisir et rendre meilleur le bien d'autrui :

> Quand sur une personne on prétend se régler,
> C'est par ses beaux côtés qu'il lui faut ressembler.

DU THÉATRE FRANÇAIS

APRÈS LA RÉVOLUTION DE JUILLET (1).

———

En voyant l'Académie française promettre un prix à la meilleure tragédie ou à la meilleure comédie représentée depuis dix ans, il est permis
de se demander si jamais des encouragements de ce genre ont produit un
seul poëte dramatique. Assurément, si la poésie scénique était tout entière l'œuvre de l'imagination, l'effet d'une inspiration solitaire, si elle se
bornait uniquement à la mise en pratique de quelques traditions de style
et d'agencement, les encouragements d'un corps éclairé pourraient aider
à lui rendre la vie et à régénérer le théâtre. Mais quand la couronne est
destinée à l'art qui a le plus besoin d'indépendance et de spontanéité,
qui se repaît d'observations et ne tire sa vie que de la vie générale, il
semble difficile que l'appât d'une distinction passagère le détourne de sa
voie ou le fasse sortir de son engourdissement. Au moment où l'art va se
transformer en métier, quand la société ne prête plus au peintre scénique
que des tableaux décolorés ou odieux, il est aussi impossible de rendre sa
vigueur au pinceau épuisé qu'il le serait d'arrêter l'essor du génie dramatique au sein d'une société radieuse et féconde. L'Académie n'a pas
plus empêché *le Cid* d'être un chef-d'œuvre qu'elle n'a été le point de
mire de Racine quand il composait *Britannicus*. Tout au plus la séduction du prix pourrait-elle, à un moment précis et dans certaines conditions, donner un ressort factice au talent, l'émouvoir, le galvaniser
peut-être; mais personne n'a jamais pris le mouvement galvanique pour
la vie, et c'est la vie réelle qui seule convient à l'art dramatique.

A Dieu ne plaise que je veuille refaire ici les arguments que Chamfort,

---

(1) L'Académie française avait proposé, en 1843, un prix pour la meilleure pièce représentée depuis dix ans. Cette revue du théâtre français n'a eu d'autre objet que de juger les
pièces et les auteurs qui allaient concourir, et de devancer le jugement de l'Académie.

en 1791, entassait contre la coutume des encouragements et contre tant d'autres institutions de l'Académie! Le rôle de démolisseur ne me convient point, et je n'ai garde d'ailleurs de songer à renverser l'Académie. Mais, puisqu'il paraît difficile de croire que c'est par la faveur qu'on ressuscite l'art dramatique, j'aime mieux supposer que le prix décennal annoncé sera sans doute la récompense de quelque chef-d'œuvre, la palme d'une victoire signalée, et je me permettrai, dans ma curiosité, d'anticiper sur le jugement solennel, et d'examiner les pièces de notre théâtre qui sont appelées en ce moment à l'épreuve du concours.

L'empire, en restaurant l'Académie et le théâtre de la révolution, n'avait pas fait les parts égales pour tous deux. Le théâtre allait être soumis à une sévère inquisition, asservi et courtisan, tandis que l'Académie était relevée de ses ruines avec un appareil inattendu. Le 24 fructidor de l'an XII, l'empereur datait d'Aix-la-Chapelle un décret qui instituait, pour les ouvrages de science, de littérature, d'arts, etc., vingt-deux prix dont la distribution devait avoir lieu, de dix ans en dix ans, le jour anniversaire du dix-huit brumaire. Par un nouveau décret de 1809, il élevait ces grands prix décennaux au nombre de trente-cinq, « pour étendre, disait-il, les récompenses et les encouragements à tous les genres d'études et de travaux qui se lient à la gloire de la France. » Parmi les grands prix de première classe, dont la valeur était de 10,000 francs, étaient compris ceux qu'on destinait aux auteurs de la meilleure tragédie (le nombre des actes n'était pas désigné) représentée sur nos grands théâtres, et de la meilleure comédie en cinq actes (les vers n'étaient pas exigés).

D'autre part, le théâtre, qui avait déjà fait, lui aussi, son 18 brumaire avec Diderot, Chénier et Mercier, recevait ordre de rebrousser chemin. Il était ramené à la servilité monarchique et forcé de chercher, non plus les voies nouvelles ouvertes à l'inspiration par le dix-huitième siècle, par la révolution et par le goût naissant des littératures étrangères, mais de trouver l'art de plaire sans quitter la vieille ornière : de sorte que le prix proposé semblait être, pour l'art dramatique, une espèce d'encouragement à ne rien oser, à montrer du talent dans la dépendance, à semer les allusions flatteuses au pouvoir dominant, et à éviter soigneusement jusqu'à l'apparence d'une plainte, d'une épigramme, de la liberté enfin. Les succès de la tragédie devaient naturellement être rares alors, et ils le furent, bien que le public, comme il arrive toujours le lendemain d'une révolution, se pressât en foule aux portes des théâtres et cherchât avidement, avec le besoin de se réunir et de fraterniser par de communes émotions, la vive image de ses propres vicissitudes dans les tragédies ressuscitées de Voltaire et du dix-septième siècle.

Les deux meilleures tragédies du temps furent l'*Agamemnon* de Lemercier et *les Templiers* de Raynouard. La première avait paru trop tôt pour être admise au concours. OEuvre d'un des esprits les plus indépendants du moment, formée des souvenirs d'Alfieri, de Sénèque et d'Eschyle, l'*Agamemnon* rappelait, avec une originalité qui ne s'effacera point, les meilleures tragédies de Voltaire. L'autre, *les Templiers*, fut proposée pour obtenir le prix. L'Académie, en développant les motifs de sa préférence, exhortait surtout les talents à *s'écarter des routes battues*, à abandonner des sujets épuisés par les grands maîtres. La réforme était clairement prêchée. L'auteur sur le front duquel on appelait la couronne en était un des plus vifs promoteurs. Déjà, en 1807, lors de sa réception à l'Académie française, il avait demandé pour notre scène des sujets empruntés à l'histoire de France. Plus tard, dans sa préface des *États de Blois*, il montrait une légitime sympathie pour les tragiques étrangers, et l'on sait avec quelle indulgence éclairée il accueillit les innovations plus récentes de notre théâtre. Cependant les prix décennaux ne furent point, on le sait, accordés par l'empereur. Était-ce la secrète condamnation des théories novatrices de l'Académie, ou, comme on l'a dit, le ressentiment de certaines allusions et de la conduite politique de Raynouard? C'était l'un et l'autre sans doute. Napoléon n'entendait ni l'histoire comme voulait la traiter Raynouard, ni la tragédie comme la proposaient quelques esprits hardis. Dans ces cas-là, les poëtes sont toujours trop sincères pour le chef de l'État.

Malgré les entraves, l'audace se faisait jour cependant, et le feu éclatait parfois avec plus d'ardeur pour avoir été plus contenu. Comme sous Louis XIV, l'esprit était encore à la gêne; mais cette gêne lui pesait davantage, et il la bravait plus souvent. Si, le lendemain d'une révolution que le chef de l'État invoquait sans cesse pour mieux en maîtriser l'essor, la police devait nécessairement être plus ombrageuse, de son côté, la pensée, émancipée par la reconnaissance récente de ses titres et par l'enthousiasme des théories nouvelles, devait brûler de sortir du fourreau et d'exercer son aiguillon. Sous Louis XIV, la société était tranquille, les barrières qui la séparaient en plusieurs classes étaient respectées, et la carrière des sujets antiques, encore inexplorée dans ses recoins les plus riches, offrait à nos grands tragiques le marbre de leurs plus pures statues. Sous l'empire, lorsque les rangs, un instant confondus, allaient se diviser de nouveau; quand le talent, livré d'abord à toute la fougue de la liberté, allait retomber sous le joug, il était impossible que l'art dramatique restât, malgré tout, aussi désintéressé qu'auparavant, qu'il ne fût pas autre chose que le mouvement paisible de la beauté animée, la poursuite savante du cœur humain jusque dans ses plus mystérieux labyrinthes. Quelles que soient les rigueurs d'un pouvoir absolu, le génie humain ne désapprend pas ainsi en un jour les droits qu'il avait connus la veille, et le torrent devait, en dépit des entraves, entraîner souvent les lettres avec lui. Joseph Chénier ne remplaçait pas plus Voltaire que Raynouard ne continuait Corneille, et le bon Andrieux (dont la comédie *le Trésor* venait de mériter le prix décennal) n'avait pas la moindre prétention de ressembler à Molière. Les idées, les maximes de la vieille tragédie étaient devenues des faits. Chénier, Raynouard,

Andrieux, étaient à la fois hommes publics et poëtes, et l'auteur de *Charles IX* avait aussi écrit le *Chant du Départ*.

L'Académie française, en offrant, en 1845, le prix à la meilleure comédie ou à la meilleure tragédie en cinq actes et en vers représentée depuis dix ans, a-t-elle trouvé l'art dramatique dans des conditions analogues à celles que nous venons de décrire? L'étude de la situation de notre théâtre dès 1834 rendra la réponse facile.

A cette époque, l'école qui, à la fin de la restauration, s'était formée sous la triple influence de Shakspeare, de Mme de Staël et de Châteaubriand, ou plutôt du drame anglais, du théâtre allemand et du christianisme, avait pris entière possession de ce monde inconnu que la première elle avait signalé, et à la conquête duquel elle marchait depuis 1827. D'autre part, l'école ancienne, placée en regard, épiait et s'avançait aussi. La préface de *Cromwell*, l'antagonisme réalisé de la mélancolie et du grotesque, les succès de *Henri III*, de *Marino Faliero*, et, dans un autre genre, d'*Antony* et de *Bertrand et Raton*, avaient montré la scène française aux mains de deux puissances rivales, en même temps que la vogue se partageait entre les vieux et les nouveaux maîtres. Il est bon qu'on ne l'oublie pas : toujours ces pièces, de verve modérée, où le bon sens contrebalance l'imagination, marchaient de pair à côté de ce répertoire novateur où l'imagination tient moins compte du sens commun. *Les Trois Quartiers* sont contemporains de *Cromwell; Louis XI* et *le Roi s'amuse* sont de la même année. La comédie de MM. Pyat et Théo, *Une Révolution d'autrefois*, injuste mais spirituelle épigramme contre la façon dont les maîtres avaient entendu les tragédies romaines, se croisait avec la lettre que M. Duval adressait à M. Hugo, quelques jours avant la représentation d'*Angelo*, pour défendre les vieux modèles et lui reprocher de perdre le théâtre. M. Pyat voulait représenter les Romains tels, disait-il, que les historiens nous les montrent, tels que les poëtes ne nous les montrent pas. Il les faisait descendre de leurs échasses classiques, marcher sans hémistiche et conspirer sans césure. M. Duval, de son côté, s'élevait contre les comédiens « qui ont eu la sottise de prendre pour un succès l'empressement d'un public curieux de voir une fois, *une seule fois*, ce qui est monstrueux, ridicule et bizarre. » Il voulait profiter de ce moment d'anarchie pour ouvrir les yeux à M. Hugo et lui offrir les conseils de son *incontestable* expérience. En un mot, il se flattait de lui apprendre à *charpenter* une pièce. Ainsi, chaque parti voulait régénérer le théâtre à sa façon, l'un par des charpentes renouvelées des temps anciens, l'autre par un échafaudage plus ambitieux, pris au moyen âge et aux temps modernes. Chose étrange! au milieu de ces hostilités de deux camps rivaux, la même année, l'auteur d'*Antony* s'était joint aux quinze auteurs dramatiques, la plupart académiciens, qui adressèrent à M. Thiers une pétition collective en faveur des *belles traditions* et de Mlle Duchesnois. *Les belles traditions!* MM. Étienne et Roger, éclairés de la lumière nouvelle, voulaient-ils dire par là les traditions de Goethe et de

Shakspeare, ou M. Dumas celles de Racine et de Voltaire? Était-ce de part ou d'autre une épigramme ou une conversion? J'aime mieux croire que chacun, en demandant au ministre de relever la scène, pensait à soi et comptait profiter à sa manière du bénéfice de cette restauration.

En constatant ce partage du sceptre, cette apparition ordinairement parallèle de deux ouvrages sortis de deux écoles et de deux moules différents, je n'ai pas voulu signaler autre chose que la tendance naturelle de l'esprit en France. Instinctivement portés à la réaction, nous aimons à nous réfléchir en nous-mêmes, et nous corrigeons sans cesse nos impressions. Plus sensés qu'exaltés, la précision nous plaît, le bon sens nous retient, la simplicité nous charme. Nous avons, en général, plus de goût que d'audace, plus d'élégance que d'élan; mais, comme il arrive toujours, quand la pensée se circonscrit et se fixe sous un climat tempéré, l'ennui l'atteint parfois dans ses limites étroites; elle prend alors son vol, et, dans un beau caprice, elle va chercher des horizons plus vastes et des aventures. Heureuse encore si, dans l'ardeur qui l'emporte vers l'inconnu et le nouveau, elle n'a point oublié ce sens exquis et cette clairvoyance qui la défendent si bien! Mais la fable des *Deux Pigeons* est surtout vraie pour l'esprit français, et tôt ou tard il revient vers cette vérité sereine et bornée, vers ces domaines moins hardis, mais plus réguliers et plus solides, qui sont ses légitimes pénates. Seulement il y rentre en rapportant des sphères qu'il a visitées des souvenirs qui profitent à ses richesses et à son expérience.

Ce n'est pas que je veuille faire ici mépris de l'invention au profit exclusif de la correction et de la sobriété. A Dieu ne plaise que je réprouve complétement Ronsard parce qu'il a été éclipsé par Malherbe, ou que je mette Ben-Johnson au-dessus de Shakspeare! L'imagination qui crée a une valeur qui souvent surpasse les mérites du goût; l'économie est souvent la marque de l'indigence, et la richesse peut venir de la fécondité. Mais je ne sache pas que le Théâtre-Français, et j'en demande bien pardon à M. Hugo d'avant 1834, ait laissé dans la tragédie de ces figures caractéristiques, de ces types individuels qui lui appartiennent exclusivement. Hamlet, Falstaff, Othello, Piccolomini, Caliban, sont des médailles marquées d'un coin original et impérissable. Werther est un type. En France, excepté Séide dans *Mahomet*, de quel type tragique la popularité s'est-elle emparée? Partout où l'histoire ou la fable nous a transmis un caractère, nous lui avons prêté un relief admirable, et c'est surtout à Corneille et à Racine qu'appartient la gloire d'avoir mis en lumière, sous l'angle le plus heureux, un nom, un personnage donnés. Leur génie s'est assimilé avec une rare perfection la matière transmise et lui a inoculé sa vertu, mais il n'a rien tiré de complet de lui-même. Partout, au contraire, où la finesse et l'expérience pouvaient suffire, où la vie positive appelle un peintre et nos faiblesses un frondeur, l'esprit français se retrouve avec sa causticité et sa verve: ses observations deviennent des créations. Panurge, Grandgousier, et, pour nous borner à notre sujet, Tartufe, Alceste,

Sganarelle, sont des types exclusifs qui n'existaient pas avant Rabelais et Molière. Peut-être, comme l'a cru Nodier, Corneille et Racine, si admirables dans leurs compositions, y auraient-ils créé des individualités, s'ils avaient été plus libres, si la cour et l'Académie n'avaient enchaîné leur élan. Au lieu de cela, ils n'ont laissé que des œuvres inimitables et stériles, où la science du cœur, où l'harmonie de l'ensemble et l'habileté des gradations demeurent leur plus beau titre.

Ce que n'ont pas fait les maîtres de la scène tragique, M. Hugo et son école l'ont tenté. Didier dans *Marion Delorme*, Triboulet dans *le Roi s'amuse*, visent à être des types : malheureusement, ce ne sont pas même des caractères. On se souvient de René en voyant Didier, on songe aux magnificences de l'ode en écoutant les couplets de Triboulet ; mais il n'y a là ni développement ni nuances dans la création du personnage, et l'on se borne à admirer des images sonores et vides. Depuis 1834, le théâtre de M. Hugo a-t-il été plus heureux ? Je n'ai garde de me prononcer, car je me souviens à propos que M. Hugo est de l'Académie. Il juge peut-être en ce moment, mieux certainement que je ne le fais ici, quelles ont été les meilleures pièces depuis dix ans, et je me hâte d'abriter mon silence sous la clause tutélaire qui exclut du concours tous ceux qui sont académiciens.

De 1834 à 1837, il y a eu sur notre scène des victoires marquées dans le drame et dans la comédie ; mais ce n'est pas de celles-là que l'Académie s'occupera. J'aurais voulu analyser *l'Ambitieux*, *la Camaraderie*, comédies de M. Scribe, *l'Angelo* de M. Hugo, et surtout parler de ce mélancolique *Chatterton* qui, jeté au milieu de toutes ces passions débordées, eut le succès du contraste, en substituant la maladie de la réflexion à la monomanie du mouvement. Malheureusement l'Académie a fait aux candidats des conditions difficiles. Elle exige cinq actes et elle repousse la prose. Il lui faut des vers, et des meilleurs. Or M. de Vigny n'a écrit *Chatterton* qu'en trois actes, et M. Scribe, outre qu'il est académicien, n'emploie pas, que je sache, dans ses comédies, le langage poétique. Voilà donc des mérites exclus à plus d'un titre, et Beaumarchais lui-même viendrait frapper à la porte du temple avec *le Barbier de Séville* ou *le Mariage de Figaro*, qu'il serait exclu, parce que l'un n'a que quatre actes et que tous deux sont écrits en prose ! Je reconnais là la marque d'une époque de prospérité dramatique. Dans un moment où la veine est abondante, où le niveau du talent monte, l'Académie ne saurait mettre trop de prix à sa faveur ; mais aujourd'hui je crains bien qu'elle ne se repente d'avoir élevé trop haut le mât de cocagne et la couronne. C'est risquer de voir s'arrêter au pied les lutteurs découragés, ou de donner le laurier à qui n'a parcouru que la moitié du chemin.

Nous n'avons donc à juger, jusqu'en 1837, que *Caligula*, tragédie de M. Alexandre Dumas ; mais, à vrai dire, est-ce là une tragédie ? Il y a longtemps que M. Dumas ne le croit plus. C'est une série de meurtres précédée d'un prologue ingénieux, spirituel, comme l'auteur sait les faire quand il lui plaît. Caligula n'était point un sujet tragique. Ce monstre ridicule inspire le dégoût et fait taire l'intérêt. L'auteur a mis en présence de cette bête féroce une tendre jeune fille inspirée des plus purs sentiments du christianisme naissant. C'est l'idéal de la faiblesse résignée, comme Caligula est l'idéal de la férocité stupide. Stella est malheureusement un personnage plus poétique que dramatique. Nous connaissons trop bien toute la puissance du tyran, pour douter un instant qu'il parvienne à la dompter ou à la faire mourir. Nous assistons donc au spectacle repoussant d'un agneau qu'on mène à l'étable ou à la boucherie, et non à la lutte qui est le principal mobile de l'intérêt tragique. L'immoralité, le matérialisme le plus hideux, le meurtre partout répété, tout devait éloigner M. Dumas d'un pareil sujet : il s'est trompé en y touchant. Il a voulu réchauffer de sa verve quelques vieux souvenirs de collége mêlés à des réminiscences de *Britannicus*, et il a compris sans doute, mais trop tard, que l'histoire n'est pas partout dramatique, et qu'il y a des hontes qu'il ne faut pas soumettre à l'optique de la scène, comme il y a des laideurs auxquelles il ne faut jamais présenter le miroir.

Le style de l'écrivain dans cette pièce et, en général, ses vers, méritent une remarque. Le procédé de M. Dumas diffère sur ce point complétement de celui du chef de l'école. M. Hugo, malgré ses tendances évidemment lyriques dans le drame, est l'apologiste du vers brisé ; il se sert du ton familier, de l'enjambement ; il fuit l'inversion ; il aime, dit-il, à rompre, à déplacer la césure, pour déguiser la monotonie de l'alexandrin. M. Dumas, qui, dans la tragédie dont nous sommes occupés, n'a déplacé l'hémistiche qu'une fois dans ce vers du prologue, que j'ose à peine croire exact :

Et la preuve est que mon professeur s'est noyé.

M. Dumas, apôtre du matérialisme et de la fantaisie dans ses drames, peintre des appétits et non des passions, est encore, quoi qu'il en ait, l'esclave du vieil alexandrin, et s'en sert avec une facilité qui décèle une longue pratique. L'inversion, la périphrase, si dédaignées par le chef de l'école, sont nombreuses dans la poésie dramatique d'un de ses plus brillants adeptes. On rencontre, il est vrai, çà et là des hardiesses de novateur, des libertés romantiques ; mais le fond est de la vieille et bonne tradition du style, et dément heureusement les témérités de la théorie. Est-il besoin d'ajouter que M. Dumas devait revenir tôt ou tard et est revenu aux allures classiques ? Qu'on lise de quel ton il racontait, à ses débuts, comment il est devenu auteur dramatique ; qu'on aille entendre aujourd'hui les comédies qu'il a données dans la période qui suivit 1837 : *Mademoiselle de Belle-Isle*, *Un Mariage sous Louis XV*, etc., et l'on reconnaîtra qu'au fond, à l'origine comme aujourd'hui, M. Dumas est du parti du sens commun ; que c'est un spirituel écrivain qui transporte sur la scène, avec une merveilleuse dextérité, la coquetterie d'une conversation souvent graveleuse, mais toujours piquante, et qui relèverait avec autant de droit de l'école de M. Scribe ou de Beaumarchais que de celle de Schiller et de M. Hugo, s'il n'écrivait plutôt sous la dictée précipitée de ses caprices ou de son intérêt.

L'année suivante a été peu féconde en succès, et, nous le savons, l'Académie n'admet parmi les candidatures que le succès. La prose a été assez heureuse, et le *Bourgeois de Gand* aurait mérité un regard, si nous n'avions des vers à enregistrer. Je ne veux pas parler du malheureux drame du *Camp des Croisés*, qui vécut vingt-trois jours, beaucoup plus que ne le méritait cette excursion irréfléchie dans un sujet qui prêtait plus à la poésie de l'épopée, comme l'avait prouvé le Tasse, qu'à l'économie positive d'un drame nettement déduit. — Je n'ai à noter, en passant, que la comédie en vers de Camille Bernay, homme d'esprit enlevé trop tôt aux lettres et au théâtre. Je veux parler du *Ménestrel*, comédie à la façon de Pinto, gaie à l'extérieur, visant à être sérieuse au fond, poignards cachés sous des fleurs, politique faite en riant. Le siége de la Rochelle, en 1372, par les Anglais, fait le fond de la pièce ; mais sur ce fond sont brodés des fantaisies sans nom, des hardiesses de tréteaux, un libertinage du plus mauvais goût. Les femmes y rappellent le mot de Jeanne d'Albret à la cour de Catherine de Médicis : « Ici ce sont les femmes qui vont prier les hommes. » Le pivot de cette double intrigue de politique et de galanterie est un certain Loys, espèce de Figaro, qui parle à cette époque avec l'entrain et l'impudence d'un mauvais sujet de nos jours. Cette pièce a le tort grave d'avoir deux faces : il fallait en exclure ou l'histoire ou la galanterie, parce qu'ici l'une nuit à l'autre. Rien n'y rappelle, d'ailleurs, la France du XIV° siècle : c'est le jargon de l'échoppe et des salons du XIX°. L'auteur a pensé qu'avec de l'esprit on pouvait se passer d'exactitude, de combinaisons habiles et même de moralité. Sa comédie ne dut un court moment de faveur qu'au talent plein de vivacité de Monrose. L'acteur n'avait qu'à se rappeler ses meilleures scènes de Beaumarchais pour réussir en dépit du sujet, et il réussit.

Heureux privilége de la médiocrité ! A la faveur de l'exclusion imposée aux pièces d'académiciens, la *Popularité*, de M. Casimir Delavigne, et plus tard le *Gladiateur*, de M. Soumet, s'effacent ici devant le *Ménestrel*, comme des personnages de distinction s'échapperaient au bruit des lazzis d'un baladin ; mais, en retour, ces productions futiles ne trouvent-elles pas dans l'analyse leur meilleur châtiment, tandis que la récompense des œuvres sérieuses et sincères est dans l'ombre respectueuse qu'on leur ménage ?

Un poëte du Midi, M. Latour, s'essayait, à la même époque (1841), comme M. Soumet, dans la peinture du christianisme naissant. Seulement, le *Gladiateur*, écrit sous l'inspiration du *Flavien* de M. Guiraud, nous montrait le Christ à Rome. Le *Vallia* de M. Latour, qui transporte le culte nouveau dans la Gaule, est emprunté aux chroniques les plus anciennes de la ville de Toulouse. Indépendamment de la façon dont ce dernier sujet a été traité, faut-il en approuver le choix? Il semble que la règle du poëte dramatique devrait être de ne parler aux spectateurs qu'un langage connu, et de ne leur montrer que des faits qui ne leur soient pas trop étrangers. La tragédie n'est pas un cours d'histoire. Ainsi la Rome païenne et l'avénement de la religion nouvelle sont, en général, plus familiers à notre science étroite que l'histoire de ces commencements de la France, où les hordes barbares se succédaient et s'entremêlaient sur notre sol avec une fougue et un désordre qui n'ont rien de dramatique. Le chaos n'a rien à démêler avec la scène. Qui connaissait d'ailleurs ce Vallia, ce descendant d'Alaric, ennemi des Francs, héros sans popularité parmi nous? Quelques savants, un petit nombre de spectateurs peut-être; mais la foule, mais le parterre, ne savaient pas même s'il s'agissait d'un guerrier ou d'une femme, et c'est pour la foule surtout que le poëte dramatique écrit. A défaut d'intérêt dramatique, l'auteur aurait dû au moins déployer quelqu'une de ces trames heureuses où les fines broderies de la passion font oublier l'étrangeté du tissu, comme les grands maîtres ne manquaient pas de le faire dans les matières moins familières à notre théâtre.

Malheureusement alors, l'auteur était encore sans expérience des nécessités scéniques, et sa main novice se trahissait partout, jusque dans ces beaux vers chargés de métaphores et d'images, qui ne sauraient jamais suppléer l'action, et qui ne sont, au théâtre, que les fruits parasites d'une imagination tourmentée. Depuis *Vallia*, M. Latour a étudié; le bruit des murmures de l'auditoire, loin de décourager sa verve, lui a appris à la contenir et à la diriger plus prudemment. Enfin, nous avons tous applaudi récemment, dans sa *Virginie*, au choix d'un sujet plus populaire, et au succès d'un talent déjà plus maître de soi et qui pourra grandir.

Le flot des médiocrités nous emporte, et de toutes les pièces mortes cette même année et la suivante sur la scène de l'Odéon, je n'ai retenu qu'un vers. Il appartient à *Mathieu Luc*, drame malheureux de M. Cordelier Delanoue; il pourrait être la devise de la meilleure partie de toutes les œuvres dramatiques de l'époque, prônées si longtemps à l'avance et sitôt avortées; c'est le dernier mot de la pièce :

> Celui qui sera mort, enfants, ce sera moi !

Vers prophétique auquel ne veulent jamais croire les écrivains qui débutent et les novateurs imprudents !

Cependant du milieu de ces catacombes allait sortir une lueur nouvelle et inattendue. Le fracas de la scène allait enfin faire silence devant l'évo-

lution pacifique d'une tragédie moins emportée. Du sein de la nécropole
dramatique s'éleva tout à coup une voix harmonieuse où quelques-unes
des notes de Racine s'unissaient à l'accent cornélien , où rien ne sentait
l'effort ni la violence, et qui semblait sortir du fond de l'âme d'André
Chénier. *Lucrèce* venait d'être représentée à l'Odéon, avec quelle fortune,
on le sait. Il est vrai qu'on eut tout d'abord quelque peine à se rendre
compte de l'enivrement, et c'est le parterre qui fit, après tout, accepter
la pièce à la critique. Nous ne reprendrons pas l'analyse des moindres détails de cette tragédie; chacun en connaît le sujet. Avec une donnée aussi
connue et aussi simple, comment l'auteur a-t-il pu si complétement
réussir? Comment et par quel secret a-t-il tout à coup gagné un nom , lui
qui n'en avait pas hier? Je l'ai dit déjà : la probité littéraire de M. Ponsard
a tout fait.

Qu'on blâme donc, et on le peut, l'absence de nœud et d'action ; que
l'on conteste la vraisemblance de la folie de Brute et du personnage épisodique de Tullia : ce qui a fait, malgré tout , réussir cette donnée si
simple de *Lucrèce*, c'est son mérite d'à-propos, c'est cette forme relativement neuve, entièrement indépendante de toutes les coteries et de toutes
les théories régnantes. Le dirai-je ? Tout y semblait nouveau, non-seulement ces apologues transparents renouvelés d'Ésope, et ces molles cantilènes d'Ionie qui rappellent Théocrite et André Chénier, mais jusqu'à cette
marche paisible du drame, cette monotonie, si l'on veut, qu'on acceptait
comme une beauté, parce qu'elle avait involontairement toute l'éloquence
d'une protestation.

N'oublions pas d'ailleurs que l'auteur a glissé, comme une autre protestation, la vertu jusque dans l'immoralité de Sextus. Pour être conséquent,
il devait, à part la vérité historique, le punir de son crime. Le coupable
l'expie déjà, avant la péripétie, par le remords, par l'anxiété que lui
inspirent à la fois le souvenir de la sibylle et l'ombre de cette Tullie
qu'il a abandonnée. La mort de celle-ci est une sorte de contre-poids au
suicide de Lucrèce. Tullie, en trouvant encore assez de vertu pour s'arracher à la vie , rend ainsi , comme Lucrèce, un dernier hommage au
devoir. De la sorte , l'union de l'histoire et de l'invention dans l'œuvre
du poëte se fortifie jusqu'au dernier moment du secours de la morale.

La morale fait aussi le fond d'une récente comédie de M. Bayard. *Un
Ménage parisien* est, dans la pensée de son auteur du moins, un hommage rendu au mariage civil. M. Bayard tentait dans cette comédie une
matière neuve et heureuse ; il devait nous toucher, car c'étaient nos
mœurs qu'il peignait, nos mœurs les plus récentes, celles que n'avaient
montrées ni Molière ni Beaumarchais. Le choix une fois fait, a-t-il tiré
de sa fable toutes les ressources qu'elle offrait? Hélas! je cherche en vain
dans la pièce de M. Bayard une comédie; je n'y vois qu'un long vaudeville , et c'est au fond même du sujet que j'en trouve la meilleure preuve.
Que dire d'un homme qui ne se décide à devenir l'époux légitime de
celle qui porte depuis longtemps le nom de sa femme que lorsqu'il va

voir se fermer devant lui, devant ses coupables débordements, l'accès de la société ? N'est-ce pas traiter un peu trop légèrement cette sainte chose qu'on appelle le mariage ? On n'aime pas mieux, après la cérémonie nuptiale, la femme dont on était fatigué la veille, et qu'on oubliait hier encore au milieu d'autres femmes et d'autres fêtes. Non, le mariage ainsi contracté n'est qu'une permission détournée de continuer cette vie mêlée d'insouciance et de désordres ; c'est un tête-à-tête de toute la vie, où les parts sont inégales et injustes, d'un côté les larmes et la résignation poignante, de l'autre l'impatience du joug, les murmures, le dégoût ; c'est une chaîne de fer où se sont rivées volontairement deux existences incompatibles, et malheur à qui des deux la brisera ! deux fois malheur à tous deux s'ils la gardent ! Non, ce n'est point ainsi que le législateur a compris la sainteté d'une telle association ! L'auteur a oublié que tout ne réside pas dans la formalité légale, qu'elle ne doit être, qu'elle n'est que le sceau généreux dont la société revêt le contrat d'union passé entre deux êtres qui sympathisent ou qui, du moins, ne se repoussent pas : C'est donc par la base que son vaudeville, je veux dire sa comédie, chancelle.

Autant M. Ponsard a cherché à se tenir près du vrai historique, autant M. Bayard a voulu reproduire l'allure dégagée de nos mœurs rapetissées, ce ton superficiel, cette mobilité chatoyante, ces goûts positifs et sensuels qui sont l'aliment léger du vaudeville, autant aussi M. Romand, dans *Catherine II*, a fait violence à l'histoire pour y substituer le romanesque.

On peut supposer que Catherine II ; devenue maîtresse du trône de Russie, aima un instant le dernier des Romanoff, le bel Ivan, le seul rejeton des tsars ; enfermé vingt-quatre ans dans une dure prison par l'infâme Elisabeth. Les caprices de Catherine en amour peuvent justifier en quelque sorte cette fable, bien qu'on répugne au premier aspect à voir la femme et l'ennemie de Pierre III aller porter au fond d'un cachot une passion clandestine au parent du tsar. Je comprends surtout la vérité du dénoûment qui fait mourir Ivan et laisse Catherine sur le trône. Mais ce qui ne saurait être aussi facilement accepté, c'est qu'elle ait voulu partager l'empire avec cet amant d'un jour, dont elle venait de faire périr (j'adopte l'opinion de M. Romand) le parent avec un sang-froid si cruel. La mort affreuse de Pierre III rendait invraisemblable la pensée de l'avénement d'Ivan VI, du moins avec le consentement formel de Catherine. Il se peut que le synode, que le Chancelier Bestuchef, en aient eu un instant la pensée ; mais je nie qu'elle soit jamais venue à la fière Catherine, à celle que le prince de Ligne appelait spirituellement Catherine le Grand.

Malgré ce contre-sens historique, le charme de la diction, la beauté du personnage d'Ivan, et surtout le jeu de Mlle Rachel, valurent un moment de vogue à la *Catherine II* de M. Romand ; mais il faut autre chose pour fonder un succès et satisfaire la critique.

Cet examen fort rapide, mais impartial, de notre bilan dramatique, rend plus facile maintenant la dernière partie de notre tâche. Evidemment c'est plus qu'une récompense, c'est une prime d'encouragement que l'Académie a voulu accorder aux dramaturges et aux auteurs comiques. Au milieu d'une fécondité qu'on ne saurait s'empêcher de trouver stérile, notre théâtre offre si peu d'exceptions heureuses, qu'il a été jugé urgent de recruter des talents et de rendre quelque séve à l'arbre dramatique. Parmi tout ce billon, parmi toutes ces pièces sans marque que nous venons d'énumérer, la plus éclatante, sans contredit, c'est *Lucrèce ;* c'est elle qui mérite le prix, non pas tant cependant pour sa valeur absolue que pour son mérite relatif. La valeur propre est peu de chose aujourd'hui, même dans l'art dramatique, et *Lucrèce*, dont j'estime plus que personne le fond élégant et moral, a réussi, on peut le dire, plutôt par des qualités négatives, par sa pureté intérieure, que par le relief de sa mise en scène. Ce manque de relief est même ce qui la distingue de tout ce qui l'entoure, c'est un charme relatif ; et elle a atteint un degré de vérité et de naturel qu'on ne retrouve pas dans les pièces destinées à concourir ou plutôt à faire ombre auprès d'elle, car il est évident qu'il ne peut y avoir concours entre des combattants si complétement inégaux.

Est-ce à dire que les encouragements académiques exciteront à faire aussi bien ou à tenter mieux encore, et faut-il croire à la résurrection prochaine du théâtre ? Notre siècle a soif de vérités positives. Nous ne sommes plus aux temps antiques, où le sentiment religieux se confondait avec celui de la beauté pour animer la scène, où la sculpture reproduisait les dieux comme modèles du beau idéal, tandis que la tragédie semblait n'avoir d'autre but que de donner le mouvement et la vie à tous ces chefs-d'œuvre de marbre. Nous avons perdu le goût de cette satire acrimonieuse et personnelle, de ces fantaisies plus originales que correctes, que les Grecs avaient adoptées dans la comédie, et qui semblaient les reposer de l'admiration sérieuse des beautés tragiques. L'enthousiasme païen et l'hyperbole satirique de la Grèce ont fait leur temps. Nous n'avons plus cette passion presque brutale de l'antiquité, qui poussait Dubellay et ses contemporains à mettre, comme ils disaient, Rome et la Grèce au pillage, ni cette autre manie du xvi° siècle, qui se plaisait à travestir les héros et les événements du jour avec le cothurne et les sentiments de Sophocle et d'Euripide. Grâce à Dieu ! nous sommes mêlés d'une autre façon aux choses et à la politique de notre temps ; nous y figurons, non plus comme narrateurs, à la façon du messager de la fable antique, mais nous y intervenons comme acteurs, et c'est là ce qui a modifié profondément nos goûts et notre théâtre.

Les débats de la politique, en nous intéressant plus que les jeux de la scène, lui enlèvent chaque jour le meilleur de son auditoire. Que sont les fables ou les complications du drame auprès des vérités profondes, émouvantes, auprès des grands intérêts qui touchent à notre foyer et à notre existence? C'est tout au plus le délassement d'un instant, l'amusement de la petite pièce après la grande. Si encore la petite pièce amusait toujours! Un autre ennemi plus ardent du théâtre vient le combattre jusque dans nos maisons, et semble vouloir le perdre au sein de notre civilisation pratique. L'activité de la presse, la chronique, le feuilleton des journaux, nous apportent chaque jour à domicile des drames vrais, des mensonges aussi habilement agencés que ceux de la rampe et des comédies parfois plus piquantes.

Au temps d'Aristophane, dans ce siècle de toutes les libertés, la liberté de la presse n'existait pas. Celle du langage et de la raillerie, expression des mœurs républicaines, ne connaissait plus de bornes sur la scène, et l'on sait la réaction qu'amena tant de licence. Nous aussi, nous avons la parole libre; mais, outre la presse, nous avons encore deux langages. L'égalité civile, le mélange des rangs, le niveau de l'éducation commune et des études positives, ont porté dans nos relations sociales un abandon, dans la conversation une vulgarité de ton, un *sans-façon* qui est tombé au-dessous du banal et n'a souvent rien à envier aux effronteries d'Aristophane. Voilà la vraie langue de notre vie habituelle. Il y a un autre ton qui autrefois était l'expression sincère et répandue de l'urbanité; c'était une sorte d'atticisme naturel, c'était le vêtement, la parure de nos meilleurs sentiments. Aujourd'hui, ce n'est plus qu'un oripeau qui cache à peine nos nudités, et dont la plupart se parent pour le monde, pour les indifférents ou les inconnus; c'est la fausse monnaie de notre commerce social, mais ce n'en est plus la monnaie courante. Voilà le style menteur de notre civilisation. Entre cette langue commune et ce mensonge orné, quel choix fera la comédie? Si elle veut reproduire la première, elle risque de tomber dans le trivial ou le cynisme, et elle effarouche l'urbanité. Si elle cherche à copier le second, elle offense la réalité, et nous paraît fausse comme notre politesse.

Le vaudeville, où les deux tons se mêlent sans se heurter, où tous les rangs se coudoient sans effort, qui effleure toutes choses, qui ne peint nos mensonges et nos vices qu'en miniature, et ne montre nos sottises que de profil; qui nous pique avec finesse sans nous blesser jamais, le vaudeville devait sauver la comédie, ou plutôt il est devenu la comédie elle-même. Sans doute nos vaudevilles en un acte sont plus nombreux que les grands vaudevilles qui se parent du nom de comédies; sans doute les auteurs travaillent trop hâtivement pour faire bien; le ressort de tant de souples esprits se fatigue à force d'être mis incessamment en jeu, et l'art proprement dit se perd avec eux; mais ils peuvent répondre que nos préoccupations ont changé, que nous cherchons moins la grande comédie que l'insouciance du rire ou la vérité d'une courte émotion. La grande comédie, d'ailleurs, est-elle possible à l'heure qu'il est? Les grands sujets ont été traités, et les mœurs nouvelles n'ont fait que modifier, sans le renouveler complètement, le vieux fonds de nos vices et de nos travers. Harpagon, Alceste, Trissotin, Turcaret, sont toujours parmi nous: ils n'ont fait que changer de costumes et d'emplois; mais ils ont gardé leurs vices ou leurs travers. Le talent ne peut guère choisir que parmi de vieux masques rajeunis, et s'il veut réussir dans cette voie ainsi restreinte, s'il veut observer avec lenteur, composer patiemment, étudier avec sagacité, il pourra moissonner encore de grands vaudevilles, ou, si l'on veut, de petites comédies, dans les champs toujours fleuris de la sottise humaine.

Quel sera, d'autre part, l'avenir de la tragédie? Les causes qui ont changé les conditions de la comédie rendent bien difficile, selon moi, le retour de la tragédie proprement dite, surtout en regard des saisissantes réalités que le drame et le mélodrame déploient chaque jour devant nous. Ce n'est pas que nous soyons insensibles aux beautés idéales de la tragédie : tout ce qui nous rappelle les nobles maîtres de notre jeunesse, les purs modèles de notre langue dramatique, a une magie qui nous captive encore, mais à la façon de ces bienheureuses cantilènes qui ont bercé notre enfance. En les écoutant, nous sentons monter en nous une sorte d'harmonie intérieure qui nous berce encore, un délicieux frémissement qui se dissipe bientôt au bruit du monde environnant et au contact des sensations plus positives et des utiles vérités. Le poëte qui nous rendrait, non pas cette tragédie pétrifiée, comme l'appelait Mme de Staël, mais une autre tragédie capable de nous exalter et de nous élever, ce poëte-là, — à moins qu'il n'y soit excité par les faveurs académiques, — sortira difficilement du milieu prosaïque où nous vivons. Il aura quelque peine à vivre, à grandir au sein d'une civilisation où la soif de l'or, où la tourmente des joies sensuelles et des affaires sérieuses ont envahi la place des voluptés désintéressées de l'esprit et des sublimes aspirations de l'âme. Et cependant ce poëte-là, s'il vient jamais, sera accueilli comme on accueille les maîtres, et, pareilles à la pythonisse antique, les générations qui le verront s'écrieront en l'écoutant : *Deus! ecce deus!* le dieu! voici le dieu!

MONTESQUIEU

ET LES

LETTRES PERSANES.

—

INTRODUCTION.

—

Louis XIV ctait mort, moins grand à sa fin qu'à son commencement. Le régent, son neveu, occupait son trône au lieu de le garder. La société française, depuis longtemps en proie à des vices et à des désordres intérieurs, qui s'étaient trahis de toutes parts au déclin du règne qui finissait, puisait dans l'exemple du nouveau chef de l'Etat le droit de les étaler. Les excès se multiplièrent par l'éclat et la séduction ; ils devinrent en quelque sorte les mœurs publiques. Au milieu de cette corruption, l'esprit satirique ne se perdait pas; la licence des mœurs entraînait celle du langage, et donnait chaque jour plus d'aliments à la raillerie. Les grands et la cour en étaient surtout atteints : ils la renvoyaient à leur tour; et, leur exemple entraînant encore, le ridicule et le doute qui avaient tout envahi ne respectaient pas même les choses les plus sacrées:

Ce scepticisme moqueur, répandu dans toutes les parties de la société, n'était pas le fruit des habitudes nouvelles ; il ne datait pas de la régence, il remontait bien plus haut. Longtemps auparavant, à part les plaintes et les railleries du peuple que nous voyons éclater déjà avec la disette et l'hiver si rigoureux de 1709 (1), et qui, depuis

(1) Saint-Simon, année 1709. — Journal de la Haye, juin 1709. — Lire une parodie curieuse du *Pater noster*, même année.

la Fronde, ont toujours été, en France, une vengeance innocente et permise, le scandale et la satire tenaient hôtel ouvert dans cette maison du Marais où, avant 1706, Ninon avait montré tant de vices et tant d'esprit. « Là elle dogmatisait, à faire horreur, sur la reli- » gion (1) » devant Saint-Evremont, devant les abbés de Chaulieu, de Châteauneuf; société sans pudeur où la hardiesse et quelques talents semblaient tenir lieu de principes !

A la cour on n'était pas plus réservé. Victoire de Bavière, femme du grand Dauphin, n'avait jamais pu comprendre ni supporter la malignité du style de cour, et la duchesse de Bourgogne disait assez souvent à madame de Maintenon, qu'elle appelait sa tante : « Ma » tante, on se moque de tout ici ! (2) : » réflexion naïve et profonde qui caractérise toute la cour d'alors ! En effet, depuis la princesse de Conti, fille de Louis XIV, qui écrivait les lettres les plus sati- riques contre son père et contre madame de Maintenon, jusqu'au baron de Breteuil, qui mit en vers toutes les malignes allusions de cour que pouvait offrir l'*Esther* de Racine ; depuis l'impitoyable mademoiselle de Nantes (3), autre fille du roi, qui, de 1690 à 1708, a chansonné tout ce qu'elle aurait dû respecter, frères, maris, duc et duchesse de Bourgogne, revers et vieillesse de Louis XIV ; jus- qu'à la comtesse de Murat, qui, dans le grand hiver de 1709, ne trouva que la matière d'une pièce frivole (4) ; chacun se livrait sans contrainte à cette critique passionnée qui devenait à la fois le châti- ment et l'histoire des mœurs, et que n'arrêta point la tardive austé- rité du grand roi.

De leur côté, les lettres et la scène répandaient cette influence, ou la recevaient à leur tour. Bayle, du fond de la Hollande, en re- muant toutes les croyances, troublait, émancipait les esprits par la puissance de ses doutes. Pascal, dans une satire de génie, avait vengé la pure religion des subtilités des casuistes. Fénélon lui-même, au milieu des disputes du quiétisme, laissait publier son livre rem- pli d'enseignements, de portraits sévères où Louis avait cru se re- connaître ; et, après les leçons de Molière, ce profond disciple de Gassendi, la plume piquante de Labruyère, en marquant les ridi-

(1) Sévigné, lettre 2a, tome 1.
(2) *Souvenirs de Mme de Caylus*, pag. 188. — Brienne (*Mém.*, t. 11, ch. 9) a dit : « *Qui n'aime point à se voir railler ne doit point aller à la cour.*
(3) Devenue depuis princesse de Bourbon-Condé.
(4) Cette pièce, spirituelle d'ailleurs, est intitulée : *le Grand hiver*.

cules de la société, l'instruisait encore et l'élevait par la perfection du style et par les plus sages maximes.

Plus tard, Le Sage, après avoir hardiment démasqué les exactions et la bassesse des traitants dans la comédie de *Turcaret*, multipliait les objets de ses épigrammes dans les tableaux si vrais de *Gil Blas*; Destouches faisait représenter *le Médisant* l'année même de la mort du roi; tandis que Longepierre, ne pouvant effacer par le succès, par la pureté antique de ses tragédies, la honte de ses intrigues (1), et Jean-Baptiste Rousseau composant en même temps des opéras et des psaumes, et puni de ses libelles par l'exil, attestaient les progrès du scepticisme et de l'immoralité au sein même de la littérature. Enfin, lorsque la mort de Louis XIV eut laissé le trône au pouvoir de l'ami de Saint-Simon, cet autre éloquent persifleur du règne qui finissait, la duchesse du Maine succédait à mademoiselle de Nantes dans son opposition à la cour; Arouet, Lagrange-Chancel, lui faisaient une guerre vive de pamphlets, et les réunions de Sceaux remplaçaient la *cabale* du Marais.

C'est à ce moment que parurent les *Lettres Persanes* de Montesquieu; mais les premières lettres ont été écrites dès 1711, et le livre lui-même date véritablement des dernières années de Louis XIV. On peut mentionner ici que, longtemps auparavant, Montesquieu avait composé déjà un autre ouvrage sous forme de lettres qui ne parut point. La forme épistolaire lui était donc familière; elle convenait à son esprit curieux de tout; mais les qualités qui la distinguent, la grâce imprévue, l'abandon, lui manquaient. Comment attendre cela de Montesquieu, habitué de bonne heure aux formules concises de la jurisprudence, occupé dès vingt ans à de graves recherches, de ce philosophe toujours maître de lui-même, qui rature vingt fois une phrase, et qui, abrégeant tout parce qu'il voit tout (2), se résume en pensées courtes et nerveuses? En lisant le recueil de ses lettres particulières, on les trouve sèches et compassées, et l'on se rappelle en même temps ce passage où il reproche aux poëtes de mettre des entraves au bon sens et d'*accabler la raison sous les agréments*. C'était surtout cet art des *agréments* que Montesquieu dédaignait et négligeait : nous avons d'ailleurs à cet égard ses propres témoignages. Il écrit à d'Alembert pour des arti-

---

(1) Voir Saint-Simon, tom. III, année 1702; tom. x, année 1713.

(2) On lui a justement appliqué ce jugement, qu'il a porté sur Tacite.

cles de l'*Encyclopédie* (1) : « L'esprit que j'ai est un moule; on n'en
tire jamais que les mêmes portraits... Je ne puis pas me corriger,
parce que je chante toujours la même chose. » Ailleurs (2) il regrette
de ne pas savoir écrire une lettre. Cette timidité même dont il se
plaint quand il doit parler en public, « qui met un nuage sur toutes
ses pensées, » et qu'il appelle le fléau de sa vie, devait le poursuivre jusque dans les confidences de l'amitié et leur donner un air de
contrainte.

Il ne faudra donc pas chercher dans les meilleures des *Lettres
Persanes* les véritables qualités du genre. Grimm se trompe quand
il dit (3) que l'auteur fait faire des réflexions naturelles au Persan
qui parle; quand il ajoute que le lecteur, agréablement satisfait, se
dit toujours en lisant : « Si j'étais Persan, j'aurais vu et dit comme
lui; » et l'on ne peut admettre les motifs que Montesquieu donne,
dans un avant-propos de ces *Lettres*, pour expliquer l'emploi qu'il
a fait du genre épistolaire. Cet avant-propos n'a été publié par lui
qu'en 1754, trente ans après la première édition des *Lettres Persanes*. Il n'a été écrit si tard que pour un petit nombre de personnes
que certains passages avaient pu scandaliser, et en expiation de
quelques hardiesses qui avaient failli faire fermer à l'auteur les
portes de l'Académie. Non, quoi qu'il dise de son livre, les divers
personnages n'y sont pas fortement liés entre eux. Rica, Usbek,
Rhedi, ne sont pour nous que de vains noms, qui ne nous attachent
par aucun événement particulier, qu'aucun caractère individuel et
dramatique ne distingue. Non, l'auteur n'a pas fait un roman où
« tout se rattache par une chaîne secrète, et en quelque façon inconnue. » Ce livre ne nous montre que deux choses, l'Orient et la société française, et c'est toujours l'écrivain, le profond critique qui
est en scène. D'Alembert l'avait bien senti : dans son panégyrique
de Montesquieu, il fait ressortir ce défaut de vraisemblance comme
un dessein adroit; le langage que Montesquieu fait parler à ses Persans est, selon lui, un éloge indirect de notre société : c'était la louer
que s'exprimer comme elle. D'Alembert oubliait que cette interprétation elle-même a son invraisemblance, qu'elle est plus ingénieuse
que vraie. Montesquieu, en publiant son roman sous forme de let-

(1) Lettre 76, novembre 1783.
(2) Lettre 82, août 1754.
(3) Correspondance, t. I, juin 1783.

tres, voulait à la fois suivre son goût et flatter celui du public, en trouvant le moyen de parler ou de railler sur toutes choses dans un même ouvrage, et éviter cette réelle difficulté des transitions qu'il ne surmonta jamais, pas même dans *l'Esprit des Lois*. On voit, d'une part, que l'auteur s'essaye déjà aux grands sujets qu'il prépare, et, de l'autre, qu'il croit aux travers qu'il signale. Il ridiculise ceux-ci, parce que le ridicule était de l'indulgence à cette époque qui, sous tant de rapports, méritait le mépris; et il mêle à de fines esquisses, comme pour les faire passer avec elles, ses méditations ébauchées sur les législations, les religions et les peuples.

Dans l'avant-propos dont nous venons de parler, se trouve ce passage :

« Ce que je viens de dire suffit pour faire voir qu'elles (les *Lettres Persanes*) ne sont susceptibles d'aucune suite, encore moins d'aucun mélange avec des lettres écrites d'une autre main, quelque ingénieuses qu'elles puissent être. »

C'est ici le lieu d'examiner si les *Lettres Persanes*, telles que nous les possédons, sont entièrement ou non de la main de Montesquieu, et si elles n'ont subi aucune forte altération. Montesquieu, sur les instances du cardinal de Fleury, avait été repoussé d'abord comme candidat de l'Académie française. Il y fut admis plus tard (1). Voltaire, pour expliquer comment il retrouva la faveur du ministre, dit que Montesquieu fit faire en peu de jours une nouvelle édition de son livre, dans laquelle on avait retranché ou adouci tout ce qui pouvait être condamné par un cardinal ou un ministre.

Mais cette édition, personne ne l'a vue; aucun contemporain n'en parle. Il n'y a des *Lettres Persanes* que deux éditions différentes : celle de 1721, imprimée à Cologne par les soins de l'abbé Duval, secrétaire de Montesquieu, et celle de 1754, qui contient onze *lettres* et une préface nouvelles, et quelques légers et rares changements dans les autres lettres. Nous ne possédons que ces deux éditions. Cependant M. Walckenaër, dans une notice judicieuse et savante, cherche à démontrer que cette assertion de Voltaire, si elle n'est pas vraie en tous points, prouve au moins que Montesquieu a fait des retranchements, et il en conclut qu'il a dû désavouer plusieurs de ses lettres. Cette preuve n'est nulle part. Elle ne résulte pas de ses habitudes connues, de cette tranquillité

(1) En 1728.

inflexible qui était le caractère de Montesquieu, et qu'on retrouve
dans toutes ses pensées, dans sa vie (1). Il est vrai que, dans le portrait qu'il a fait de lui-même, il a dit : « J'ai la maladie de faire des
livres, et d'en être honteux quand je les ai faits. » Mais cette honte,
il ne la poussait pas jusqu'à se sauver par un lâche mensonge. Mais
n'a-t-il pas dit aussi, dans ce même portrait, qu'il n'attendait point
de grâce, car il n'avait jamais fait de bassesse? et n'écrivait-il pas
en 1720 ces paroles remarquables :

« Malheur parmi nous à tout écrivain qui a quelque noblesse dans
l'esprit et quelque droiture dans le cœur! On lui suscite mille persécutions; on ira contre lui soulever les magistrats sur un fait qui
s'est passé il y a cent ans, et on voudra que sa plume soit captive,
si elle n'est pas vénale. Plus heureux cependant que ces hommes
lâches qui abandonnent leur foi pour une médiocre pension.... et
flattent les passions qui sont en crédit de leur temps! (2) »

Il ne faut pas oublier que cette note de Voltaire a été écrite à
Berlin, dans un pays où les éditions diverses, où l'exactitude des
renseignements devaient manquer, où les manuscrits qu'on lui envoyait de Paris arrivaient difficilement et en petit nombre (3). Voltaire, à cette époque, était brouillé avec madame de Pompadour; il
essayait par les moyens les plus insinuants (4) de rentrer en grâce
auprès d'elle. Il échoua d'abord : madame de Pompadour lui an-
nonça bientôt que sa place d'historiographe de France venait de lui
être ôtée. Voltaire, quoique aigri de cette nouvelle disgrâce, redoubla d'efforts pour regagner cette haute protection, qu'il voyait
avec jalousie s'étendre sur Crébillon, sur Montesquieu, sur tant
d'autres (5). Il n'est donc pas impossible qu'en avançant, dans le
Siècle de Louis XIV, qu'un protégé de madame de Pompadour, que
Montesquieu s'était empressé, sur les scrupules de la cour, de faire
une édition corrigée de ses *Lettres*, Voltaire ait eu le dessein de

(1) Voir dans la Notice de Montesquieu ce qu'Helvétius dit à propos des défauts qu'il trouvait à l'*Esprit des Lois*.

(2) *Lettres Persanes*, année 1720. — Cf. *Œuvres de M. de Jouy*, t. xv.

(3) Voir la plupart de ses lettres à Mme Denis et à M. d'Argental, de 1750 et 1751. *Correspondance*.

(4) Voir sa lettre au duc de Richelieu, année 1750. *Corresp.*

(5) Voir sa lettre au duc de Richelieu, 1751. Il y parle de son *Siècle de Louis XIV*, et
dit : « Je crois surtout que madame de Pompadour pourra ne pas désapprouver la manière
dont je parle de..., etc. *Corresp.*

flatter indirectement cette puissance d'une femme qui, dans sa haute position, « ne voulait que des esclaves (1). » Voltaire avait lui-même, peu d'années auparavant, failli échouer à l'Académie, et, à cet égard, il avait à se faire pardonner de honteuses démarches. Il nous reste de lui deux lettres qui sont un accablant témoignage (2). Il y flatte avec bassesse; il affiche une piété menteuse, un attachement hypocrite aux Jésuites, et désavoue lâchement un livre qu'il a fait (3). Cette conduite coupable et blâmée ne devenait-elle pas plus excusable par l'exemple de celle que, loin de Paris, il ne craint pas d'attribuer à un grand écrivain, aimé à la cour, loué partout, et qui, par son dernier ouvrage (4), venait d'agiter encore les esprits jusque dans le palais du roi de Prusse, où Voltaire écrivait? Ce n'est donc pas dans ce passage du *Siècle de Louis XIV* qu'il faut chercher l'impartialité de l'historien. Il semble même nous donner un témoignage de plus contre lui-même dans cette réflexion qui lui échappe sur son livre : « Il serait plus rempli de recherches, plus curieux, plus plein, s'il était achevé dans son pays natal (5). » A Paris, Voltaire n'eût pas écrit cela de Montesquieu.

Il est plus vraisemblable de dire que Montesquieu, par son silence calculé, laissa d'abord s'accréditer le bruit que dans son œuvre avaient pu se glisser des lettres d'une autre main, mais qu'il ne le répandit pas lui-même.

M. Walckenaër voudrait encore prouver qu'il fit un désaveu par les ouvrages qu'il publia depuis, et qui contiennent des éloges sincères de la religion chrétienne. Cette preuve n'existe pas. La publication même de ces ouvrages fut sans doute, pour quelques hommes, une sorte de désaveu; mais Montesquieu n'en fit certainement pas d'autres; sa dignité s'y refusait. Auger soutient formellement que Montesquieu, loin d'employer ici une supercherie peu digne de lui, n'eut recours qu'à sa franchise et s'en trouva bien, et que, parlant comme il avait agi, il dit qu'il n'avouait ni ne désavouait l'ouvrage,

---

(1) Expression de Condorcet, *Vie de Voltaire*. — Presque tout l'article *Montesquieu*, dans le catalogue des écrivains du siècle de Louis XIV, porte un caractère de bienveillance que Voltaire a souvent démenti ailleurs.

(2) A M...... de l'Académie française, année 1745 ; — au R. P. de la Tour, jésuite, 1746. *Corresp.*

(3) *Les Lettres philosophiques.*

(4) *L'Esprit des Lois* avait paru de 1747 à 1748.

(5) Lettre à Mme Denis, année 1751. *Corresp.*

et ne le *désavouerait* jamais. Cette version est la plus probable; elle
s'accorde avec le caractère connu de l'auteur. Elle explique comment, à la faveur d'une adroite neutralité, il laissa supposer que
ses *Lettres* pouvaient n'être pas toutes de lui, et qu'une plume
étrangère aurait écrit ce qu'il appelait ses *Juvenilia*. Ainsi se
vérifie, et ce que d'Alembert en a dit dans son *Eloge* par un juste
respect pour la mémoire et les intentions de l'auteur, et ce que
Montesquieu lui-même, après trente-trois ans de silence, a insinué
dans la citation de son avant-propos que nous avons faite plus
haut (1). Tous les biographes, du reste, et Voltaire avec eux, s'accordent à dire que ce sont les démarches des amis de l'auteur, et,
selon d'Alembert, ses plaintes menaçantes, et non des rétractations,
qui réussirent enfin à le faire admettre à l'Académie. Ils auraient
pu ajouter que les rétractations les plus satisfaisantes se trouvaient
dans les *Lettres Persanes* mêmes.

Quant au roman d'*Arsace et Isménie*, qui ne fut publié que longtemps après la mort de l'auteur, il est douteux, malgré l'hypothèse
de Grimm, qu'il ait été destiné à augmenter le nombre des épisodes
des *Lettres*. C'est vers la fin de sa vie que Montesquieu l'a sans
doute composé, et il ne laisse rien pressentir d'un projet de le
joindre aux *Lettres Persanes*, dans les motifs qu'il a allégués pour
ne pas le livrer à l'impression (2).

L'édition de 1754, publiée un an avant la mort de l'auteur, et
qui contient tous les suppléments et changements qu'il y voulait
faire, est donc complète et sans mélange d'autres lettres. Montesquieu y a tout composé (3); c'est celle que nous consulterons pour
l'analyse que nous essayons.

On a dit que les *Lettres Persanes* avaient été imitées du *Siamois*
de Dufresny, de l'*Espion turc* du P. Marana. Ces livres n'ont avec
les *Lettres* à peu près d'autre conformité que celle du titre oriental
et du but, et M. Villemain a indiqué les rares épigrammes du

---

(1) Pag. 12. — Voir aussi ce qu'il écrit en 1753 au sujet d'une nouvelle édition de ses
Lettres qu'on prépare. (Lettre à l'abbé de Guasco.)

(2) Lettre à l'abbé de Guasco, 1754.— M. Walckenaër est du même avis.

(3) Je ne cite ici que par exactitude l'opinion qui a donné pour collaborateurs à Montesquieu, dans les *Lettres*, M. Barbot, président au parlement de Bordeaux, qui aurait été
chargé de fournir les réflexions morales, et M. Bel, conseiller au même parlement, chargé
des pensées badines. De telles assertions ne se discutent pas.

Siamois que Montesquieu a empruntées. C'est ailleurs qu'il faut chercher le modèle.

Il y a ici deux sources à explorer : les événements contemporains que l'auteur a connus, et les écrits qui, indépendamment des faits, l'ont inspiré.

Les faits sont assez nombreux. En 1684, une ambassade de Siamois vint solennellement avec de grands présents visiter Louis XIV. C'était la première fois que des habitants de ces contrées lointaines se montraient à Paris (1). En 1686, de nouveaux ambassadeurs arrivent de Siam, et sont reçus avec cet éclat dont le fier Louis XIV aimait à éblouir les étrangers, et qu'il rehaussait de sa propre majesté. Ils sont admis chez tous les princes ; ils visitent les monuments, les palais, les théâtres ; ils s'étonnent et réfléchissent devant toutes ces merveilles, ils s'humilient devant le grand roi. Il nous est resté de cette curieuse ambassade une relation pompeuse remplie de flatterie et de minutieux détails (2). On fit même des vers, on frappa une médaille pour conserver le souvenir de cette réception.

En 1715, un ambassadeur persan vint faire sa cour au roi (3). Louis le reçoit assis sur son trône, entouré de tous les princes, de ses généraux. Les manières de l'ambassadeur, son faste équivoque, deviennent une curiosité. On se presse pour le voir, et il est reconduit en grande cérémonie. Deux ans après, le czar Pierre se montre à Paris ; il y vient, dit-on, étudier les mœurs (4). On veut contempler aussi l'illustre voyageur, qui arrive en observateur plutôt qu'en courtisan. Il frappe à la fois par la justesse de ses vues, et par cette fière rudesse qui resta impassible même devant madame de Maintenon.

Enfin, en 1721, l'année même où parurent les *Lettres Persanes*, la cour étale des richesses nouvelles aux yeux d'un ambassadeur turc récemment arrivé (5). Il visite la Sorbonne, il admire le magnifique mausolée de Richelieu, et l'on joue devant les princes, dans les galeries des Tuileries, une comédie du P. du Cerceau, intitulée : *les Inconvénients de la grandeur.*

(1) Voltaire, *Siècle de Louis XIV*, t. i, ch. 14. — Raynal, *Hist. des Indes*, t. ii.

(2) *Voyage des ambassadeurs de Siam en France*, un petit vol., 1686. — *Idem*, 4 vol. in-12, Lyon.

(3) Duclos, *Mém. secrets*, t. iii — Saint-Simon, t. xii. — *Lettres Persanes* (92e).

(4) Voltaire, *Siècle*, t. i.

(5) *Clef du cabinet des princes*, année 1721

En résumant ces faits divers et analogues, il faut reconnaître qu'ils laissèrent sans doute dans les esprits une forte impression, que propagèrent encore les relations et les témoignages de toutes sortes auxquels ils donnèrent lieu. Mais, dans tout ce qui nous est resté sur ces magnifiques ambassades, on ne trouve qu'une prolixe adulation, où Dufresny seul à peu près osa mêler la satire. C'est là surtout ce que Montesquieu imita. Il aura trouvé piquant, comme Dufresny, de faire railler la monarchie, la société française par ces mêmes étrangers qui s'étaient prosternés devant elle, et de l'humilier à son tour par des vérités qui devenaient populaires, en expiation de la grandeur un peu mensongère qu'elle avait déployée. Les esprits étaient donc préparés. Montesquieu méditait une satire, mais il n'avait pas encore choisi la forme qu'il lui donnerait.

Parmi les écrits du temps qui ne sont pas seulement une sèche relation, se trouve le journal d'un *Voyage fait à Siam*, en 1685 et 1686, par l'abbé de Choisy. Cet abbé, qui avait accompagné le chevalier de Chaumont dans l'ambassade que Louis XIV envoya à Siam, en 1685, pour répondre à celle qu'il avait reçue un an auparavant, publia son voyage. Mais ce journal, qui ressemble à une conversation, et dont tout le mérite est dans un abandon enjoué, n'eut d'autre résultat que de nous faire mieux connaître certaines coutumes de l'Orient, au moment où Chardin se préparait à nous initier plus complètement encore. On fut entièrement familiarisé avec une partie de ces mœurs étranges par les *Mille et une Nuits*, traduction célèbre d'un livre arabe. Cette œuvre d'un savant modeste devint populaire; elle trouva des enthousiastes et des imitateurs. Seulement ce monde des chimères, ces rêves impossibles ne pouvaient fixer l'esprit positif et pratique de Montesquieu.

En 1714 paraissait le premier volume de la traduction d'un livre qui produisait une grande sensation en Angleterre. Le *Spectateur* était le journal des intérêts politiques de la patrie et du goût littéraire. Dans cette civilisation plus avancée que la nôtre, parce qu'elle l'avait précédée, on agitait depuis longtemps les questions, les controverses que la fin du dix-septième siècle préparait à peine en France; la philosophie, les sciences avaient marché en Angleterre d'un pas triomphant et devancé celles des autres nations. Les Anglais nous empruntaient les formes de notre littérature; nous cherchions, en reproduisant leurs sociétés savantes, à ajouter à leurs découvertes. Outre l'exil de deux princes qui, réfugiés sur le

sol de la France, y avaient apporté comme un germe, avec le
spectacle de leurs infortunes, le témoignage instructif de la puissance des libertés anglaises , la littérature pour sa part avait contribué à affranchir les idées. Le *Spectateur*, entre autres ouvrages,
composé par des hommes de lettres qui étaient en même temps
des hommes politiques, comptait dans son pays un très-grand
nombre de lecteurs et devait avoir un grand retentissement en
France. Dans ce recueil impérissable, on trouvait confondus la
gravité puritaine et le ton de la cour, les leçons du bon goût et
d'une saine philosophie. Il offrait aussi dans beaucoup d'articles,
« avec une forte teinte nationale, l'imitation de l'esprit français, ou
plutôt l'affinité avec le jugement et l'imagination de nos bons écrivains ; *quelquefois la piquante satire de Labruyère, avec une
pensée plus libre* (1). »

Les exemples ne manquent pas dans le premier volume de la
traduction française, qui parut sept ans avant le livre de Montesquieu. Voici ce qu'on lit à la date même que porte la première des
Lettres Persanes :

1711 (2). « Quand les quatre rois indiens visitaient notre pays, il
y a environ un an, je me mêlais avec la foule et je les suivais un
jour entier.—J'ai, depuis leur départ, chargé un ami de faire diverses
questions à leur hôte sur leurs manières et leurs usages, ainsi que
sur leurs remarques dans ce pays. — Je désirais d'apprendre l'opinion qu'ils ont encore de nous.

» L'hôte apporta à mon ami un petit rouleau de papiers écrits ,
comme il assura , par le roi indien, et oubliés , à ce qu'il suppose,
par quelque méprise. Ces papiers renfermaient une quantité d'observations singulières. — J'en offrirai à mes lecteurs un court échantillon. »

Suit une longue et étrange description de l'église de Saint-Paul. Il
ajoute avec une simplicité maligne :

« Il est probable que quand ce grand ouvrage fut entrepris, ce
qui doit remonter à plusieurs siècles , il y avait quelque religion

---

(1) Villemain, *Tableau de la littérature*, XVIIIe siècle, 1ʳᵉ part., t. 1.

(2) J'ai rectifié une partie de cette traduction au moyen de celle qu'en a faite, dans son
Encyclopédie morale ou *Choix des Essais du Babillard, du Spectateur et du Tuteur,*
M. Mézières, à qui j'ai dû l'idée première d'un rapport entre les *Lettres Persanes* et le
Spectateur.

parmi ce peuple, puisqu'il lui donne le nom de temple. Diverses raisons nous engagent à croire que les habitants de ce pays avaient jadis parmi eux une espèce de culte; — mais, en entrant ce jour-là dans une de leurs saintes maisons, je ne pus découvrir aucune marque de dévotion dans leur conduite. Il y avait, à la vérité, un homme vêtu de noir, qui était élevé au-dessus des autres et semblait débiter quelques discours avec beaucoup de véhémence; mais, pour les auditeurs, au lieu d'offrir leurs adorations à la divinité du lieu, ils s'adressaient des saluts et des compliments les uns aux autres, et un bon nombre d'entre eux dormaient d'un profond sommeil...

» Notre interprète nous parlait fort souvent d'une espèce d'animal qu'on appelle *tory*, monstre non moins dangereux que le *wihg*, et qui nous traitait aussi mal, parce que nous étions étrangers.

» Nous parvînmes avec beaucoup d'efforts à recueillir ces détails des discours de nos interprètes. — Les hommes de ce pays sont fort adroits et ingénieux dans les ouvrages d'industrie, mais, du reste, si paresseux, que nous avons vu souvent des jeunes garçons robustes se faire voiturer au milieu des rues, dans de petits pavillons, par une couple de portefaix qu'on loue pour ce service. Leur costume est aussi étrangement barbare, car ils s'étranglent presque autour du cou, et se garrottent les membres avec plusieurs liens. »

Ces notes sont suivies de réflexions sur le théâtre, sur le costume des femmes, etc.

Une lettre du *Spectateur*, datée de 1714, et écrite de Londres par un Indien à son maître, commence ainsi :

« Le peuple où je suis maintenant a la langue plus loin du cœur qu'il n'y a de Londres à Bantam (1), et vous savez que les habitants de l'une de ces villes ne savent pas ce qui se fait dans l'autre. Ils vous appellent vous et vos sujets des barbares, parce que nous disons ce que nous pensons, et se regardent comme un peuple civilisé, parce qu'ils disent une chose et en pensent une autre, etc., etc. »

Le germe des *Lettres Persanes* n'est-il pas là tout entier? n'y retrouve-t-on pas jusqu'à la forme épistolaire qui, pour d'autres motifs encore, convenait à Montesquieu? L'esprit du *Spectateur*, tour à tour austère, hardi, sceptique, religieux, n'est-ce pas l'esprit des *Lettres Persanes*? Montesquieu, dans ce livre, n'est-ce pas aussi *Labruyère avec une pensée plus libre?* Montesquieu alors con-

(1) Ville de l'île de Java, en Asie.

naissait déjà bien les Anglais et la liberté de leurs opinions ; les *Lettres* elles-mêmes en contiennent des preuves (1).

Assurément tout semble faire croire que c'est là le modèle que l'auteur a eu sous les yeux : c'est le badinage profond de Steele, c'est quelquefois la sagesse réfléchie d'Addison qu'il a voulu reproduire, comme une hardiesse féconde pour notre société. Si cette imitation n'est pas partout exacte et sensible, si, comme toutes les œuvres du génie, elle porte avec elle le coin de l'originalité propre de l'écrivain, l'empreinte de son pays et de ses premières études (2), on ne saurait nier du moins qu'il y a entre les deux productions un rapport frappant d'intention, souvent de formes, et de liberté toujours.

De même que les attaques du *Spectateur* atteignaient ordinairement un préjugé, un parti ou une personne (3), les tableaux ou les sarcasmes des *Lettres Persanes* ont eu leurs types, leur objet dans la société qu'elles stigmatisaient. D'autre part, dans ce monde sceptique, avec lequel Montesquieu se rit des abus religieux pour mieux lui faire accepter les notions de la saine religion, se rencontraient aussi ceux dont il bafouait les excès ou l'intolérance. Notre but est de retrouver autant que possible les principaux personnages contemporains que l'écrivain a pu avoir en vue, soit dans la religion, soit dans les mœurs, et de rétablir ainsi quelques parties de cette époque, qui ne peut être trop étudiée. C'est par là que s'expliqueront certaines épigrammes du livre, et que tomberont quelques-unes des accusations de frivole impiété qu'il a pu encourir : en reconnaissant les coupables, on absoudra en partie l'accusateur.

Notre tâche se divisera donc naturellement en deux parties. Dans la première, nous nous occuperons des *Lettres* où il s'agit de religion ; dans la seconde, nous passerons en revue les épigrammes

(1) Voir les *lettres* 105 et 136.

(2) Ce qui vient de là, c'est, je crois, le titre des *Lettres Persanes*, qui semble emprunté à celui des *Lettres Provinciales* ; c'est l'épisode des Troglodytes, qui a été calqué sur celui de la Bétique, dans le *Télémaque* de Fénélon ; celui des casuistes, pris ou imité de Pascal. Mais c'est tout.

(3) On peut comparer, par exemple, *Journal des Savants*, 1721, p. 100, l'annonce d'un livre intitulé : *les Trois Justaucorps*, conte tiré de Swift. Le *Journal des Savants* le critique amèrement d'avoir répandu les plus mauvaises plaisanteries contre l'Église catholique. Il ajoute : « La pièce des *trois Anneaux*, qui est à la fin, est une pièce impie qui ne tend pas à moins qu'à établir *la tolérance de toutes les religions*. » — Voir aussi, même journal, mois de septembre, des détails sur le *Conte du Tonneau*, avec diverses pièces curieuses, par Swift.

contre les mœurs, et chercherons à retrouver les originaux de plusieurs portraits, auxquels nous ajouterons quelques traits de celui de l'auteur, tirés des *Lettres* mêmes. Enfin nous terminerons par de courtes observations sur la composition de quelques lettres.

LA RELIGION.

En classant toutes les épigrammes de Montesquieu contre le christianisme sous le titre d'*Objections religieuses et morales*, on trouve que les principales sont celles-ci : Les livres nous ont-ils révélé tous les secrets de la Divinité? — Qu'est-ce que le pape? — Les coutumes religieuses constituent-elles la religion? — La pauvreté de quelques serviteurs de Dieu n'est-elle pas souvent feinte? — Les décisions des casuistes sont-elles toujours impartiales? — La persécution contre ceux qui n'observent pas une religion n'est pas de la piété de la part de ceux qui l'observent. — De la manie du prosélytisme. Elle est en contradiction avec la corruption de l'époque. — On fait dans le monde des objections religieuses plutôt pour s'amuser de la religion que pour la bien connaître. — On suit moins la voie de la justice que celle de son propre intérêt. — Dieu est juste : ce sont les docteurs qui, pleins de contradictions dans les jugements qu'ils en portent, lui donnent le plus souvent leurs propres imperfections. — Les jésuites devaient-ils tant s'acharner à faire chasser les protestants du royaume? — Est-ce une erreur de croire encore digne de respect l'homme de Dieu qui s'est laissé subjuguer par des passions auxquelles d'ailleurs il ne peut pas toujours se soustraire? — Ceux qui discutent sur la constitution *Unigenitus* sont-ils infaillibles par la grâce divine? — L'état ecclésiastique n'est-il pas une ruine pour la société par le nombre de célibataires qu'il fait? Ses habitudes d'avarice n'ôtent-elles pas l'argent à la circulation? — Quels sont les vrais plaisirs de l'autre vie? — Les nombreux commentaires sur l'Ecriture sainte l'ont-ils rendue plus intelligible? Les disputes du quiétisme, des mystiques, des casuistes, sont-elles un bien pour la religion?

Telles sont les hautes questions que tantôt Montesquieu présente sous

forme de doutes, que tantôt il tranche d'un mot dans sa concision mo-
-queuse. Il sera curieux de les examiner attentivement pour en reconnaître la valeur réelle.

Cette première assertion (1), que l'homme ignore encore bien des
mystères divins, renferme des vérités profondes. C'est un prêtre persan,
c'est-à-dire élevé dans un saint respect de la tradition, que l'auteur fait
parler. Cet homme pieux répond à d'audacieuses objections avec l'humilité d'un pontife qui, placé plus près de Dieu, comprend mieux l'infériorité de l'homme, et la rappelle à celui qui lui parle. « Vous ne
savez pas l'histoire de l'éternité, » lui dit-il; et en effet, quand on a
réfléchi à la grandeur des lois qui, en régissant le monde, nous dé-
voilent la grandeur de Dieu, et aux démonstrations sans nombre qui en ont
été faites depuis l'incrédule Lucrèce jusqu'à Fénélon, on se sent encore
arrêté devant un mystère dont la recherche a coûté la vie à Pascal, qui
a suscité tant d'éloquence et d'écrits (2), et qu'aucun écrit n'a complétement éclairci : Qu'est-ce que l'éternité ? Assurément, pour toute
réponse, il faut courber la tête et faire taire la puérilité de nos discussions et de nos systèmes. C'est le plus digne hommage qu'un Dieu tout-
puissant mérite de notre faiblesse.

Les doutes de Montesquieu sur l'autorité du pape (3), son ironie sur la
facilité des dispenses et sur les trésors immenses hérités de saint Pierre,
ne sont pas une hardiesse nouvelle. Après Luther, qui, deux siècles
auparavant, avait donné l'ardent signal, Jurieu publiait en 1685 son
livre des *Préjugés légitimes contre le Papisme*, et la révolution anglaise avait continué cette guerre contre les souverainetés religieuses,
dont on trouve un bulletin dans le journal français de Leclerc. On lit
dans l'analyse d'une Histoire ecclésiastique, écrite par un jésuite, ce
passage daté de la même époque :

« L'auteur nous expose les divers degrés par lesquels l'Église romaine,
qui n'avait pour tout revenu, au commencement, que les aumônes des
fidèles, est montée à une si grande puissance. Mais il n'y a rien qu'il
décrive avec plus de satisfaction que les libéralités des rois de France
envers l'Église de Rome, qui furent telles, que, depuis ce temps, les papes
prirent la coutume de se couronner eux-mêmes et de couronner les
empereurs ; et comme il n'y a rien de plus aisé que d'acquérir beaucoup
lorsqu'on a beaucoup acquis, il est arrivé que chaque siècle a grossi le
patrimoine de saint Pierre (4). »

(1) Lettre 18.
(2) Consulter La Bruyère, chap. *des Esprits forts.* — Montaigne, chap. 31, liv. 1. « Qu'il
faut sobrement se mêler de juger des ordonnances divines. »
(3) Lettre 29.
(4) Bayle, *Nouvelles de la république des lettres*, octobre 1684.—A cette époque aussi,
Henry, Heidegger, publiait une *Histoire de la Papauté*, divisée en sept parties. — La cinquième montre que l'Église romaine, dominant sur le temporel, ruina toute la pure doctrine.
— La sixième, qui s'étend depuis le commencement de la réformation jusqu'à la clôture du

A la même date que Montesquieu, Saint-Simon écrivait ces lignes remarquables :

« Je tiens l'Église de Rome pour la mère et la maîtresse de toutes les autres ; maîtresse *magistra* et non pas *domina*. Je ne crois ni le pape le seul évêque, ni l'évêque universel, ni ayant seul le pouvoir épiscopal duquel il émane dans les autres évêques (1). »

Ce qui contribuait encore à ébranler l'autorité du chef de l'Eglise, c'était l'empressement avec lequel, tout récemment, un pape venait de servir les rancunes étroites de Louis XIV, en flétrissant Fénélon dans la querelle du quiétisme; complicité coupable à laquelle Montesquieu semble faire allusion dans un paragraphe de sa lettre; c'était le doute que ces tristes querelles elles-mêmes introduisaient comme un poison au sein de la foi (2).

Cette lettre cependant ne saurait être justifiée complétement : son expression brève et amère ne ménage rien ; elle enveloppe toute suprématie chrétienne dans son anathème. Montesquieu sans doute rencontra là bien des contradictions. Bien longtemps après, il ajouta une note pour atténuer la rigueur de sa lettre; mais ce fut trop tard; alors le mouvement était donné ; sa hardiesse était devenue l'opinion commune.

Il y a une expiation plus digne, qui suivit immédiatement, et qui fait absoudre entièrement l'auteur. C'est la lettre (3) qui proclame la tolérance religieuse, et qui, écartant la damnation de tout homme pieux, quel qu'il soit, montre que la Divinité, équitable pour l'humanité entière, confondra un jour toutes les sectes dans sa souveraine impartialité. « Le temps, dit-il, qui consume tout, détruira les erreurs même.» Ces pensées sont d'un philosophe vraiment chrétien. Montesquieu, à vingt ans, les avait déjà fait servir à un ouvrage en forme de lettres, où il cherchait à prouver que l'idolâtrie de la plupart des païens ne semblait pas mériter une damnation éternelle. Cette opinion n'était pas nouvelle. Outre les Pères de l'Église, Diecman, dans un commentaire sur le naturalisme de Bodin, publié en 1684, cite Casaubon (4), Lamothe-Levayer (5) et d'autres, comme ayant été du même sentiment.

concile de Trente (1563), fait voir la diminution que cette Église souffrit, tant pour le temporel que pour le spirituel.

(1) *Mémoires*, tom. IX, p. 412.

(2) Il y a quelque vérité dans ces vers, inspirés alors par ces funestes débats :

> Dans ces combats où les prélats de France
> Semblent chercher la vérité,
> L'un dit qu'on détruit l'espérance,
> L'autre se plaint que c'est la charité :
> C'est la foi qu'on détruit, et personne n'y pense.

Swift disait aussi : « Certaines gens, sous prétexte d'extirper les préjugés, déracinent la vertu, la probité, la religion. » Voir *Journal des Savants*, septembre 1721.

(3) Lettre 35.

(4) Dans son ouvrage contre le cardinal Baronius.

(5) Dans son livre sur la vertu des païens.

Qui ne sait que les cérémonies religieuses ne sont pas la religion, et que beaucoup de préjugés confondent ces deux choses (1)? « C'est être superstitieux que mettre son espérance dans les formalités et dans les cérémonies (2). » Le premier objet d'un homme religieux, pour plaire à la Divinité, est d'observer les règles de la société et les devoirs de l'humanité ; car, quelque culte qu'on suive, il faut qu'on suppose que Dieu aime les hommes, puisqu'il a établi une religion pour les rendre heureux. C'est donc plaire à Dieu que les aimer et exercer envers eux les devoirs de la charité et de l'humanité. Ce n'est pas nous qui parlons ici, c'est Montesquieu lui-même dans la lettre qui nous occupe. Elle est, comme on voit, une sorte de paraphrase de la précédente. Elle y apprend quel bien on doit retirer de la religion dans l'état civil. Montesquieu n'a souvent considéré le christianisme que sous ce point de vue.

En blâmant le vœu de pauvreté que les prêtres de son temps observaient si mal (3), Montesquieu se faisait l'interprète de la plupart des opinions. En 1700 déjà, les jésuites s'étaient employés si activement auprès du roi, et auprès de l'assemblée du clergé par l'entremise du roi, qu'ils furent pour toujours affranchis de taxes et d'impositions. *Ils alléguèrent la pauvreté de leur maison professe* et les besoins de leur collége. « Ils ne parlaient pas de leurs ressources (4). » Le roi se montra bienveillant pour eux ; il témoigna le désir qu'on les tînt quittes de ce qu'ils lui payaient, « et l'assemblée, qui les avait mal menés d'ailleurs, ne voulut pas, en résistant là-dessus, témoigner de passion contre eux. » Ils eussent cependant mérité plutôt un blâme sévère, plus sévère encore que l'ironie de Montesquieu, ceux d'entre eux qui faisaient venir en secret des caisses d'or de l'Amérique (5), ceux qui, comme le cardinal de Rohan, se déshonoraient eux et leur ordre par un luxe mondain et par toutes les vanités de l'opulence, et ces moines, abbés réguliers qui jouissaient d'une fortune de deux cent mille livres de rentes, tandis que quelques pauvres curés de campagne, assujettis à des devoirs pénibles, trouvaient à peine à vivre dans une laborieuse médiocrité (6).

Les casuistes étaient pour la religion une plaie plus nuisible encore. Pascal déjà avait poursuivi de son indignation ces docteurs flexibles, dont l'unique but était d'étendre leur crédit partout au moyen de maximes à la fois faciles et sévères. Ces hommes, quand on leur reprochait leur extrême relâchement, répondaient en produisant aux yeux du public leurs directeurs austères, avec quelques livres qu'ils avaient faits sur la rigueur de la loi chrétienne, et réciproquement (7). Ces preuves menteu-

(1) Lettre 46.
(2) Pascal, *Pensées*.
(3) Lettre 57.
(4) Saint-Simon, *Mém.*, t. II.
(5) Duclos, *Mém. secrets*.
(6) Voltaire, *Siècle*, ch. 38.
(7) Pascal, 5ᵉ, 7ᵉ, 8ᵉ *Lettres Provinciales*.

ses suffisaient à l'aveuglement du plus grand nombre, même au temps de Montesquieu. Voltaire, en 1716, dans deux vers fameux d'*OEdipe*, démasqua ces prêtres hypocrites qui subjuguaient jusqu'à Louis XIV. C'est eux que le confesseur Tellier alla consulter lorsque le roi éprouva des scrupules sur l'impôt du dixième,demandé par le contrôleur Desmarets. Peu de jours après, l'intrépide confesseur assura son pénitent, au nom de la compagnie, qu'il n'y avait pas lieu d'hésiter, parce que le prince était le vrai propriétaire, le maître de tous les biens du royaume.

Les casuistes partageaient ce funeste ascendant avec les confesseurs, dont Montesquieu se plaint aussi ; ceux-ci profitaient des mystères du confessionnal pour inspirer au roi la haine de leurs adversaires. Le père Lachaise, qui, dans sa souplesse insinuante, avait su ménager en apparence ceux qu'il perdait dans l'esprit du roi, lui avait demandé, peu de jours avant de mourir, de choisir son successeur dans sa propre compagnie. « Elle est très-attachée à Votre Majesté, disait-il ; mais elle est fort étendue, fort nombreuse et composée de caractères très-différens, tous passionnés pour la gloire du corps. *On n'en pourrait pas répondre dans une disgrâce, et un mauvais coup est bientôt fait* (1). » Tellier, qui le remplaça, fut plus farouche et plus cruel. Madame de Maintenon elle-même le craignait, lui et les siens. Il se signala par un acharnement sans exemple contre le vertueux Noailles, archevêque de Paris, et contre les jansénistes, dont il osa faire détruire l'asile. La haine des confesseurs et des jésuites avait de tout temps été un objet d'effroi. Christine de Suède n'avait-elle pas autrefois dit, en riant, au P. Annat, confesseur du roi, qu'elle serait fâchée d'avoir les jésuites pour ennemis, sachant leurs forces et leur crédit? Ne l'assurait-elle pas qu'en cas de confession elle ne les choisirait jamais, voulant faire entendre par là qu'ils étaient accusés d'avoir une morale très-indulgente (2)? Et la duchesse de Bourgogne, sitôt enlevée aux espérances de la cour, n'avait-elle pas repoussé, avec une répugnance qu'on ne surmonta pas, le jésuite La Rue, son confesseur ordinaire, lorsqu'il se présenta pour la disposer à la mort? Henri-Jules de Condé, la fille de Jacques II à Saint-Germain, le fils même de l'obséquieux Dangeau, avaient de même répudié les leurs ; et Victor-Amédée, roi de Sardaigne, appelé au lit de mort de celui qui le confessait, reçut de lui le conseil de ne jamais devenir le pénitent d'un membre de son ordre (3).

Le même esprit de tolérance qui avait dicté à Montesquieu une si philosophique générosité envers les païens et toutes les autres sectes, reparaît ici dans sa lettre contre les persécutions religieuses (4). Non, il n'est pas nécessaire, pour aimer et observer un culte, de haïr et de

(1) Duclos, *Mém. secrets.*
(2) Motteville, *Mém.*, t. iv.
(3) Duclos, *Mém. secrets.*
(4) Lettre 60.

persécuter ceux qui ne l'observent pas ; et les exemples d'intolérance, qui furent trop nombreux sous le règne de Louis XIV et qui le souillèrent, s'éloignent tellement du véritable esprit du christianisme, qu'ils sont une impardonnable impiété. Les querelles du quiétisme, de la *Constitution*, la démolition de Port-Royal, la révocation de l'édit de Nantes, sont des pages qu'il faudrait pouvoir déchirer de l'histoire du XVIIᵉ siècle. Elles avilissent le parti qui a provoqué d'aussi odieuses mesures et le roi qui s'en est fait l'instrument.

Ce n'est pas ici le lieu de retracer les événements si tristement célèbres amenés par la révocation de l'édit de Nantes, qui bannissait de la France, outre des talents dans l'industrie, de grands généraux, d'illustres marins, des membres de l'Académie des sciences ; nous ne rappellerons que le jansénisme.

Les jésuites ne voyaient dans l'Église d'autre parti que le leur, et voulaient le faire triompher sur tous les points au détriment de tout autre. Ici c'était une querelle avec le chancelier : habitués à faire librement imprimer leurs mandements, ils veulent profiter du double zèle du roi contre le quiétisme et le jansénisme, et obtenir le droit d'imprimer aussi, sans autorité ni privilége, des livres de doctrine contre leurs ennemis. Madame de Maintenon soutient leurs prétentions (1). Là, c'était le roi, qui, plus confiant dans la candeur d'un serviteur indifférent que dans les rapports d'un ministre, envoie Maréchal pour juger de l'état de Port-Royal, qu'on avait dépeint sous de si noires couleurs. A son retour, Maréchal ayant dit qu'il n'avait vu là que des *saints* et des *saintes*, le roi soupirait et hésitait dans ses projets de destruction, lorsque Tellier, puisant l'audace dans l'indécision même de son pénitent, lui persuade que ces vertus hypocrites cachaient les plus criminels projets. Louis se laisse séduire ; il finit par croire, à tort, que toute autre école que celle des jésuites en voulait à l'autorité royale « et n'avait qu'un esprit d'indépendance et de républicain. » Port-Royal est démoli.

Saint-Simon, dans son style vif et passionné, dans son originale incorrection, exprimait, avec l'abus qui se faisait du nom de janséniste, un sentiment analogue à celui de Montesquieu :

« (2) Le nom de jansénisme et de janséniste est un pot au noir de l'usage le plus commode pour perdre qui on veut, et d'un millier de personnes à qui on le jette, il n'y en a peut-être pas deux qui le méritent. Ne pas croire ce qu'il plaît à la cour de Rome de prétendre sur le spirituel et même sur le temporel, ou mener une vie simple, retirée, laborieuse, serrée, ou être uni avec des personnes de cette sorte, c'en est assez pour encourir la tache de janséniste, et cette étendue de soupçons mal fondés, mais si commode et si utile à qui l'inspire et en profite, est *une plaie cruelle à la religion, à la société, à l'État.* — Je tiens tout parti

(1) Saint-Simon, *Mém.*, t. III.
(2) Saint-Simon, t. IX, p. 418.

détestable dans l'Église et dans l'État. » Maxime profonde que Montesquieu proclame aussi dans l'apparente frivolité de ses Lettres, et qu'on commençait enfin, s'il faut l'en croire, à mettre en pratique envers le peuple juif seulement, dont les malheurs avaient en quelque sorte fatigué la persécution !

Ce qui frappe dans la lettre suivante (1), c'est son invraisemblance. Un ecclésiastique ne fait à personne, et moins à un étranger qu'à tout autre, des révélations sur le peu de succès que les gens de son ordre obtiennent dans le monde, sur le ridicule dont ils sont l'objet, et sur la manie qu'ils ont de convertir. A part ce défaut, que nous avons expliqué déjà, et qui est commun à presque toutes ces lettres, mais à un degré moindre qu'ici, le fond de celle-ci est vrai. L'épicurisme dominant était nécessairement peu favorable à l'admission de la morale ecclésiastique ; de plus, le rôle double que remplissaient alors la plupart des prêtres, celui d'hommes du monde et de serviteurs de Dieu, affaiblissait leur ascendant en compromettant leur gravité. On les trouvait ridicules quand ils voulaient corriger les débordements dont ils étaient complices, et au-dessous de leur caractère quand ils les approuvaient (2). Loin de se renfermer dans leurs métropoles, des cardinaux, des évêques demeuraient à Paris, ajoutaient à leurs premiers titres ceux de pairs, d'académiciens, s'introduisaient à la cour, briguaient des ambassades, en obtenaient, et ne savaient pas ordinairement préserver la sainteté de leur caractère du contact de la licence (3).

Que pouvaient-ils répondre alors quand on les faisait disputer sur des questions théologiques au milieu de ce monde sans foi, et prouver l'utilité de la prière à des incrédules dont ils étaient les amis? Où ressaisir leur puissance perdue dans le torrent de leurs propres faiblesses? où trouver cette éloquence que donne seule une conscience pure? Leur empire le plus souvent s'était ébranlé avec leurs principes. Tantôt c'est Rohan qui, sollicité par des gens de cour, tenté par l'appât d'une dignité nouvelle, prête les mains à un odieux complot, ourdi contre un prélat qu'il aimait ; tantôt c'est l'archevêque d'Embrun qui attribue à ceux de Port-Royal un écrit injurieux qui courait contre lui. Il se plaint dans une requête au roi ; ceux de Port-Royal en font une à leur tour, très-spirituelle, que Louvois et Condé défendent ardemment contre l'archevêque d'Embrun. Celui-ci, furieux, s'écrie que ce n'est point aux gens du monde à parler des affaires de l'Église, ni à en juger. « *Non*, dit Condé, *ce n'est pas à nous à juger de cela, mais c'est à vous à vous mêler des intrigues de cour, à quêter des ambassades, et nous n'y trouverons rien à dire. Je vous*

(1) Lettre 61.
(2) Montesquieu, même lettre.
(3) Une épigramme de Racine nous apprend que sous Louis XIV l'Église de France avait cinquante-deux prélats qui abandonnaient leurs résidences et vivaient au milieu des plaisirs et des corruptions de Versailles. — Cf. Boileau, *An, Épît.* 1.

déclare néanmoins que tant que vous voudrez faire notre métier, je
crois qu'il nous sera du moins permis de parler du vôtre (1). »

Ceux qui conservaient l'intégrité de leurs convictions au milieu de ce
mouvement des passions cherchaient à faire des prosélytes ; c'était une
passion aussi. Montesquieu nous le dit, et cela peut se concevoir. Dans
cette société entraînée ailleurs, les efforts pour la ramener ne pouvaient
se borner à de simples exhortations, à des exemples devenus infructueux.
Il fallait, après l'avoir fait remonter jusqu'à la croyance religieuse, l'y
fixer par des engagements solennels, par l'éclat d'une conversion. A cette
passion souvent louable s'en mêlaient d'autres, excitées par l'esprit de
parti. L'ardeur que quelques hommes déployaient contre les huguenots,
contre les jansénistes, n'était point satisfaite de leur ôter tout crédit,
toute place, tout asile ; elle allait jusqu'à leur arracher par la conversion
leurs adeptes, leurs frères, leurs amis. C'est ce besoin de convertir,
devenu une manie, que Montesquieu poursuit ici. On réussissait trop
souvent par des moyens coupables que le roi favorisait. Une caisse particulière avait été fondée par lui pour convertir à prix d'argent. Les
évêques, à qui on envoyait des sommes, renvoyaient plus tard des listes
de convertis, portant en marge le prix des abjurations. Plus un évêque
demandait d'argent, plus il montrait de ferveur (2). Mais ces succès
s'obtenaient principalement en province. A la cour, Louis XIV, malgré
ses efforts, malgré l'exemple de sa dévotion nouvelle, était impuissant à
rallier les protestants. Il n'avait pas plus d'influence sur les autres ; il ne
corrigeait pas l'impiété : il la révoltait ou la forçait à l'hypocrisie (3).
C'est ce qui faisait dire à La Bruyère qu'à la cour on ne voyait fleurir que
deux sortes de gens, les libertins et les hypocrites.

Montesquieu conclut (4) que les chrétiens ne portent pas en eux la vive
persuasion de leur religion. Comment, en effet, croire fortement con-
vaincus les prosélytes de la ville et de la province vendus au christianisme ; les dévots de la cour qui, pour plaire au roi, avaient pris un
masque pieux, et qui servaient d'exemple à une partie de la société ; les
prélats, plus imités encore, qui s'occupaient des intrigues de politique
ou de sectes, et le roi enfin, cet autre modèle, qui, après avoir aidé
l'intolérance, avait à peine effacé des désordres passés par un tardif retour
à Dieu ? Aussi vivait-on dans un flux et reflux perpétuel de foi et d'incrédulité. Les courtisans, les femmes, les gens de guerre entamaient des
discussions religieuses avec des ecclésiastiques qu'ils décriaient, et leur

(1) *Véritable vie de la duchesse de Longueville,* par Villefore, t. 11, p. 108.
(2) Rulhière, *Éclaircissement sur la révocation de l'édit de Nantes.*
(3) « C'est une chose délicate à un prince religieux de réformer la cour et la rendre pieuse.
Instruit jusqu'où le courtisan veut lui plaire et aux dépens de quoi il feroit sa fortune, il le
ménage avec prudence, il tolère, il dissimule de peur de le jeter dans l'hypocrisie ou le sacrilége. Il attend plus de Dieu et du temps que de son zèle et de son industrie. » La Bruyère,
Caractères.
(4) Lettre 78.

demandaient le plus souvent ce qu'ils étaient résolus de ne pas croire. C'était plus rarement le besoin de la foi que celui d'une lutte d'esprit qui soulevait ces débats. Le duc d'Orléans, depuis régent du royaume, avait consulté Fénélon sur les plus hautes questions religieuses et philosophiques. Il lui avait demandé la démonstration de l'existence de Dieu, quel culte convient à ce Dieu si peu respecté. Fénélon lui répondait par des *Lettres sur plusieurs questions de théologie et de métaphysique*, et le duc d'Orléans n'en gardait pas moins son désolant scepticisme.

Ces contradictions entre une curiosité pieuse et des mœurs impies, Montesquieu les retrouve même entre l'abolition de l'esclavage en France et le trafic des esclaves dans les possessions françaises du Nouveau-Monde. Ses réflexions, qui sont d'un philanthrope, indiquaient déjà une plaie sociale qui est à peine fermée aujourd'hui. A l'époque où il les publiait, on n'avait apporté que quelques légères modifications aux prescriptions du *Code noir*. En 1712, on appliquait moins arbitrairement la question aux esclaves : la permission des magistrats fut jugée nécessaire. Mais, un an après, on ne pouvait les affranchir qu'avec l'autorisation du gouvernement, très-dispendieuse, souvent difficile à obtenir, tandis qu'auparavant ces affranchissements étaient gratuits, et ne dépendaient que des maîtres. Ce n'est qu'en 1738 que les témoignages des esclaves furent admis devant les tribunaux, et purent servir à arrêter d'infâmes abus qui, jusque-là, s'étaient autorisés de l'impunité. Mais, néanmoins, cet atroce trafic d'hommes s'exerçait toujours.

Cette question, sur laquelle Montesquieu s'est beaucoup étendu dans l'*Esprit des Lois*, et qu'il traite dans une lettre où il s'agit de religion, n'est point une digression inutile ; elle est religieuse au fond. On le voit assez à la pensée par laquelle Usbek termine toutes ces réflexions, et qui, en les résumant, montre leur portée véritable. C'est une action de grâces rendue au Dieu qu'il adore de ce qu'il professe une religion qui *se fait préférer à tous les intérêts humains*.

A cette haute intelligence du christianisme succède l'éloge de la justice. Il semble que cette lettre (1) soit la suite naturelle de la précédente. Le style ici est aussi élevé que les sentiments. Après avoir reconnu que les hommes écoutent moins la justice que leur intérêt, il ajoute : « La justice élève sa voix, mais elle a peine à se faire entendre dans le tumulte des passions. » Il s'attache d'abord à faire ressortir la preuve de la justice divine. Après avoir ensuite démontré le besoin de l'amour de la justice pour elle-même, il réclame, il s'indigne à bon droit contre ceux qui commettent des iniquités au nom de l'équité divine. Les exemples ne devaient pas manquer, et nous en avons déjà mentionné plusieurs ; mais peut-on en mentionner trop ? Quoi de plus sacrilége que cet évêque du

(1) Lettre 84.

Mans (1), qui, pour servir un parti, acceptait une bulle lancée au nom du ciel contre un livre qu'il avouait n'avoir jamais lu ? Quoi de plus cruellement inique que le père du chancelier d'Aguesseau faisant rouer vif, pour des intérêts terrestres , un prédicant protestant du Languedoc ; que ces ardents défenseurs de la *Constitution* , qui , au besoin , l'auraient aussi vivement repoussée qu'ils mettaient de zèle à la soutenir (2) ? Quoi de plus fermement religieux que cette proposition condamnée du livre de Quesnel : « *La crainte d'une excommunication injuste ne doit jamais nous empêcher de faire notre devoir ?* » Tous les autres exemples sont assez connus.

Dans l'expulsion des protestants, présentée sous une forme allégorique, Montesquieu voit autre chose encore qu'une injuste violence. Par ses rapports avec la vie civile, c'est une cruelle perte pour l'industrie, qui prospère d'ordinaire sous une religion non dominante, et que le protestantisme avait rendue florissante depuis l'administration de Colbert. Par ses rapports avec la religion , c'est une fructueuse émulation ôtée au catholicisme.

Cette question était agitée depuis longtemps. Peu avant la révocation de l'édit de Nantes, on s'était souvenu des désordres où était tombée l'Église romaine quand elle régnait seule dans le monde ; on cherchait à prouver que le voisinage des réformés avait aidé à la contenir et à la préserver de ses propres excès. Plusieurs même attribuaient à cet auxiliaire l'ardeur qu'apportait le clergé à cultiver les sciences , et la circonspection qui présidait à tous ses devoirs (3) , et regardaient la réunion de sectes diverses dans un même État comme un gage de progrès et de perfectionnement pour chacune, et comme une garantie de modération pour toutes. D'autres ont pensé que le seul remède , quand deux ou plusieurs religions se partagent un royaume, était de les contenir en ne donnant des priviléges qu'à une seule et en les subordonnant à la religion dominante (4).

Voltaire soutient qu'en tolérant le calvinisme en France , on l'aurait vu s'user par le temps ; que les protestants n'eussent point exécré , comme ils font, le grand nom de Louis XIV, et qu'enfin c'était un épouvantail à opposer à la cour de Rome. Ces vues sont d'une politique étroite : elles ne sont inspirées ni par un christianisme généreux , ni par ce vif sentiment de l'humanité qui caractérise le dix-huitième siècle. Personne, il faut le dire, ne s'est élevé ici à de plus hautes considérations que Montesquieu. Les princes n'ont rien à redouter, selon lui, de la multiplicité des reli-

---

(1) De Crévy, évêque du Mans, disait : « Je n'ai jamais lu le livre du P. Quesnel , mais j'en ai entendu dire beaucoup de bien , et si, par notre acceptation de la bulle, nous avons mis la foi à couvert, nous n'y avons pas mis la bonne foi. » Duclos, *Mém. secrets.*

(2) Voir la réponse de mademoiselle de Bourbon au roi, *id.*

(3) *De la Tolérance religieuse,* 1 vol., 1684. — Consulter Baylé, *Nouvelles de la républ. lettres,* 1684.

(4) Duclos, *Mém. secrets.*

gions, car il n'en est aucune qui ne prescrive l'obéissance et ne prêche une fidélité soumise. Toutes contiennent des préceptes utiles à la société, et il est bon qu'elles soient observées avec zèle. Les guerres de religion sont le fruit de l'intolérance et non du voisinage de croyances différentes.

Le sophisme par lequel il termine est plutôt un jeu d'esprit qu'une pensée sérieuse.

Les hommes mêmes qui, par leur état, semblent devoir être exempts de passions, les éprouvent encore. Montesquieu, dans une lettre remplie de vues sages (1), applique cette vérité à l'état ecclésiastique. Sans doute il écrivait en songeant à Dubois. Ce prêtre corrompu, qui ne savait pas être maître de ses passions, allait le devenir du royaume et de l'Église de France. Son avénement porte la même date que cette lettre. Montesquieu néanmoins, plutôt par un sentiment d'ordre et de respect que par une ironie que le reste de sa lettre ne justifierait pas, reconnaît qu'à défaut de la personne, le vulgaire doit respecter la dignité : « même infidèles, les dervis ont toujours un caractère de sainteté qui les rend respectables aux vrais croyants. »

Pascal avait reproché aux ecclésiastiques de son temps de retenir dans l'Église les hommes les plus débordés, dont la vie était déshonorante. Celle de l'abbé de Vatteville fut un des plus grands scandales peut-être parmi tous ceux qu'il faudrait citer. Ce prêtre, qui, avec la brusquerie intrépide, avait tous les goûts d'un guerrier, s'était débarrassé de la robe qui le gênait, et s'était sauvé hors de France. Armé de pistolets, il s'était frayé une route à travers mille obstacles avec le courage d'un héros et l'effronterie d'un brigand. Il arriva en Turquie, y fut pacha, pacha dissolu, s'y ennuya, revint en Franche-Comté, son pays, y obtint l'abbaye de Beaune, y continua ses débauches à peu près publiquement, et mourut presque regretté! (2) L'auteur ici, par un de ces retours qui lui sont fréquents, regarde de plus haut et traite avec indulgence ces vices qu'il a persécuté sailleurs. Ces solitaires de la Thébaïde, qui, dans le désert même, ne trouvaient pas toujours un refuge assuré contre leurs tentations, sont un exemple de plus des malheurs de la condition humaine, qui se voit attaquée par le mal jusque dans ses abstinences et dans sa vertu, qui reste vulnérable même dans sa plus grande force.

Montesquieu tire aussi des conséquences fécondes des nombreuses applications qu'il fait de la religion à la vie civile. Le célibat est à ses yeux une perte pour l'État. Celui des prêtres est un dommage très-grand (3). Il est une cause considérable de dépopulation. Ce grave sujet a diversement occupé bien des esprits. Dans cette institution du célibat, on a blâmé l'oisiveté, l'état d'inutilité et d'isolement qu'elle amène ; car l'oisiveté produit le vice ; l'inutilité et l'isolement développent l'égoïsme. Chez les

(1) Lettre 94.
(2) Saint-Simon, Mém., t. III, ann. 1702. —Duclos, Mém. secrets.
(3) Lettre 118.

Romains, dont l'auteur s'était déjà occupé, et qu'il cite dans cette lettre, les censeurs n'admettaient les célibataires ni à tester ni à rendre témoignage. Auguste avait fait des lois pour les forcer au mariage. Le czar Pierre, récemment sorti de France, s'étonnait de ce que là, et dans plusieurs autres États, on eût laissé subsister depuis tant de siècles le célibat des prêtres, qu'il regardait comme préjudiciable à la société chrétienne. « Celui-là seul qui a une femme et des enfants, disait Bacon, a donné des gages à la fortune et à la société. » Dieu a départi la vie au genre humain pour qu'il la perpétue en se multipliant. Manquer volontairement à cette loi, n'est-ce pas se soustraire au vœu de la nature? Si Dieu voulait que la race humaine fût éteinte, il tarirait en elle les sources de la vie.

Telles sont à peu près les principales raisons qu'on a opposées au célibat des prêtres. Montesquieu en ajoute d'autres qui ont rapport au bien-être public. Il parle déjà en législateur, il prélude au sujet qu'il traitera dans l'Esprit des Lois (1).

A cette institution l'auteur préfère celle des protestants, qui permet le mariage. Celle-ci avait rencontré de vives objections. Arnauld, entre autres, en avait élevé de nombreuses. Les protestants s'étaient défendus par des livres : ils se plaignaient qu'on eût outré les reproches contre eux, qu'on les fît passer pour des gens sensuels, qu'on les insultât, malgré la solidité de leurs réfutations, etc., etc. (2).Voltaire approuve le mariage des protestants (3). Montesquieu en tire des inductions favorables à la vie civile. Les protestants avaient, en effet, pour eux l'industrie, la richesse. Depuis l'édit de Henri IV, établis dans les principales villes, dans les plus avantageusement situées, en se créant des ressources par le travail, ils l'avaient popularisé autour d'eux. Sous Louis XIV, leurs mœurs laborieuses furent d'abord encouragées, leurs talents devinrent utiles, mais leur accroissement et peut-être leurs vertus ne tardèrent pas à donner de l'ombrage. « Les pays protestants, dit Montesquieu, doivent être et sont réellement plus peuplés que les catholiques. » Ceux de ces pays qui servirent de refuge aux protestants de France, le Danemark, le nord de l'Allemagne, qu'ils peuplèrent en foule, la Belgique, l'Angleterre, devinrent plus florissants encore par cet exil. Outre le prodigieux surcroît

(1) L'abbé de Saint-Pierre a reproduit et étendu les mêmes opinions. — Voir son *Mém. sur le mariage des prêtres.*

(2) Consulter *Entretiens de Philalète et de Philirène*, 1691 ; — Bayle, *Nouvelles de la républ. des lett.*, 1684 : « Messieurs de l'Église romaine auraient été bien étonnés si l'auteur de ce livre n'avait pas insisté sur l'article du mariage.— Ils nous raillent cruellement sur la dévotion qu'ils nous disent que nous avons pour le mariage. Ils outrent la matière, parce qu'ils la trouvent propre à nous faire passer pour des gens sensuels. Quoique nous réfutions très-solidement cette calomnie, on ne laisse pas de nous insulter toujours sur le chapitre du mariage. Il n'y a pas longtemps que M. Arnaud l'a fait avec cet air de chagrin et d'austérité qui règne dans son apologie pour les catholiques. »

(3) *Dictionn. philosoph.*, lettre O.

d'habitants, l'art de la guerre, le tissage des laines et des étoffes (1), la fabrication de la soie, surtout le secret de l'acier et du fer-blanc, et le perfectionnement des cristaux, qui étaient la richesse des protestants, augmentèrent celles de leurs nouvelles patries.

Indépendamment de ces résultats et des autres motifs qui font repousser comme odieuse la révocation de l'édit de Nantes, on ne peut disconvenir que le protestantisme, loin de favoriser un orgueil égoïste qui, renvoyant chacun aux lumières de son esprit, l'isole et le met en lutte avec les autres (2), loin d'être un schisme désorganisateur, devenait alors, comme Port-Royal, un contre-poids utile au catholicisme. C'était un droit de légitime examen et de résistance, ressuscité à temps contre une autorité qui s'égarait hors de ses limites, et quoi qu'on ait pu dire, un principe raisonnable, se fondant sur le respect et sur le sacrifice mutuel des uns et des autres, indispensable lien de toute société.

Au point de vue politique, le reproche renouvelé ici contre le clergé catholique d'enfouir les richesses et de les ôter à la circulation, qui est une source de prospérité publique, ce reproche était fondé en général. La vie licencieuse de plusieurs ecclésiastiques avait cependant introduit quelques exceptions, autrement honteuses. D'avares théologiens avaient déclaré que l'anathème de l'Église contre tout bénéfice usuraire n'atteignait pas ceux qui spéculaient sur les actions du financier Law. Les remboursements fictifs établis par cette nouvelle banque avaient servi aux prêtres et aux corporations religieuses à se libérer de leurs dettes. Le jésuite Lavalette, qui s'était jeté dans les affaires de finance, était déclaré banqueroutier frauduleux. Mais les richesses foncières du clergé étaient énormes; il possédait 9,000 châteaux, 250,000 fermes, 900,000 arpents de vignes, et en outre 130,000,000 de dîmes (3). On sait à quelles manœuvres spéculatives des jésuites on attribue l'idée première de la comédie du *Légataire universel*, représentée alors; vraie ou fausse, cette donnée n'est pas moins la condamnation de leurs intrigues et de leur soif de l'or. La fortune du cardinal de Rohan, qui, avant la mort de Louis XIV, était de 400,000 liv. de rentes, s'était doublée, à la fin du xviiie siècle, par l'accumulation des bénéfices entre les mains d'un de ses parents.

Des esprits ainsi dégradés pouvaient-ils s'élever du milieu de leurs débordements à la contemplation de la vie future? Montesquieu en doute avec raison (4), et s'en raille par un exemple spirituel, mais qui manque de convenance. Il devait être facile, en effet, et il l'est dans toute religion, d'épouvanter les méchants par le tableau des châtiments d'une

(1) En 1669 on comptait en France 44,000 métiers en laine. En 1710 il n'en restait plus que 18,000.
(2) Voir *Hist. de la révol. relig. en Suisse*, par de Haller.
(3) *Géographie* de Lacroix, liv. I, cap. 1. — *Dîme royale* de Vauban.
(4) Lettre 126.

autre vie. Mais l'était-il alors, et l'a-t-il été à tous les cultes, de montrer les vrais plaisirs du paradis? Cela paraît douteux quand on réfléchit à la diversité des peintures qu'en ont laissées les poëtes, et qui peuvent plutôt séduire l'imagination que satisfaire le bon sens. L'auteur montre avec raison que ceux qui, dans l'autre monde, couleraient leurs jours à jouer d'un instrument, comme Orphée, ou à se promener sans cesse, comme les ombres des Champs Elysées dans Virgile, où qui se souviendraient éternellement de ceux qu'ils ont aimés ici-bas, comme Dante et Béatrix, ne goûteraient pas encore de suprêmes voluptés, ou seraient en contradiction avec l'inconstance humaine. Car il semble que la nature des plaisirs soit d'avoir une courte durée : on a peine à s'en figurer d'autres.

Qu'on ne pense pas pourtant, en parcourant la plupart de ces lettres si mêlées de doute et de vérité, que Montesquieu crût ses contemporains incapables de la moindre vertu, et qu'il déniât toute grandeur morale à ce siècle qui possédait encore Fénélon, d'Aguesseau, Noailles, et qui venait de perdre Bossuet. Outre que nous avons indiqué et développé en plus d'un endroit les graves idées qui tantôt se décèlent sous son ironie, et tantôt la suivent et la corrigent, il y a d'autres lettres où éclate encore sa juste admiration pour les travaux de son temps.

Par exemple, il demeure saisi de respect devant les découvertes si simples à la fois et si étonnantes des savants de son siècle (1), Leibnitz, Newton, ou plutôt ses compatriotes Descartes, Tournefort, Cassini qui appartenait désormais à la France, et Huygens, ce grand géomètre qui en sortit parce qu'il était protestant. Ces savants et d'autres avaient popularisé peu à peu les connaissances physiques, et dissipé les préjugés, les notions erronées qui jusqu'alors avaient passé pour la science. L'année même (1716) où l'auteur exaltait ces grands travaux, il prononçait son discours de réception à l'Académie des sciences de Bordeaux. Il semblerait que sa lettre ait été écrite sous l'heureuse influence de cette position nouvelle, qui, en l'initiant à des études moins connues et aux travaux de ses collègues, lui faisait découvrir le vrai progrès des sciences et lui inspirait un enthousiasme intelligent. C'est alors sans doute que, dans sa ferveur savante, il avait étudié les essais d'Othon de Guerike (2) sur la machine pneumatique, les directions constantes de la lumière vers la ligne droite trouvées par Gassendi, la découverte des lois du mouvement et du choc des corps par Descartes, etc. (3), auxquelles il ajouta lui-même plusieurs traités, et entre autres des Observations sur l'histoire naturelle, qui parurent la même année que les *Lettres Persanes*.

Dans son admiration pour ces merveilles utiles, il voudrait que, pour

(1) Lettre 98. — Consulter l'*Hist. des mathémat.*, par Montucla. — *Hist. astronom.*, de Lalande.

(2) Consulter sa lettre 98. — *Voyage des ambassadeurs de Siam*. — *Expériences physiques*, Visé.

(3) Consulter sa lettre.

les répandre et les faire goûter, on les eût ornées du langage sublime, des figures hardies des Livres saints. Pascal seul peut-être aurait pu réaliser, s'il n'était mort sitôt, ce vœu d'un sage. Ainsi le style des saintes Ecritures était divin pour Montesquieu. Il peut donc se donner carrière ailleurs (1) contre l'obscurité des livres de théologie, contre les glossateurs et les commentateurs qui ont écrit sur la grâce, sur les conciles, sur les textes de l'Ecriture, sans avoir éclairci celle-ci, sans avoir éclairé la religion et fait aimer la morale. Toutes ces railleries de Montesquieu n'emportent pas la preuve qu'il ait méconnu la grandeur, les beautés des Livres sacrés (2).

Lui-même il a voulu imiter cette pureté touchante, ce charme de la simplicité, dans l'épisode si souvent vanté (3) des Troglodytes, « ce morceau digne du portique ! », dit d'Alembert. Après avoir prouvé dans le premier tableau que c'est la charité qui est la véritable équité, que la violation de celle-ci entraîne le mépris de la charité ou la cruauté, il déroule dans le deuxième, comme un contraste séduisant, les douces images de la vertu, et il la fait aimer même par son style. Quelle candeur dans ce passage !

« Ils instituèrent des fêtes en l'honneur des dieux. Les jeunes filles, ornées de fleurs, et les jeunes garçons, les célébraient par leurs danses et par les accords d'une musique champêtre ; on faisait ensuite des festins où la joie ne régnait pas moins que la frugalité. C'était dans ces assemblées que parlait la nature naïve ; c'est là qu'on apprenait à donner le cœur et à le recevoir ; c'est là que la pudeur virginale faisait en rougissant un aveu surpris, mais bientôt confirmé par le consentement des pères ; et c'est là que les tendres mères se plaisaient à prévoir une union douce et fidèle. »

Ce qui achève ce tableau le rend encore plus naturel. Un peuple ne peut longtemps rester vertueux. Les Troglodytes veulent une monarchie, dont le joug leur sera moins lourd que celui de la vertu : conclusion profonde qui nous apprend que les vertus ne sont durables qu'au milieu d'un petit nombre d'hommes, et que, quand elles nous quittent, il nous faut, pour nous retenir l'autorité des lois et d'un maître ! Par ce côté, cet épisode touche au temps de Montesquieu.

L'auteur n'a donc pas loué la morale et la religion seulement dans ses autres ouvrages. Dans ses *Lettres* il a été, il est vrai, imprudent et caustique sur de graves sujets ; il a excité des mécontentements, surtout parmi ceux qu'il avait désignés. Mais ce n'était pas là, comme on l'a prétendu, de sa part, une erreur de jeunesse. Montesquieu avait trente-

---

(1) Lettre 134.
(2) La duchesse d'Aiguillon, écrivant sur sa mort, citait de lui cette parole : « J'ai toujours respecté la religion. La morale de l'Évangile est une excellente chose et le plus beau présent que Dieu pût faire aux hommes. » Voir Auger, *Vie de Montesq.*
(3) Lettres 11, 12, 13, 14.

deux ans quand son œuvre parut. Il avait déjà écrit d'importantes dissertations sur les sciences, la religion et la politique, et depuis cinq ans il exerçait les austères fonctions de président à mortier. Comment lui supposer de folles préventions de jeune homme à trente-deux ans et avec de tels précédents? comment croire qu'il eût publié les écrits de sa jeunesse et de ses loisirs, sans avoir réfléchi mûrement à ce qu'il allait faire? et ne pouvait-il, s'il les condamnait, les détruire ou les soustraire à l'impression, comme il avait fait de son premier ouvrage sur les païens? Non, c'étaient plutôt les mœurs contemporaines, c'était plutôt, nous l'avons vu, la religion comme on la pratiquait de son temps; c'étaient les trafics honteux du chapeau de cardinal, les impiétés sanctifiées d'un Dubois, la brutale intolérance des jésuites, qu'il avait besoin de bafouer, qu'il attaquait de sang-froid, comme l'avaient fait avant lui Bayle, Jean Leclerc, et, en Angleterre, Toland (1), Collins et Swift. La saine religion, dégagée d'abus, avait d'ailleurs tous ses respects.

De même que, pour reposer les yeux du spectacle d'une société en dissolution, il mêle à ses lettres la consolante histoire des Troglodytes, de même nous l'avons vu opposer des inspirations d'une piété utile à la peinture des abus. Soit que, dans l'énumération des devoirs de chrétien, il proclame la certitude que l'Éternel ne verra un jour sur la terre que de vrais croyants, et entrevoie l'unité future de toutes les religions; soit qu'avec l'autorité d'un philosophe pieux, il accorde entre elles la prescience divine et la liberté de l'homme (2); soit qu'enfin, dans l'épisode d'Aphéridon et Astarté (3), il remonte au temps de la primitive nature, et nous découvre le frère uni à la sœur, sa compagne la plus proche et la plus aimée, la force de ce premier lien, le respect inflexible de la religion paternelle; partout l'auteur sait relever le véritable amour de Dieu aux dépens du faux.

Arrêtons-nous à ce dernier épisode; il résumera tout ce qui a été dit précédemment. Un Guèbre aime sa sœur, et, selon l'antique religion de ses pères, il voudrait en être l'époux; mais il vit avec les siens sous le joug des Mahométans, qui défendent de telles alliances. Le frère et la sœur se séparent avec douleur : Astarté, la sœur, entre au service d'une sultane. Bientôt cette sultane la marie à un eunuque mahométan qui s'établit avec elle à Ispahan. Aphéridon, le frère, qui avait épié depuis longtemps le moment de la retrouver, la revoit enfin, mais à travers

{1) En 1696 avaient paru à la fois le *Dictionnaire de Bayle*, le *Christianisme dévoilé*, de Toland, et le *Traité de l'incrédulité*, de J. Leclerc.
(2) Lettre 69.
(3) Lettre 67. — Il n'est pas sans intérêt de rappeler, à ce propos, que Montesquieu n'avait pu se résoudre à faire imprimer son roman d'*Arsace et Isménie*. « Le triomphe de l'amour conjugal de l'Orient, disait-il, est peut-être trop éloigné de nos mœurs pour être bien reçu en France. » C'est son fils qui le publia en 1783. — Grimm pense que Montesquieu, dans l'origine, avait destiné ce conte philosophique à augmenter le nombre des épisodes, comme *Aphéridon et Astarté*, les *Troglodytes*, dont il a enrichi les *Lettres Persanes*.

mille obstacles. Il lui reproche d'avoir quitté son culte. Elle lui rappelle avec force ses devoirs d'épouse : « Elle a dû adorer le Dieu de son époux. » Aphéridon , dans sa pieuse ardeur , insiste pour la détacher de ses liens. Elle lutte longtemps entre ses devoirs nouveaux et le cri de son Dieu et de son cœur. Aphéridon lui rappelle la sainteté de son premier culte ; il lui en démontre l'antique origine. Astarté est convaincue enfin ; elle obéit à la foi de ses pères, qui défend d'épouser *tout autre qu'un Guèbre*. Après quelques jours d'attente et d'efforts , elle rompt ses chaînes. Elle est réunie à son frère : un prêtre les marie. Mais il y a un abîme encore entre cette réunion si souhaitée et le vrai bonheur. Les calamités tombent sur le toit conjugal. Astarté en est arrachée et vendue à des marchands juifs. A cette triste nouvelle, Aphéridon se dévoue, lui et une fille qui lui était née depuis peu d'années. Il obtient ainsi le rachat de sa femme. Astarté, en apprenant à quel prix elle est libre, implore la servitude comme un bienfait , et les deux époux confondent leurs protestations et leurs larmes. Ils rencontrent un homme tendre et humain dans leur nouveau maître. Au bout d'un an ils sont libres. Ils s'établissent à Smyrne. Le travail , la paix du cœur, leur rendent le bonheur : ils le complètent par la reconnaissance en trouvant l'occasion d'être utiles au maître qui les avait sauvés.

Cette histoire est une composition remarquable, parfaite dans toutes ses parties ; l'intérêt s'accroît à mesure qu'on avance. La religion en est le nœud sublime : elle fait naître, elle favorise un attachement qui grandit par les angoisses ; elle en fait sortir la plus pure morale, des sentiments et un dévoûment tout chrétiens. Un instant cet attachement est aux prises avec le devoir ; mais la religion, qui est le devoir par excellence , l'emporte sur un indigne mariage ; l'amour pur triomphe. L'hymen cependant n'éteindra-t-il pas ces feux sacrés? Non , et le tableau est ici complet. Les vertus que Dieu a mises dans le cœur des deux époux, loin de s'émousser, semblent s'aiguiser par l'union et le malheur. On les arrache l'un à l'autre , et leur tendresse dévouée redouble. Enfin tant d'épreuves méritent et obtiennent leur digne prix : ils trouvent un ami et d'heureux jours , et l'enivrement de la félicité ne leur ôte pas la gratitude.

Le vieux culte des Guèbres, ces descendants dispersés des Mages, a fourni, on le voit, à Montesquieu, une création où respirent la chasteté et la simplicité des premiers temps du monde. Elle offre même dans ses habiles détails des allusions et des contrastes avec le siècle de l'auteur. Ainsi, quand Aphéridon visite sa sœur, soigneusement gardée par l'eunuque, son époux , dans son langage natal qui n'est pas compris des autres, il ne lui parle pas de sa tendresse, il lui rappelle la douce liberté dont jouissaient leurs ancêtres : « Votre mère, qui était si chaste, ne donnait à son mari , pour garant de sa vertu, que sa vertu même.... *La simplicité de leurs mœurs était pour eux une richesse plus précieuse mille fois que le faux éclat dont vous semblez jouir dans cette maison somptueuse.* » Et dès qu'il l'a vue après deux années de

13

tourments et d'attente, ses premières paroles sont celles-ci : « Quoi ! ma sœur, est-il vrai que vous avez quitté la religion de vos pères ? »

Plus tard, dans l'*Esprit des Lois*, Montesquieu, en vue de nos institutions et de nos mœurs, proscrit avec une juste sévérité ces mariages que le législateur doit rejeter, et que l'on ne peut admettre que dans les temps primitifs où la foi et l'innocence étaient toute la loi. Cependant il semble qu'il se rappelle son beau rêve d'Aphéridon et Astarté, quand il reconnaît dans le même ouvrage (1) que la religion des Guèbres rendit autrefois le royaume de Perse florissant.

De nos jours, M. de Châteaubriand paraît aussi s'être souvenu de cet épisode dans le récit des tourments et de la passion de René ; de même qu'il rappelle la fable des *Lettres Persanes* dans le voyage qu'il fait faire en France à Chactas, et dans le tableau de la cour de Versailles et des grands hommes du temps, qu'il déroule sous ses yeux (2).

Mais les œuvres des deux écrivains n'ont point d'autre rapport, et leurs sujets diffèrent entre eux comme leurs génies.

(1) Chap. 2, liv. 24. — Voir aussi *Lettres Persanes*, lettre 86.
(2) Voir *Natchez*, liv. vi.

II.

LES MOEURS.

En réunissant sous le titre unique d'*Épigrammes* les lettres qui restent, on voit qu'elles ont principalement pour objet : les embarras de Paris ; — le roi ; — les femmes en société et chez elles ; — les modes ; — la société des hommes ; — les poëtes, — les diverses manies de la science ; — l'académie ; — les oraisons funèbres ; — la robe, l'Église et l'épée ; — la finance ; — le théâtre ; — les nouvelles du jour et les nouvellistes.

On pourrait, ce semble, à l'aide de ces titres, refaire les chapitres divers de la société d'alors, en se renfermant simplement dans les *Lettres Persanes*. Mais, sur plusieurs travers qu'il retrace, Montesquieu n'a souvent écrit que quelques lignes. Ses figures ne sont quelquefois que légèrement esquissées, et il ne donne le nom d'aucune. Pour les mettre en relief ou pour leur trouver un original, il faut donc s'aider d'autres peintures, sinon plus piquantes, du moins plus complètes. C'est la tâche que nous nous proposons.

Les Siamois, dont parle Addison dans le *Spectateur*, arrivés à Londres, expriment avant toute chose leur étonnement à l'aspect des lieux et des habitudes de leur nouveau séjour. Les *Persans* de Montesquieu, descendus à Paris, éprouvent une surprise pareille. Leur attention se porte naturellement d'abord sur le spectacle extérieur de la capitale.

C'est Paris qu'ils décrivent en premier lieu (1). Les embarras des voitures et des piétons, l'élévation des maisons, et tout ce fracas perpétuel d'une grande ville, avaient déjà occupé d'autres écrivains avant Mon-

(1) Lettre 24.

tesquieu. Après les Satiriques latins, Boileau, en 1660, y a consacré sa sixième satire. Il se plaint, comme Horace et Juvénal, de la foule dont il faut fendre la presse, des importuns qui le coudoient ; et Montesquieu renouvelle les mêmes remarques et les mêmes murmures. Les fiacres, les voitures, les carrosses, excitent sa mauvaise humeur ; déjà alors ils étaient en très-grand nombre. C'est sous Louis XIV qu'on fit élargir plusieurs rues du centre de Paris (1) pour recevoir les voitures, qui, auparavant, n'avaient pu y pénétrer. Les voitures de commerce ne trouvaient que peu de débouchés ; quelques faubourgs seuls leur étaient accessibles. L'invention des carrosses, qu'on nommait d'abord *coches*, remonte aux premiers temps du règne de Henri IV : la veuve d'un maître des comptes s'y montra la première. Cependant, avant Louis XIII, la mode des voitures fut peu répandue : les grands dignitaires allaient au Louvre à cheval, et les hommes de robe se rendaient au palais sur des mules ; les dames de même ou en litière. Ce qui ajoutait à l'encombrement de la voie publique, c'étaient les carrosses de louage, inventés, vers 1650, par un sieur Sauvage (2) ; c'étaient aussi cette quantité de petits carrosses à coulisse, que deux hommes menaient (3), et cette population si accrue, qu'il fallait élever de nouvelles maisons à six ou sept étages (4). Lorsqu'en 1754, Montesquieu, en retouchant son ouvrage, relut cette lettre, il dut se ressouvenir d'une anecdote analogue, qu'il se plaisait à rapporter. Il s'agissait d'un de ses amis d'enfance, président de la cour suprême de Pau, qui, venant à Paris pour la première fois, lui demandait avec la curiosité surprise d'un Persan, en parcourant avec lui les magnifiques édifices du quai Voltaire, si ce n'était pas là la demeure d'un président ou d'un conseiller de parlement.

Le quai Voltaire mène au palais des rois. L'auteur y pénètre malignement. En écrivant contre Louis XIV, durant les dernières années de la vie du grand roi (5), il répétait à sa manière le bruit public. Il avait composé son fiel des plaintes amères qui s'élevaient de toutes parts. Le roi avait perdu son prestige. On savait qu'en le blâmant tout haut, on lui déplaisait, on l'aigrissait ; car Louis aimait la soumission autour de lui. Tous ceux qui pouvaient embellir sa cour, grandir sa vanité, il les accueillait ou les favorisait avec une bienveillance où sa hauteur se montrait encore. Tout ce qui lui faisait opposition lui donnait de l'ombrage, et ses représailles, souvent cruelles, n'épargnaient pas même toujours les libelles de la rue. Un graveur, par exemple, s'avisait-il de crayonner contre une favorite quelque image allégorique dont la vérité faisait le succès, on l'emprisonnait. Se vengeait-il par des chansons au sortir de

(1) Dulaure, *Hist. de Paris*, tom. VII.
(2) Sauval, *Antiquités de Paris*, tom. II.
(3) *Lettres patentes* sur les carrosses à coulisse. Mai 1669.
(4) *Description de la France*, par Piganiol, 2ᵉ partie.
(5) Lettres 24, 57, 44.

la Bastille, on le renfermait de nouveau et pour la vie. De désespoir il se
suicidait; le roi faisait présent de ses biens à la Dauphine, et Dangeau,
dans son indifférence laconique, écrivait : « Aujourd'hui le roi a donné
à madame la Dauphine un homme qui s'est tué lui-même; *elle espère en
tirer beaucoup d'argent* (1). » La Bruyère qualifiait avec justesse l'acte
du souverain et la note du courtisan dans ces réflexions (2) :

« Dire qu'un prince est maître absolu de tous les biens de ses sujets,
sans égards, sans compte ni discussion, c'est le langage de la flatterie;
c'est l'opinion d'un favori. — Quelle heureuse place que celle qui fournit,
dans tous les instants, l'occasion à un homme de faire du bien à tant de
milliers d'hommes! »

Dans la vieillesse de Louis XIV, les leçons voilées de l'auteur des
Caractères, les allusions de l'auteur de *Télémaque* (3), étaient rem-
placées par une critique plus hardie et des plaintes plus ouvertes.
Louis XIV décrépit, après les défaites du dehors, se sentait vaincu dans
sa cour même. Ce roi, « qui craignait les esprits, » n'en était plus craint,
et devenait impuissant à les comprimer. On ne pardonne pas à un homme
fort de faiblir, surtout de vouloir dominer jusque dans sa faiblesse. Aussi
cette autorité, qui s'imposait naguère si facilement parce qu'elle avait pour
elle l'attrait des conquêtes, le courage, la séduction de la jeunesse ou de
la grâce, en perdant tout ce qui l'avait fait accepter, ne subjuguait plus.
Les railleries venaient de partout : les gazettes étrangères, celles de Hollande particulièrement, déclamaient depuis longtemps contre le roi. Lord
Stairs, ambassadeur d'Angleterre, osa lui parler insolemment dans une
audience particulière. Le même abbé de Choisy que, plus haut, nous
avons vu faire, au nom du roi, un voyage à Siam, et qui écrivit
l'histoire de l'Église quand Louis fut devenu dévot (4), le censurait indirectement dans un éloge de Bossuet, prononcé à l'Académie française.
En parlant de l'éducation qui était donnée au Dauphin, il disait :

« On ne le flattait point; on lui faisait remarquer dans l'histoire la
peinture parlante des choses passées; que les plus grands rois n'y sont
pas plus épargnés que les moindres de leurs sujets; que, si l'on y célèbre
leurs vertus, leurs vices n'y sont pas plus oubliés. « Monseigneur, lui
disait-on un jour qu'on lui faisait voir les mausolées de nos rois, ici est
Louis XII, le père du peuple; là, François Ier, le restaurateur des
sciences et des beaux-arts. Passons tous ces autres-là, leur mémoire souf-
frirait trop à l'examen. Songez, monseigneur, que les monarques vivants,
qu'on encense tant qu'on les craint, subiront, comme ceux-ci, le jugement sévère de l'inexorable postérité, et seront pesés, comme les autres
hommes, dans la balance des siècles futurs (5). » Lorsque l'assemblée

(1) Voir aussi Guy Patin, *Lettres*, t. v, au sujet d'un imprimeur nommé Marlet.
(2) *Caract.*, du Souverain, tom. I.
(3) Son livre *De la Direction pour la conscience d'un roi* ne parut qu'en 1748.
(4) Voltaire, Catalogue des écrivains, *Siècle de Louis XIV*.
(5) Journal de Trévoux, 1704.

extraordinaire du clergé, tenue en 1711, vint haranguer le roi, Nesmond, archevêque d'Alby, porta la parole. Dans son discours, où la flatterie était une sorte de devoir et un écueil, il sut mêler avec adresse les louanges du roi avec la rigueur qu'on déployait touchant les impôts. Il se plaignit expressément des exactions nombreuses commises sur le clergé, et ajouta qu'il se croirait très-coupable, si, au lieu d'imiter les évêques qui n'osaient parler avec force qu'à de mauvais princes et à des empereurs païens, lui, qui se trouvait aux pieds d'un roi pieux, il lui dissimulait que les prêtres manquaient au peuple, aussi bien que l'argent pour en trouver; que le nombre des pasteurs était tellement diminué, que tous les diocèses en étaient privés sans savoir où en prendre (1). On était même fatigué de l'encens du théâtre. L'abbé Servien, étant à l'Opéra, écoutait un prologue où l'on répétait plusieurs fois l'éloge du roi. Impatienté de tant de servitude, dit Saint-Simon, il retourna plaisamment le sens de ce refrain, et se mit à le chanter tout haut d'un air moqueur : il excita tant de rires et d'applaudissements, que le spectacle en fut suspendu.

Ainsi Montesquieu, outre son inclination à étudier le sort des monarchies, et par suite le caractère des rois, fut encore porté par l'opinion à s'occuper de Louis XIV. Il pouvait, comme il fait, lui reprocher d'avilir les dignités, en les prodiguant pour se faire des partisans ou pour subvenir à la détresse du trésor; car c'est ainsi que deux frères de Chamillart, alors secrétaire d'État de la guerre, hommes incapables et vaniteux, portaient depuis 1702, l'un le titre de comte, l'autre celui de chevalier; depuis longtemps même tout cadet usurpait le nom de chevalier, et cet exemple avait beaucoup d'imitateurs parmi les courtisans (2). C'est ainsi que, pour récompenser le mondain cardinal de Rohan d'avoir trempé dans un complot impie, la place de grand aumônier lui était promise. C'est ainsi qu'en 1696, le contrôleur général Pontchartrain avait vendu pour 2,000 écus de lettres de noblesse, et qu'après on créa des charges ridicules, de vains titres, qui furent achetés par tous ceux qui voulaient se soustraire à l'impôt roturier de la taille, et qui rapportèrent 180,000 livres au trésor. C'est avec justice que Le Sage écrivait, à la même époque, au sujet des bons roturiers qu'on convertissait en mauvais gentilshommes, que les grandes places n'étaient pas mieux remplies que les petites ; car les sujets qui rapportaient d'honnêtes trafics n'étaient pas toujours les plus habiles gens du monde, ni les plus réglés. Les chefs de l'État, ajoutait-il, savaient bien que dans la ville la raillerie s'égayait à leurs dépens; mais ils ressemblaient à ces avares qui se consolent des sifflets du peuple en revoyant leur or.

Montesquieu rappelle l'influence du roi sur ses sujets. Il les faisait penser, dit-il, comme il voulait. Mais cette observation, prise en général,

(1) Saint-Simon, *Mém.*, tom. IX.
(2) Saint-Simon, *ibid.*

est-elle bien exacte? Paris n'imitait pas toujours la cour. Ces dehors agréables des courtisans pour les hommes de rang ou de mérite, cette politesse exquise qui descendait du trône, la ville ne la connaissait pas ou la
contrefaisait ridiculement (1). D'ailleurs, nous avons vu déjà qu'en général
les sujets blâmaient le roi, et, la fausse dévotion exceptée, n'adoptaient
pas toutes ses vues. Ce qui explique mieux la pensée de Montesquieu,
c'est la suite de ce passage, la facilité avec laquelle l'esprit public s'était
prêté à tous les changements de l'impôt, au bouleversement des finances.
Les guerres de 1688 avaient forcé Louis de recourir à des expédients
financiers qui ruinent le crédit et les sujets. On altéra les monnaies ; on
changeait arbitrairement leur valeur, selon les besoins. Le marc d'argent,
qui avait été de 26 francs, fut poussé jusqu'à 40 livres. On faisait des
refontes inégales. Une partie du numéraire passait à l'étranger, et, rentrant en France sous une nouvelle forme, nuisait aux valeurs courantes.
Dans les guerres d'Italie, en 1706, la détresse pécuniaire croissant toujours, Chamillart eut recours à un moyen qui n'a pas de crédit au moment d'une crise : il paya les dettes de l'État en papier. Il y eut des
billets de monnaie payables avec les recettes à venir. Cette ressource, que
Montesquieu censure, favorisée d'abord par le public, eut une courte
durée, parce qu'elle profita peu. Le ministre refusait en payement les
billets qu'il avait créés. Le même moyen fut cependant renouvelé plus
tard : en 1708, Desmarets émit pour 40 millions de papier-monnaie.

Ces fautes de l'administration, de si onéreux impôts, des guerres longues et désastreuses, finirent par user le ressort de la confiance publique,
à force de l'avoir mis en jeu. Ce gouvernement, qui était l'œuvre d'un
seul homme et qui se personnifiait en lui, avait suivi les mêmes vicissitudes. Vieilli et déchu comme lui, il avait aussi perdu son ascendant. A
l'imitation de tant d'autres, Montesquieu murmurait contre le vice des
affaires et les funestes caprices de Louis XIV ; contre le choix d'un trop
jeune ministre, le fils de Louvois; contre cette partialité aveugle qui, en
Italie, avait fait remplacer les talents de Catinat par l'ineptie de Villeroy,
ou, devant Turin, Vendôme par le gendre d'un favori, le jeune et imprudent duc de la Feuillade, et avait réuni, sous les murs de Lille
attaqué, trois chefs dont les talents et les volontés incompatibles devaient
amener une défaite. Il blâmait la brutale disgrâce de Vauban, et enfin
cet orgueil de tout faire seul, pour ne partager la réputation de grand
avec personne, « qui perdit ce monarque pour lequel on avait épuisé le
bronze et le marbre. »

On a observé déjà que le spectacle de cette décadence se retrouvait
dans la société. Montesquieu en découvre partout des exemples ; les
ridicules et les vices se multiplient sous sa main. Ceux des femmes sont
montrés d'abord. « Que vous êtes heureuse, écrit Usbek à Roxane (2),

(1) La Bruyère, Caract., de la Ville.
(2) Lettre 26.

d'être dans le doux pays de Perse, et non pas dans ces climats empoisonnés où l'on ne connaît ni la pudeur ni la vertu ! » Et Rica mêle ailleurs (1) le paradoxe à de tristes vérités pour appuyer son ami. L'auteur cependant met une restriction à son blâme : il trouve les femmes en France plus condamnables en apparence qu'en réalité. Plus loin (2), il leur rend encore cette justice : « Il y a parmi la société des mariages heureux et des femmes dont la vertu est un gardien sévère. Les gens dont nous parlons goûtent entre eux une paix qui ne peut être troublée ; ils sont aimés et estimés de tout le monde. » Il est moins indulgent pour leurs travers ; il ne leur pardonne ni cette coquetterie qui les fait mentir sur leur âge, et les rend si sévères pour d'autres femmes (3), ni cette injuste vanité qui prend le monopole de tous les emplois à donner, et impose son entremise à toutes les brigues (4), ni surtout ce penchant au jeu qui devient une passion dans leur vieillesse (5).

On croirait, à ces deux dernières remarques, reconnaître, dans les *Lettres*, la princesse d'Harcourt, que Montesquieu avait vue sans doute. La princesse d'Harcourt, favorite de madame de Maintenon, avait gardé dans son âge mûr les allures un peu libres de la jeunesse ; mais elle avait perdu l'éclat de sa beauté. C'était une femme hardie, toujours en mouvement, intrigant et entreprenant sur toutes choses, basse avec les gens de petite condition, affectant la distinction avec les personnes distinguées, et d'une imperturbable effronterie ; tous les trafics lui étaient bons. Les contrôleurs généraux ne pouvaient se débarrasser de ses importunités. Elle trompait les moindres gens dans les plus petites choses. Le jeu fut naturellement sa passion. « Elle y volait, et cela ouvertement, » et, sans s'embarrasser des cris, « elle empochait. » En affaires de finances, de fils de famille et d'autres gens qu'elle a ruinés, elle avait gagné des trésors. Elle se faisait craindre à la cour et ménager même par les princesses et les ministres, et pour tout ce qui la regardait *avait toutes faveurs et préférences*.

L'auteur, en comparant cette coutume du jeu en Occident avec celle de l'Orient, où le jeu est défendu, imite La Bruyère, qui, en mentionnant le même usage, fait le même rapprochement (6). Tous deux préfèrent ici la loi orientale. C'est qu'en effet l'amour du gros jeu, qui avait été poussé déjà jusqu'à la frénésie sous les deux Henri (7), avait eu de funestes conséquences (8) : il mettait le trouble dans les fortunes. Les terres qui, depuis des siècles, étaient le patrimoine et la richesse des familles, servaient d'enjeu et passaient en d'autres mains. L'hôtel de Sully avait

(1) Lettre 55.
(2) Lettre 48.
(3) Lettre 52.
(4) Lettre 108.
(5) Lettre 56.
(6) *Des biens de la fortune*, La Bruyère.
(7) Consulter les *Mémoires de Montglas*.
(8) Voir plusieurs lettres de Mme de Sévigné à sa fille.

été gagné ainsi (1); d'illustres dames avaient perdu leurs diamants au jeu. Gourville et Dangeau avaient gagné chacun plus d'un million au lansquenet. Plus tard, les hôtels de Soissons et de Gèvres furent érigés en maisons de jeu. On y jouait partout : dans les antichambres, dans les salons, et jusque dans les mansardes des laquais. Le jeu abrutissait les esprits distingués; il les familiarisait avec de riches intrigants, et consacrait toute sorte de désordres.

La princesse d'Harcourt à tous ses défauts joignait la fausse dévotion. Elle avait l'habitude de communier, et ordinairement après avoir joué jusqu'au matin. La dévotion alors effaçait tout, ou plutôt semblait tout autoriser. La vraie dévotion est respectable : elle unit la douceur et la paix du cœur. Les vraies dévotes sont aussi sévères pour leurs propres faiblesses qu'indulgentes pour celles des autres (2). Il n'en était pas de même des femmes qui usurpaient alors ce titre. Elles avaient des directeurs (3) qui trouvaient des excuses à toutes leurs fautes, et dont la morale était plus relâchée que leurs mœurs. Ces hommes, dont on avait décrié déjà la basse cupidité et l'égoïsme hypocrite, balançaient ou détruisaient en secret l'autorité du mari et faisaient partie de toutes les familles. Qu'on lise dans Duclos le portrait de madame de Grémonville: il réunit toutes les nuances de la fausse dévotion. Madame de Grémonville avait pris un empire si absolu sur son mari, qu'il était obligé, comme tous les autres en pareil cas, à une sorte de soumission envers elle dont il ne pouvait s'écarter malgré tout son mécontentement (4).

C'était ici le lieu de décider s'il est plus avantageux de laisser aux femmes leur liberté que de la leur ôter, et si la loi naturelle soumet ou non les femmes à l'autorité des hommes. Montesquieu le fait (5). Tout en avouant que c'est à leur éducation que les femmes doivent leur rang secondaire dans la société, il accorde néanmoins aux hommes un degré de puissance de plus. Dans *l'Esprit des lois*, il donne les motifs de cette opinion.

Cette manie d'avoir des directeurs fut une mode: elle ne dura pas.

(1) *Curiosités de Paris*, quartier Saint-Antoine. Paris, Saugrain, 1716.
(2) *Confessions du comte de....*, par Duclos; — La Bruyère, *passim*.
(3) Lettre 18.
(4) « Il y a telle femme qui anéantit ou qui enterre son mari, au point qu'il n'en est fait dans le monde aucune mention. Vit-il encore? ne vit-il plus? on en doute. Il ne sert dans sa famille qu'à montrer l'exemple d'un silence timide et d'une parfaite soumission. Il ne lui est dû ni douaire ni convention; mais, à cela près, et qu'il n'accouche pas, il est la femme, et elle le mari. Ils passent les mois entiers dans une même maison, sans le moindre danger de se rencontrer; il est vrai seulement qu'ils sont voisins. Monsieur paye le rôtisseur et le cuisinier, et c'est toujours chez Madame qu'on soupe. Ils n'ont souvent rien de commun, pas même le nom. Ils vivent *à la romaine* ou *à la grecque*. Chacun a le sien, et ce n'est qu'avec le temps et après qu'on est initié au jargon d'une ville, qu'on sait enfin que M. B... est publiquement, depuis vingt ans, le mari de Mme C... » La Bruyère, *Des Femmes*.
(5) Lettre 28.

D'autres modes naissaient et disparaissaient encore. L'auteur en cite malignement quelques-unes (1) : les souliers à la poulaine, les hauts patins remplacés par les souliers à boucles d'or et par des chaussures plates (2) ; les gigantesques coiffures, les bouquets de fleurs bleues (3), les glands au mouchoir (4) ; le fard et les mouches ; dans les ameublements, les tables à pied de biche, les couvertures de serge bleue, les miroirs à cadres grillés, les tapisseries armoriées, brodées d'or et d'argent : pour les hommes, sous Louis XIV, les pourpoints à ailerons, les chausses à aiguillettes ; toutes ces importantes fantaisies, pour lesquelles Louis même avait été parfois consulté, sont l'objet d'une plaisanterie ironique renouvelée de Montaigne, principalement de La Bruyère (5), et piquante dans la bouche d'étrangers. Après le règne de Louis XIV, où la mode avait gardé la gravité commandée par l'étiquette, les vêtements avaient perdu toute leur noblesse et beaucoup de leur simplicité. Les règles de l'urbanité se modifièrent aux dépens du bon goût ; les grâces de convention remplacèrent l'élégance véritable. L'habit à grandes basques et la veste à grands pans furent échangés contre la polonaise et le gilet turc, et il était de bon ton pour les seigneurs de se présenter avec le costume en désordre ou souillé de vin.

Dans le morceau du *Spectateur* déjà connu, on lit ce qui suit :

« Le costume des hommes de ce pays est étrangement barbare. Ils s'étranglent presque autour du cou, et se garrottent les membres avec plusieurs liens. Au lieu de ces belles plumes dont nous ornons nos têtes, ils achètent d'ordinaire un énorme amas de cheveux qui leur ombrage le front et retombe en larges touffes sur le milieu du dos. — Quant aux femmes de ce pays, elles laissent croître leurs cheveux à une grande longueur, et les ramassent en nœuds. — Elles seraient plus belles que le soleil, sans de petites taches qui souvent s'élèvent sur leur visage et font quelquefois une singulière bigarrure. J'ai remarqué que ces légers défauts s'effacent bien vite ; mais quand ils disparaissent d'un côté, ils reviennent d'ordinaire sur une autre partie de la face, en sorte que j'ai vu le soir sur le front une tache qui au matin était sur le menton. — L'auteur s'attache ensuite à faire voir l'extravagance des haut-de-chausses et des jupes, avec plusieurs commentaires curieux que je réserverai pour une autre occasion (6). »

Montesquieu fait observer (7) que les hommes ne parlent presque jamais

(1) Lettre 100.
(2) Roman bourgeois de Furetière, *Histoire de Lucrèce*; — Dictionnaire du même, au mot *Mode*.
(3) La Bruyère, *Modes*.
(4) *Mém.* de Choisy.
(5) Montaigne a dit : « Je plains un peuple de se laisser si fort piper et aveugler à l'autorité de l'usage présent, qu'il soit capable de changer d'opinions et d'avis tous les mois, s'il plaît à la coutume..... On diroit que c'est quelque espèce de manie qui lui tourneboule l'entendement. »
(6) *Encyclopédie morale*, Mézières. Voir plus haut, p. 175.
(7) Lettre 88.

de leurs femmes, et Larochefoucauld avait écrit : « On sait assez qu'il ne faut guère parler de sa femme, mais on ne sait pas assez qu'on devrait encore moins parler de soi. » Aussi la société des hommes ne prêtait-elle pas moins au ridicule, surtout par la fatuité. Montesquieu y recueille de nombreuses remarques et de spirituels portraits. Cette conversation (1) où chacun rejette ses mécomptes sur le changement des temps, des hommes, des affaires ; un interlocuteur goutteux et triste, sur la santé et la joie qui régnaient jadis ; un pensionnaire ruiné, sur l'administration de Colbert, où il était toujours payé d'avance ; où un lâche se félicite de l'heureuse abolition des duels ; nous montre une vérité qui n'est pas neuve, mais qui frappe encore, c'est que nos intérêts personnels se retrouvent presque toujours au fond de nos opinions.

Ce fat qui prononce hardiment sur toutes les questions (2), qui paraît universel parce qu'en toutes choses il ne doute de rien et décide absolument, et qui, sur ce qui touche l'Orient, veut être mieux informé qu'un Oriental même, c'est *Arrias*, l'intrépide discoureur, qui parle de pays étrangers qu'il n'a jamais vus comme s'il les avait habités. Il éprouve quelques graves contradictions, mais il n'est pas intimidé. Tous ces détails, il les tient de source authentique. *Sethon*, oui, *Sethon*, ambassadeur de France dans cette cour, et *qu'il connaît familièrement*, les lui a donnés sans rien omettre. Malheureusement le contradicteur à qui *Arrias* répond se trouve être *Sethon* lui-même, fraîchement arrivé de son ambassade (3).

Ce grand seigneur qui reçoit avec tant de faste (4), c'est *Pamphile* (5). C'est cet homme qui ne fait de la politesse qu'un moyen d'être remarqué ; il est plein de lui-même, il ne sort pas de l'idée de sa grandeur, de ses alliances, de sa place. Il fait peser de tout son poids son ostentation sur ceux qui le visitent. Il est dédaigneux avec ceux qui sont au-dessous de son rang, mais rampant et vil avec ceux qui sont au-dessus. Contre de telles gens, nous nourrissons une stérile jalousie qui ne nous venge pas de leur splendeur hautaine, et nous sentons que ce n'est pas là la véritable grandeur. Comment donc atteindre à celle-ci ? Montesquieu nous l'apprend : c'est en restant aimable et bienfaisant pour tous, en nous communiquant aux plus petits, en descendant avec commisération jusqu'aux moindres de leurs besoins ; en un mot, en ne nous distinguant que par le cœur, au milieu de nos semblables, et ne devenant superbes et redoutables que pour les ennemis de leur bien.

Cet autre qui se fait entendre de la rue, et force déjà l'attention par le

---

(1) Lettre 89.

(2) Lettre 72. Dans ces rapprochements et dans quelques-uns des suivants, il nous a été impossible de retrouver les types originaux qui avaient posé devant Montesquieu. Nous avons choisi les pseudonymes laissés par La Bruyère.

(3) La Bruyère, *De la Société*.

(4) Lettres 74 et 48.

(5) La Bruyère, *Des Grands*.

bruit de son carrosse (1), c'est *Théodecte*. Il grossit sa voix à mesure qu'il approche; il n'est pas moins redoutable par les choses qu'il dit que par le ton qu'il y met (2). De ces deux beaux esprits qui, hier, étaient passés inaperçus dans le monde, et qui, en ce moment, fixent vivement l'attention, l'un est *Cydias*. Hier, lui et son ami ont été malheureux dans la société où ils étaient : ils n'ont pas produit le moindre effet; leurs saillies ont échoué complétement. Rentrés chez eux, ils se sont concertés pour ne plus manquer un succès, pour appuyer l'esprit l'un de l'autre, pour préparer leurs rôles, se faire valoir à propos et s'applaudir réciproquement; pareils à ces hommes de lettres et à ces avocats du temps de Pline le Jeune, qui, à des moments convenus de leurs lectures ou de leurs harangues, recueillaient des suffrages prévus. *Cydias* et son ami réussirent. Leurs bons mots placés à propos eurent grande vogue. Toutes ces facéties étudiées, en trouvant un approbateur, firent de nombreux enthousiastes. Depuis, le bel esprit est devenu la profession de *Cydias* (3).

Enfin, cette réunion d'hommes qui battent des mains à tout ce que disent les femmes, et savent découvrir des finesses cachées sous leurs moindres paroles (4), c'est la société de *madame de Tonnins*. Là, la conversation est semée d'un grand nombre de traits, d'épigrammes, bien que la métaphysique en soit ordinairement le sujet. Le moindre mot de la maîtresse de la maison est couvert d'applaudissements. Les dissertations métaphysiques sont l'occupation habituelle des soirées. A table, les discours sont d'une autre nature. « Il n'est, pour ainsi dire, permis d'y parler que par bons mots. On tire l'élixir des moins mauvais, on renchérit sur les plus obscurs (5). » C'est une coterie de beaux esprits et de pédants, une variété des salons ridiculisés par Molière.

Une autre sorte de gens faisaient partie de ces soirées : ce sont les poëtes (6). Usbek se fait nommer les personnes qu'il a remarquées. Il désigne un homme mal habillé et qui parle autrement que les autres : on lui nomme un poëte. La singularité de langage, de manières, la pénurie, la négligence de costume des poëtes, étaient proverbiales. Boileau avait écrit assez d'épigrammes contre eux; François Colletet, Desbarreaux, Cassandre, Tristan, étaient devenus célèbres par les sarcasmes que leur misère, leur bassesse et leurs vers leur avaient attirés. Dufresny avait mendié presque toute sa vie: on sait l'aventure de son mariage, rappelée dans *Gil Blas*. Il était comblé de biens par la cour, et Louis XIV répétait souvent qu'il était le seul qu'il ne saurait enrichir. On connaît l'enflure de Chapelain, l'arrogance et le ton de Scudéry, les ridicules que

(1) Lettre 85.
(2) La Bruyère, *De la Conversation*.
(3) La Bruyère,   *ibid*.
(4) Lettre 83.
(5) *Confession du comte de....*, par Duclos.
(6) Lettres 48 et 137.

Saint-Amand afficha à la cour, et, s'il faut en croire Saint-Simon, les bassesses de Longepierre. Le Sage aussi a été impitoyable pour les poëtes. On voit dans ses écrits qu'ils étaient méprisés dans la vie civile, que leurs principes étaient aussi peu assurés que leur existence (1). Il les représente tantôt riches et à la solde des grands, tantôt dans le plus grand dénûment, faisant des brochures pour vivre, et, par une folle vanité, dédaignant la modestie et les bénéfices d'un simple emploi. Dans le monde enfin, il était notoire qu'on dérogeait au titre de noble en se faisant poëte ou homme de lettres (2).

Comme Le Sage, comme Pascal, Montesquieu n'aima jamais les poëtes. Les vers qu'il a laissés sont loin d'être excellents. Outre d'autres raisons encore, cette infériorité en poésie pourrait expliquer son peu de goût pour ceux qui en faisaient métier. Il n'aimait que les poëtes dramatiques, parce qu'à l'art des agréments ils joignent celui de remuer les passions. Voltaire ne pardonnait pas à Montesquieu sa haine contre les poëtes épiques, et il semblerait que, par une allusion facile à expliquer, Montesquieu ait voulu désigner l'auteur de *la Henriade*, en prédisant qu'il était impossible de faire de nouvelles épopées. En effet, la lettre de Montesquieu est de 1719 : Voltaire avait conçu et commencé *la Henriade* après avoir fait *OEdipe*, et avant que cette pièce fût jouée, c'est-à-dire après 1713 et avant 1718. Sa détention à la Bastille, en 1716, qui fit assez de bruit alors, et pendant laquelle il composa le second chant de son poëme, ne fut pas ignorée de Montesquieu ; chacun savait qu'il préparait une épopée ; et l'auteur des *Lettres Persanes*, dans son aversion pour les vers, a pu la condamner d'avance. Un autre motif le guidait sans doute encore : c'est le peu de succès qu'avaient eu jusqu'alors les poëmes épiques faits en France, depuis *Alaric* jusqu'à *la Henriade*. Addison, en traitant du génie, avait donné sur les poëtes quelques jugements pareils à ceux qui nous occupent (3).

D'autres originaux marquaient encore par leurs ridicules. L'auteur distingue un antiquaire, un alchimiste, un astronome, un géomètre. L'antiquaire (4), qui préfère un vieux vase brisé à un meuble commode, qui se ruine pour l'achat de quelques médailles indéchiffrables, et oublie les moindres devoirs et le soin de sa famille pour se livrer à des goûts dispendieux, avait déjà été montré. *Le Négligent*, de Dufresny, est un personnage qui délaisse les affaires pour s'occuper de porcelaines, de tableaux, etc. ; *le Babillard* (5) contient un portrait d'antiquaire ou *virtuose* rempli de traits heureux. Remarquons que ce nom de *virtuose* a une signification plus générale dans la langue des Anglais que dans la

---

(1) *Gil Blas*, liv. 13.
(2) Voir *les Trois Traités de la noblesse*, par Thierriat, ch. de la Dérogeance, 1606.
(3) *Spectateur*, n° 160, année 1711.
(4) Lettre 142.
(5) N° 216, 26 août 1710.

nôtre. Il exprime, outre la manie d'antiquaire, le goût des raretés de tous les genres.

« Un homme qui, pour toute fortune, n'avait amassé que les curiosités accumulées dans son cabinet, laissa en mourant un testament dont voici quelques dispositions (1) :

« Je lègue à ma chère femme une boîte de papillons, un lézard empaillé ; — à ma fille Elisabeth, ma recette pour conserver les chenilles mortes ; — à ma petite fille Fanny, trois œufs de crocodile ; — mon fils aîné Jean, ayant parlé peu respectueusement de sa petite sœur, *que je conserve dans l'esprit-de-vin*, et m'ayant donné divers autres sujets de mécontentement, je le déshérite et lui interdis toute prétention à mes biens personnels, ne lui laissant qu'une coquille de limaçon. »

D'Estrées, maréchal de France, avait aussi la passion des choses rares et antiques. On ne saurait dire tout ce qu'il amassa de livres curieux, d'étoffes, de porcelaines, de curiosités précieuses de toutes sortes, dont jamais il ne put faire usage. Il avait 52,000 volumes qui, toute sa vie, restèrent en ballots à l'hôtel Louvois. C'était avec cela un homme fort bon, doux et poli ; Saint-Simon l'a peint avec beaucoup d'esprit. La Bruyère, enfin, a distingué chaque manie par son objet, et fait plusieurs petits tableaux d'un grand portrait. Nous avons ainsi l'amateur de médailles, l'amateur d'estampes, l'amateur de vieux livres, etc. Chacune de ses figures a sa couleur propre, et même, en les examinant de près, on s'aperçoit qu'elles étaient connues des auteurs du *Babillard* et du *Spectateur*.

Montesquieu, choisissant les plus vives d'entre ces nuances, les a réunies pour la physionomie de son *Antiquaire;* mais il lui a donné surtout le goût des antiquités romaines, car ce docte amateur parle principalement de Pline, du Cygne de Mantoue, des voies romaines. On dirait qu'au milieu de ses recherches pour l'ouvrage qu'il préparait sur les Romains, Montesquieu avait rencontré, au fond de quelque bibliothèque ou de quelque château, un savant ami de l'antiquité qui, dans son amour pour elle, s'indignait contre toute innovation moderne, et consumait sa fortune et sa vie à acheter de poudreux manuscrits, et que, tout en profitant de ses lumières, l'auteur des *Lettres* avait voulu se moquer du ridicule usage qu'il en faisait. Le fragment dont il joint à cette lettre y est maladroitement rattaché ; c'est une pièce allégorique, comme l'auteur en a fait quelques-unes, mais moins heureusement conçue, où il expose les manéges et le système de ce Law, qu'il ne pensait pas retrouver plus tard, appauvri, mais non désabusé, à Venise.

En 1710, vint à Paris un aventurier qui prétendait avoir le grand secret de faire de l'or. Boudin, premier médecin du duc de Bourgogne, l'admit chez lui, le fit travailler sous ses yeux. Boudin, quoique médecin, était curieux de toute sorte de remèdes et de secrets. Son goût

(1) Voir *Encyclopédie morale*, Mézières, déjà cité.

pour la chimie, poussé trop loin, l'entraîna à essayer de l'alchimie : malgré sa science et son esprit, il crut que la pierre philosophale n'était pas impossible à trouver. Pour cela, malgré son avarice bien connue, il dépensa beaucoup ; rien ne lui coûtait, et il préférait aux sociétés les mieux choisies ses alambics et la familiarité d'aventuriers qui le trompaient. Ce nouveau charlatan lui coûta fort cher (1).

On sait combien le goût de l'alchimie avait été répandu dans l'origine, et combien de victimes il fit. La science médicale de Paracelse, les rêveries de Van-Helmont, étaient mélangées d'alchimie, et, en 1660, Glaubert croyait encore que le sel et le soleil étaient les deux seuls éléments de toutes choses (2). Mais, en 1679, le savant Lémery, et, vers la même époque, Boyle et Stahl, ramenèrent les esprits par des expériences plus simples et plus exactes, et contribuèrent à produire la grande révolution qui s'est opérée depuis dans la doctrine chimique. Cependant quelques sectateurs, égarés encore par des erreurs séduisantes, restaient à l'alchimie : Boudin en était un. Montesquieu nous en fait connaître un autre (3). Cette espèce de fou est dans la misère et veut acheter, sur ses espérances, une terre de 500,000 fr. Il se croit plus heureux que Nicolas Flamel et que Raymond Lulle ; il se trompe et fait pitié comme eux.

Dans une autre lettre remarquable (4) se trouve intercalée une satire contre les astronomes : c'est encore un de ces savants, restés en fort petit nombre alors, qui s'occupaient de la science avec une superstition folle, et travaillaient, aux dépens de leur santé et de leur fortune, à s'affermir dans des doctrines souvent fausses. Voltaire en a cité plusieurs exemples. Cet astronome s'occupe aussi de médecine, et, pour ses expériences médicales, faites avec un autre docteur, se voit insulté par ses voisins : ce fait n'a rien qui étonne. La médecine, qui avait été un mélange informe de l'astrologie judiciaire et des croyances superstitieuses du moyen âge, gardait encore des restes de son origine. La transplantation des maladies de l'homme sur l'animal (5), l'emploi effréné ou l'exclusion de certains émétiques, les longs débats sur l'efficacité de l'antimoine (6), la vogue des saignées, un reste de scolastique et de pédantisme, c'était là, à peu près, ce qu'on appelait la médecine au commencement du siècle : c'était plutôt de l'empirisme qu'une véritable science. Elle eut des ennemis, parce qu'elle avait fait des victimes, et quand elle n'était pas odieuse, elle se rendait ridicule. Après Molière, Le Sage fut un de ses adversaires les plus acharnés ; les justes motifs de sa haine sont consignés partout dans ses écrits.

Pascal avait dit que ce qui fait que les géomètres ne sont pas fins,

(1) Saint-Simon, *Mém.*, tom. IX.
(2) *In sole et in sale omnia.* Voir Appendice général de Glaubert, Amsterdam, 1860.
(3) Lettres 45 et 88.
(4) Lettre 145.
(5) Journal des Savants, 1675.
(6) Lettres de Guy Patin, *passim.*

c'est qu'ils ne voient pas ce qui est devant eux, et qu'étant accoutumés aux principes nets et grossiers de géométrie, et à ne raisonner qu'après avoir bien vu et manié leurs principes, ils se perdent dans les choses de finesse, où les principes ne se laissent pas ainsi manier; qu'ainsi il est rare que les géomètres soient fins, et que, parce qu'ils veulent traiter géométriquement les choses fines, ils se rendent ridicules. Montesquieu a senti ce qu'il y avait de vrai et de juste dans ces idées, et il les a en quelque sorte réalisées et fait vivre dans le géomètre qu'il dépeint (1). Martyr de sa justesse, cet homme, en conversation, est offensé d'une saillie, comme une vue délicate est offensée par une lumière trop vive. Dans un jardin dont on lui vante la beauté, il ne voit que le nombre des arpents; il ne voit que la quantité des pieds dans un magnifique édifice. Au sujet du bombardement de Fontarabie, il fait une démonstration sur la ligne que décrivent les bombes en l'air, et ne songe guère aux désastres qu'elles ont causés. Enfin il ne peut comprendre qu'un traducteur, qu'il rencontre, ait pu passer vingt ans à traduire un auteur latin, c'est-à-dire vingt ans à ne pas penser. Cette surprise sied bien à ce géomètre qui pense sans cesse, et qui porte trop partout la préoccupation de sa science. Mais, pour Montesquieu, elle n'est qu'un ingénieux paradoxe qu'il ne se serait pas chargé sans doute de soutenir, quelques années plus tard, devant l'Académie, où siégeaient d'illustres traducteurs.

Ce corps d'hommes éclairés, l'Académie française, n'échappe pas plus que tant d'autres aux traits malicieux des *Lettres Persanes* (2). Les griefs formulés contre l'Académie ne sont pas tous graves. Voici les principaux :

L'Académie met trop de lenteur à faire son dictionnaire;

Elle est trop adulatrice;

Il ne faut souvent qu'avoir eu quelque esprit de société pour en être élu membre.

La précipitation dans un livre aussi difficile et aussi important qu'un *dictionnaire de la langue française* eût été une faute sans remède, et, malgré quelques épigrammes, l'Académie restait prudente. En se montrant moins impatiente et moins incorrecte que l'avait été Furetière (que Montesquieu semble approuver), elle mettait à ses travaux cette mesure réfléchie qui, sans être de la lenteur, était un gage de perfection et d'autorité.

Il est vrai que l'Académie fut trop adulatrice alors. L'Académie des belles-lettres avait été formée d'abord pour transmettre à la postérité les hauts faits de Louis XIV, et l'Académie française, à cette époque, semblait être instituée dans un but analogue. La cour y était sans cesse flattée, et le nom du roi se mêlait à tous ses éloges. Les louanges de Louis XIV étaient depuis longtemps le sujet de morceaux de poésie mis au concours. Sous la régence, pour plaire à la cour, l'Académie entière,

(1) Lettre 128.
(2) Lettres 54 et 73.

moins une voix, excluait de son sein le respectable abbé de Saint-Pierre ; et ensuite, l'indigne Dubois, prenant la place de Dacier dans cette assemblée trop obséquieuse, recevait des éloges mensongers de la bouche de Fontenelle. Ce n'est qu'au milieu du règne de Louis XV que les sujets proposés pour le prix d'éloquence changèrent. On prit pour matière les éloges des hommes illustres de la nation dans tous les genres, sans acception de rang, de titres, ni de naissance. Mais l'esprit de l'Académie était encore servile : Duclos, en 1771, prononçait encore devant elle ces paroles qu'elle applaudissait (1) :

« L'Académie conservera l'honneur inestimable de ne recevoir des ordres que du roi seul..... L'Académie rend compte au roi des élections et de tout ce qui la concerne. »

Mais il ose ajouter : « Le désir d'y être admis n'est devenu que trop vif chez les hommes en place. On ne doit songer aux noms et aux dignités que quand le public n'élève pas la voix en faveur d'hommes de lettres. »

Sous la politesse hardie de ces dernières paroles se décèle un blâme contre ceux qui s'étaient fait un titre de leurs hautes places pour demander et obtenir un fauteuil académique. C'est que, comme le dit Montesquieu, le nombre des académiciens qui manquaient de véritables titres pour l'être avait été considérable jusqu'alors, et avait attiré à l'Académie des réclamations que Duclos même trouvait fondées de son temps.

L'auteur des *Caractères*, en faisant mention de cette compagnie, s'était plaint de la haine dont elle poursuivait « ceux qui, d'un vol libre et d'une plume légère, se sont élevés à quelque gloire par leurs écrits. » Voiture fut de l'Académie française, et Molière n'avait pu en être. S'il faut en croire Duclos, l'illustre Lamoignon refusa d'y entrer, pour plaire à des princes du sang qui faisaient des démarches en faveur de l'abbé de Chaulieu. Fontenelle ne fut élu qu'à force de persévérance. Mais on y avait admis le duc de Richelieu, Rohan, Caumartin, évêque de Blois, des courtisans sans instruction, des évêques, des prélats que leurs emplois seuls ou leur bel esprit recommandaient.

Quant au reproche de vénalité qui termine la lettre, il s'adresse à l'époque du cardinal de Richelieu, et peut-être aussi aux menées de ceux qui, récemment, pour obtenir de riches pensions et des distinctions audessus de celles de leurs collègues, avaient proposé d'établir le titre d'académicien honoraire. En se moquant du langage en honneur à l'Académie, l'auteur rappelle ce passage d'une lettre du *Babillard* où il dit que, depuis que le savant M. Nicolas fut élu membre de la *Société royale*, il ne s'est plus exprimé comme les autres, et n'a jamais parlé de manière que quelqu'un de sa famille pût le comprendre (2). Dans l'ensemble de

---

(1) Grimm. *Corresp.*, tom VII.
(2) *Babillard*, 7 septembre 1710.

ses épigrammes contre l'Académie, il rappelle celles de Boileau, de Furetière et de Saint-Évremont (1).

Montesquieu ne s'arrête pas aux panégyriques de l'Académie, il rejette aussi ceux de l'Église. L'oraison funèbre n'est à ses yeux qu'un mensonge. Sa lettre (2) a été écrite peu de temps après la mort du duc de Bourgogne, sous l'impression sans doute de la douleur publique et de l'oraison funèbre du P. La Rue, successeur affaibli de Bossuet. Montesquieu avait lu ce panégyrique, qui, en retraçant les vertus du Dauphin, exprimait imparfaitement encore ce qu'il avait été, et répondait faiblement à l'émotion commune. Il avait remarqué la brièveté ou plutôt le silence intéressé de l'orateur sur le grand prélat dont les leçons avaient provoqué tant de vertus dans l'âme du prince et qui avait eu tant de part dans sa vie; il connaissait les bruits d'empoisonnement qui avaient couru sur toutes ces morts prématurées, et qui duraient encore, et il concluait avec quelque droit que l'oraison funèbre est une pompe fausse et inutile. Ces hommages, rendus plutôt à la place qu'au mérite, et où l'exactitude de l'histoire avait été maintes fois violée, même par Bossuet, avaient perdu une grande partie de leur prestige. Bossuet, en mourant, avait emporté presque tout entière avec lui la grande éloquence qui les faisait pardonner et admirer. Ils devaient déplaire à l'esprit avide de raison et de vérité de Montesquieu. On reconnaît là la même pensée qui repoussait les ornements et tous les mensonges de la poésie (3).

Mais ces honneurs, quelquefois mérités, qu'on prodiguait aux grands personnages après leur mort, on ne les leur rendait pas toujours pendant leur vie. A part Louis XIV, les hommes de condition avaient eu de leur vivant plus d'envieux et de rivaux que de panégyristes. L'Église, l'épée et la robe, dit Montesquieu (4), avaient chacune un mépris souverain pour l'autre; et il entremêle ses observations de plaisanteries prises en partie à Dufrény.

Les gens de robe faisaient remonter leurs titres aux temps les plus anciens, et fondaient leur importance sur cette origine. La vanité de la robe la séparait de toutes les autres classes; mais elle fut toujours inférieure à la haute noblesse. De là naissait la haine que nourrissaient contre la robe tous les hommes d'épée qui n'avaient pu entrer dans la magistrature. On distinguait dans la robe deux classes : l'ancienne, qui renfermait des hommes d'assez haute naissance, et la nouvelle, plus arrogante et moins noble. La plupart de ceux de l'une et l'autre classe, en s'isolant des autres, s'entretenaient dans leur incorrigible orgueil, tout en vantant leur

(1) Une des œuvres de la jeunesse de Saint-Évremont fut la *Comédie de l'Académie*, en cinq actes et en vers. Elle ne fut imprimée qu'en 1680.

(2) Lettre 40.

(3) Voir aussi Voltaire, *Lettres sur les panégyriques*, Mélanges, tom. VII. — Il est assez étonnant que Dussault, dans son Discours sur l'oraison funèbre, ait cité Montesquieu pour réfuter les objections qu'on a faites contre l'oraison funèbre.

(4) Lettres 44, 68.

noblesse , décriaient les gens de cour , et portaient néanmoins le deuil du plus grand nombre des gens titrés qui mouraient.

Dans la première classe, ou *grande robe*, on distinguait les *Sannions* et les *Crispins* (1), bien que leur origine ne fût pas irréprochable. Ils méprisaient leurs confrères de la deuxième classe, ou la *petite robe*. La vénalité de la robe était proverbiale, avant que Boileau l'eût stigmatisée, avec d'autres abus judiciaires que Montesquieu (2) n'a pas plus épargnés. Après, elle fut moindre. Parmi les plus corrompus qui restaient, on citait le premier président de Novion. C'était un homme d'une iniquité révoltante : il vendait ses jugements, changeait le texte des arrêts, et prononçait autrement qu'on n'avait opiné à l'audience. On gémit longtemps au palais de ses injustices et de sa vénalité. Enfin on porta au roi des plaintes graves contre lui , et Novion fut obligé de résigner sa place (3). Huit ans après , Dancourt représentait encore sur la scène un procureur fourbe, une espèce de Rolet parvenu, enrichi par le vol et l'injustice (4) ; mais les gens de robe perdaient de plus en plus ces habitudes coupables, et le plus grand nombre, dans la suite, sut rester incorruptible (5). D'Aguesseau, qui fut un des hommes les plus marquants de la magistrature de ce temps, est un témoignage du désaccord qui la séparait de l'Église. Il s'était opposé, au risque d'une disgrâce , à l'enregistrement de la bulle *Unigenitus*, et, dans sa retraite de Fresnes , avait rabaissé fièrement l'ironie menaçante du nonce Quirini.

Il est à peine besoin de dire que les gens de guerre, la plupart sortis des plus nobles maisons, ne pouvaient aimer les gens de robe. Le juste orgueil des premiers , qui comptaient d'ailleurs parmi eux des princes et de grands conquérants, ne pouvait s'accommoder de la vanité exagérée des autres.

La robe se regardait avec raison au-dessus de la finance, qui ne l'emportait que par les richesses, mais qui n'était ni aussi distinguée ni même aussi pure. Parmi les financiers on comptait les partisans , les traitants , les fermiers généraux. Les attributions et les rangs n'étaient pas tout à fait les mêmes pour chacune de ces classes. Mais bientôt l'État obéré fut obligé de recourir indistinctement à l'une et à l'autre, et l'opinion publique les confondait dans la même réprobation. La plupart de ces trafiquants se jetaient dans les affaires pour s'enrichir, sans le moindre scrupule sur les moyens, et arrivaient facilement à la fortune, mais non à la considération. Humbles d'abord avec les gens de condition , ils devinrent plus tard leurs rivaux, lorsque le trésor public , pour alléger sa dette , rendit l'anoblissement obligatoire (6) , ou vendait des lettres de

(1) Voir La Bruyère.
(2) Lettre 87. — Cf. Épître v de Boileau, année 1674.
(3) Saint-Simon , *Mém.*, tom. III. Novion fut exclu en 1689.
(4) *Les Vacances*, comédie, 1697.
(5) Duclos, *Confessions du comte de* . . . . .
(6) Forbonnais, *Recherches sur les finances*, 1648.

noblesse. *Turcaret* est le modèle de ces financiers fastueux et dépravés. En lisant cette pièce, on est péniblement affecté du contraste entre cette ignoble opulence et l'affreux dénûment où se consumait au même moment (1709) le peuple, dont les dépouilles avaient servi à la fonder.

Sous le régent, on voulut faire rendre aux traitants la plus grande partie de leurs bénéfices. Cette mesure et beaucoup d'autres, dont quelques financiers furent victimes, inspirèrent de vils expédients à ceux qui échappèrent. L'argent fut caché par eux et enlevé à la circulation. Ils gagnaient les magistrats chargés de faire l'enquête de leurs biens. Leur fortune leur resta.

Enfin, quand les illusions du système de Law se furent dissipées avec le patrimoine de plusieurs grandes familles, la noblesse descendit jusqu'à la finance, et y forma des alliances pour réparer ses défaites. C'est alors que la finance s'épura en se mêlant aux grands : elle devint à la fois plus polie et moins rapace. Au milieu des salons d'alors, à côté de ces nobles de nouvelle date, on voyait aussi, non sans surprise, des employés des aides, des parvenus qui naguère avaient été laquais, officiers de bouche, etc., tant le système avait bouleversé toutes les conditions (1) ! Déjà La Bruyère avait dit d'eux :

« Combien d'hommes ressemblent à ces arbres déjà forts et avancés que l'on transplante dans les jardins, où ils surprennent les yeux de ceux qui les voient placés dans de beaux endroits où ils ne les ont pas vus croître, et qui ne connaissent ni leurs commencements ni leurs progrès (2). »

Vers le milieu du xviiie siècle, la finance était devenue tout autre ; son éducation, sa politesse, son goût des lettres, la faisaient rechercher par la meilleure compagnie, et avaient dissipé une grande partie des préjugés de ses adversaires (3).

Après s'être moqué du duc de Noailles, président du conseil des finances, qui, au milieu d'une crise terrible et des graves préoccupations de sa charge, trouvait le moyen d'être plaisant, Montesquieu, dans ces revirements de fortune qui faisaient monter aux premiers rangs de la société les êtres souvent les moins dignes, s'attache surtout à faire sentir le peu de prix des richesses. Ajoutons qu'il ne songeait guère alors que cette diatribe et d'autres encore contre la finance devaient dans la suite lui attirer la réfutation d'un fermier-général qui ne manquait ni de talent ni de considération.

Dans la relation déjà citée du *Spectateur*, il est aussi parlé du théâtre. Les Siamois s'y rendent, s'attendant à voir une chasse, une course, ou une lutte ; ils restent étonnés en reconnaissant leur erreur. Montesquieu a consacré de même une lettre au théâtre (4). Depuis la mort de Molière,

(1) Lettres 99 et 138.
(2) La Bruyère, *Des biens de la fortune.*
(3) Duclos, *Confessions du comte de.....* (1742).
(4) Lettre 28.

sa troupe, qui portait aussi le nom de troupe du Palais-Royal, s'était établie, avec celle de l'hôtel de Bourgogne, de l'autre côté de la Seine, d'abord rue Mazarine, et ensuite rue des Fossés-Saint-Germain-des-Prés. C'était le temps des critiques sévères et passionnées de l'art dramatique. Les comédiens redoutaient avant tout celles du banc des auteurs (1). Dans la semaine, ils tremblaient aussi devant le parterre, qui n'était composé que de gens instruits et d'amateurs de goût. C'était là que Boileau et Condé avaient défendu avec chaleur le *Britannicus* de Racine, qui avait déplu à la loge de madame de Sévigné, et que Leclerc était payé pour dénigrer dans les *Nouvelles à la main* (2) ; là que deux camps s'étaient formés quelques années après, l'un pour la *Phèdre* de Pradon, l'autre pour la *Phèdre* de Racine.

Toutes ces pièces, pour être admises, étaient présentées ordinairement au *semainier* de la Comédie, qui gardait modestement la porte du théâtre le jour des représentations. Ce comédien pouvait refuser les pièces qui lui déplaisaient : celles qu'il acceptait avaient besoin, pour être jouées, de la sanction de tous les comédiens du Roi réunis (3).

Montesquieu fait assister ses Persans à une représentation de ce genre. Comme des étrangers, ils sont plus frappés du spectacle extérieur que de la pièce qui se joue. Peut-être auraient-ils dû s'étendre davantage sur ce que la scène offrait de neuf et d'inattendu. Mais Montesquieu voulait surtout persifler les mœurs, et il dépeint principalement les loges et la salle, où il découvre plus d'intrigues que sur la scène.

De là ils passent au foyer. Le foyer était fréquenté alors par des auteurs, des hommes de cour, par de vieux acteurs et de vieux amateurs. Les femmes, qui, depuis le seizième siècle seulement, avaient eu régulièrement des rôles sur le théâtre, devenues des actrices de renom, se montraient aussi là. Dans les entr'actes et à la fin des pièces, on discutait sur le mérite des rôles et de l'ouvrage. Les acteurs vieillis jugeaient avec leurs souvenirs, quelques auteurs avec leur vanité, et la plupart avec justesse. Vers 1686, les journaux devinrent l'écho des opinions du foyer, et les salons adoptaient souvent ses jugements.

Usbek quitte le foyer pour l'Opéra, et, au lieu d'y écouter la musique, il y cherche des aventures.

A cette époque, l'Opéra était au Palais-Royal (4) ; son origine remontait à 1669. Après un sieur Perrin, qui en eut alors le privilége, et qui, avec Cambert et Beauchamp, composa, sous les auspices de Mazarin, le premier opéra français qui fut joué (5), parurent Lulli et Quinault. Lamotte fut le plus célèbre des successeurs de ce dernier. Les opéras étaient d'a-

(1) Voir *Artémise et Poliante*, par Boursault, 1739. Jugement sur *Britannicus*.
(2) En 1669. *Lettre autographe* du marquis d'Hernonville.
(3) *Lettres historiques sur les spectacles de Paris*. Première lettre : la Comédie-française. — Voir aussi *Histoire de la vie et des ouvrages de Molière*, par Taschereau.
(4) *Traité de la police*, par Delamarre, liv. 3.
(5) Lettres patentes du 26 juin 1669 ; — *Recueil des opéras* de Ballard.

bord divisés en deux genres, en tragédies et en pastorales (1), qui étaient précédées de prologues. Longtemps la plupart de ces prologues servirent à prodiguer l'encens à Louis XIV. Les dieux mythologiques, les machines, les astres, la musique tantôt italienne, tantôt française, les ballets, les feux d'artifice, avaient fait de ce spectacle le rendez-vous de la noblesse et des grands. Montesquieu ne pouvait le passer sous silence; mais il est entré dans des détails trop libres, plus dignes de la plume de Le Sage. Son imagination l'a emporté hors des bornes du goût et de la décence, qui fait aussi partie du goût. Addison, dans quelques lignes, a été plus vraisemblable et plus convenant.

Les acteurs, les auteurs dramatiques, les hommes de lettres, se rassemblaient de jour au *café*, lieu de réunion fort en vogue alors. Montesquieu s'y arrête un instant (2). Ces établissements avaient remplacé les tavernes, fréquentées naguère par la jeunesse élégante de Paris. Apporté récemment dans la capitale par un Grec nommé *Procopi*, qui faisait partie de la suite d'un ambassadeur arménien, le café fut bientôt une mode. Les grandes dames s'en faisaient apporter jusque dans leurs équipages. Il ne tarda pas à devenir un besoin durable. En 1688, les comédiens du Roi ayant eu, comme nous l'avons dit, permission de s'établir rue des Fossés-Saint-Germain-des-Prés, augmentèrent la vogue de la maison de Procopi, établie dans le voisinage sous le nom de *Café Procope*, et qui était la plus renommée de Paris. Le café, loin d'abrutir l'esprit comme le vin, l'excitait et suscitait des pensées plus fines et plus élevées. On traitait, là aussi, des questions d'art et de littérature; la critique était assaisonnée de saillies. C'est là que se débattaient les adversaires et les partisans des anciens et des modernes; et Montesquieu y fait allusion; il rappelle la querelle sur Homère que venaient de soulever la préface et la traduction de Lamotte; mais il donne ailleurs son sentiment sur cette question (3). Il se prononce pour les anciens avant les modernes, mais non contre ceux-ci. Il ne faut, selon lui, lire les derniers qu'après avoir épuisé les premiers. Il imitait en cela Fénélon, qui avait opiné avec tant de justesse dans cette discussion. Addison aussi était un grand ami de l'antiquité. Mais ces doutes renouvelés sur le goût avaient encore une autre portée qui devait échapper à Montesquieu, et que de nos jours on a parfaitement saisie. Ils révélaient jusqu'au sein des lettres l'inquiétude des esprits, leur besoin de secouer toute autorité, et pouvaient faire prévoir leur affranchissement dans un avenir peu éloigné.

Dans ces lieux de réunion on lisait en même temps les journaux, et on les commentait diversement (4). Les journaux répandus alors étaient la *Gazette de France* et le *Mercure*. Ce dernier journal s'était autrefois

(1) Recueil des opéras de Ballard.
(2) Lettres 36, 109, 130.
(3) Lettre 109.
(4) Même Lettre.

déclaré pour les modernes dans la dispute entamée jadis par Perrault, et Montesquieu lui reproche encore de s'en occuper trop. L'auteur des *Caractères* avait été plus sévère pour cette publication, qui d'abord faisait profit de médisance et de futilité; il est vrai qu'alors elle était rédigée par le sieur de Vizé, écrivain sans probité et sans goût. A la date de la lettre de Montesquieu, sa rédaction avait changé (1); mais dans les extraits sans critique des livres nouveaux qu'on y trouvait, dans les éloges immodérés qui y étaient prodigués aux auteurs vivants, on reconnaissait une partialité coupable qui avait encore un autre mobile que le mauvais goût, et contre laquelle les *lettres* avaient raison de s'élever.

Enfin les nouvelles du moment s'apprenaient encore autrement : il y avait une classe d'hommes dont le métier ou le goût était de les découvrir, d'en inventer quelquefois, de les colporter et de les répandre. La Bruyère les appelle les *nouvellistes*, et Addison nous a laissé un chapitre spirituel sur ceux qui s'occupent de politique (2). On peut encore ranger dans la même classe ceux qu'il appelle *pédants* (3), et qui ont particulièrement beaucoup d'affinité avec les nouvellistes qui inventent. Il en cite de plusieurs sortes : le pédant de ville, le pédant érudit, le pédant militaire. Il dit de celui-ci :

« Le pédant militaire parle toujours dans un camp; il emporte les villes d'assaut, établit des logements, et livre dix batailles d'un bout de l'année à l'autre. Tous ses discours sentent la poudre; » Montesquieu dit aussi d'eux : « Ils font voler les armées comme des grues, et tomber les murailles comme des cartons; ils ont des ponts sur toutes les rivières, des routes secrètes dans toutes les montagnes, des magasins immenses dans les sables brûlants; »

Il y avait plusieurs sortes de nouvellistes. Les uns se tenaient dans les jardins publics, autour des tables, où ils lisaient les gazettes et se perdaient en longs commentaires sur la politique et sur les affaires. Au boulingrin du Palais-Royal étaient d'autres nouvellistes plus nombreux, assis à l'ombre des marronniers : c'étaient d'anciens bourgeois retirés du négoce, de vieux soldats, etc. On venait là savoir et donner des nouvelles (4). Quelques-uns d'entre ces oisifs préoccupés étaient souvent pleins de hauteur et de pédantisme.

Les nouvellistes les plus importants étaient ceux qui, vers le soir, s'assemblaient au fond du jardin des Tuileries, du côté de la rivière. Ceux-là venaient de tous les points, des cafés et même des cloîtres, agitaient les événements les plus nouveaux de la journée, et étaient ardemment écoutés par une foule pressée de tirer toute sorte de profits de ces

(1) Voir Camusat, *Histoire des Journaux*.
(2) *Babillard*, 6 avril 1710, n° 155.
(3) *Spectateur*, n° 105.
(4) *Ambigu d'Auteuil.* Le Nouvelliste.

nouvelles (1). Il est facile de comprendre que, bien souvent, la critique de tels juges devait être aveugle et injuste ; que, chaque jour ne pouvant apporter son événement, leur besoin de remplir leurs loisirs, d'occuper les autres, leurs renseignements mal pris, ou les sources incertaines où ils les puisaient, devaient donner lieu à des mensonges ou à de graves erreurs.

C'était là pour l'observateur une matière féconde de railleries. La Bruyère les a ridiculisés en quelques lignes expressives. Montesquieu, en montrant le vide de leurs connaissances en politique, l'inexactitude de leurs assertions, n'a fait que développer un peu trop longuement peut-être les mêmes épigrammes.

Cherchons, pour compléter ces portraits divers, à démêler quelques couleurs de celui de Montesquieu dans un petit nombre de passages de son livre ; ce sera dignement achever cette série. La vie de ce grand écrivain fut, on le sait, remplie par l'étude, les voyages, et le soin de sa famille et de ses terres. On connaît sa bonté modeste et sa simplicité avec ceux qu'il voyait habituellement. La religion était pour lui l'objet d'une grande vénération. Il ne l'aimait pas dans les diverses interprétations qu'en donnait l'Église d'alors, mais il l'adorait comme homme, comme citoyen, comme père de famille, dans les bienfaits qu'elle répand sur l'humanité, dans l'esprit de charité qu'elle communique (2).

« Ceux qui aiment à s'instruire, dit Usbek, ne sont jamais oisifs. Quoique je ne sois chargé d'aucune affaire importante, je suis cependant dans une occupation continuelle. Je passe ma vie à examiner ; j'écris le soir ce que j'ai vu, ce que j'ai remarqué dans la journée. Tout m'intéresse, tout m'étonne ; je suis comme un enfant dont les organes encore tendres sont vivement frappés par les moindres objets. »

Montesquieu s'est peint ici : on reconnaît le philosophe laborieux que l'étude et une immense lecture avaient constamment mis à l'abri du moindre ennui (3). En société, comme Usbek, il apportait plus de curiosité que de politesse. Il aimait les maisons où il n'avait pas besoin de faire violence à ses habitudes de tous les jours. Il était plus difficile dans les salons que dans la vie privée. Il y choisissait peu de personnes, et s'ennuyait parfois avec tout ce grand nombre de gens, ordinairement plus prétentieux que spirituels. Il y était porté à la critique, parce qu'il y voyait plus de choses qu'un autre et les sentait mieux.

Il avait le goût de faire des livres, et de la répugnance à les avouer. Cela explique comment, en n'aimant pas parler de lui, il tenait à en faire parler. Il gardait sous sa tranquillité modeste un juste orgueil qui savait se faire jour au besoin. « Heureux, s'écrie Rica, heureux celui

(1) Lettre 10.
(2) Lettre 48.
(3) Lettre 148.

qui a assez de vanité pour ne dire jamais de bien de lui , qui craint ceux qui l'écoutent , et ne compromet point son mérite avec l'orgueil des autres (1)! « Ailleurs c'est l'amour de la gloire, dont l'aveu lui échappe dans l'explication qu'il en donne (2).

Cette facilité de caractère, dans sa vie intérieure, qui le familiarisait même avec ses fermiers, lui attira plus tard des amis partout où il voyagea , et la plupart des liens qu'il forma durèrent jusqu'à sa mort. C'est qu'il avait pour maxime que le cœur est citoyen de tous les pays, et que partout où il trouvait des hommes il choisissait des amis (3).

Ce grand homme mourut avec le courage calme qu'il avait montré durant sa vie. La mort ne l'avait jamais effrayé. Il avait dit dans ses *Lettres* : « Il faut pleurer les hommes à leur naissance et non pas à leur mort (4). » Ses dernières paroles furent d'un sage et d'un chrétien. La duchesse d'Aiguillon , dans la lettre qu'elle écrivit après la mort de Montesquieu pour justifier ses sentiments religieux , aurait pu citer cette noble invocation des *Lettres Persanes* : « Je rends grâces au Dieu tout-puissant de ce que je professe une religion qui se fait préférer à tous les intérêts humains, et qui est pure comme le ciel dont elle est descendue (5) » !

Telles sont les observations et les épigrammes principales des *Lettres Persanes* touchant la religion et les mœurs en France. Nous aurions pu y ajouter celles qui ont été suggérées par les mauvais livres de tous genres (6), que l'auteur, comme Cervantes dans son *Don Quichotte*, et aussi peu sérieusement que lui , a tantôt décriés et que tantôt il aurait voulu anéantir. Mais , outre qu'il eût fallu faire l'analyse de chacun de ces livres et de chacune de leurs nombreuses catégories pour apprécier la critique de Montesquieu , ce qui nous aurait éloigné de notre but, il nous a semblé qu'il n'y avait pas une animosité bien réelle dans la plupart de ces sarcasmes. En exceptant les livres de théologie et de controverses religieuses, on ne reconnaît dans ces exagérations moqueuses que quelques vérités de plus contre les poëtes, les médecins et leurs travaux. Du reste ,

(1) Lettres 60, 144.
(2) Lettre 90.
(3) Lettre 67.
(4) Lettre 40.
(5) Lettre 78.
(6) Lettres 66, 78, 132, 133, 134, 135, 142. — Il y a de grands rapports entre cette critique contre les livres et la fin du nº 158 du *Babillard*, où il est parlé des *pédants* éditeurs, commentateurs, interprètes, scoliastes et critiques.

il n'y a de parti pris contre aucun autre livre en particulier. Nous avons donc dû laisser de côté cette partie des épigrammes dans notre analyse, où a d'ailleurs été traité tout ce qui concerne les théologiens, la médecine et les poëtes.

Dans tout ce qui n'est pas épigrammatique, il y a une partie qu'on a vivement reprochée à Montesquieu; ce sont ses détails sur le sérail de l'Orient. Oui, l'auteur ici a été trop loin; oui, il a fait une faute. Ses premières et ses dernières lettres sont le fruit d'une imagination échauffée à la fois par les relations de l'Orient et par les révélations des différents codes, par la licence du siècle et par les révoltants épisodes des cours de justice d'alors (1): l'éclat de son style n'efface pas l'impudicité des pensées.

Mais Montesquieu a voulu faire un cadre complet, il a voulu parler en Persan; il a commencé et terminé son livre par des scènes de sérail, pour lier, comme il dit, son roman; ensuite il a mis si peu d'importance à ces morceaux qui servent de préambule et de dénoûment, qu'il s'est trompé une fois sur les noms de ceux qui sont en scène (2), et a semé des traits d'esprit français au milieu de ces idées orientales. Malgré cela, il faut l'avouer, il a outré des peintures qu'il aurait dû abréger ou voiler, et l'on ne saurait tout à fait lui pardonner.

Ce qui pourrait plutôt le faire absoudre pour ces hardiesses et pour quelques autres hyperboles, c'est la partie qui reste, c'est ce petit nombre de lettres éparses où se trahit sa pensée dominante, la pensée de *l'Esprit des Lois* et de la *Décadence romaine*. Ces lettres ne sont que de brillantes ébauches; elles n'ont été développées et complètes que dans les autres œuvres de Montesquieu. Nous ne pouvons donc que les indiquer. Ce sont des digressions politiques et philosophiques sur les premiers législateurs et les lois primitives, sur les populations diverses, sur les Russes, les Tartares, *les Anglais*, sur les différences entre l'Asie et l'Europe, sur les mœurs de l'Espagne, sur le suicide, sur les principes du droit public. Là l'observateur profond et le grand écrivain se montrent en même temps: presque rien n'est donné à l'esprit et à l'effet; c'est une raison pénétrante, c'est là saine morale qui parlent, et l'expression est grave comme elles.

Le style de ce livre, en général, est ferme et pur. En quelques endroits, sa précision nerveuse contraste avec la légèreté de la matière; en quelques autres, la chaleur est plutôt dans l'idée que dans les mots. Dans tout le reste, il est nuancé et brillant, selon les épisodes; mais il n'est pas partout d'une correction irréprochable. M. Walckenaër avait déjà dit, en relevant une faute de style dans un des chapitres de Montesquieu sur le goût (3), que ce n'était pas la première fois que la prédilection de ce grand homme pour les tournures antithétiques et concises lui

(1) Lettre 87.
(2) Voir les lettres 4 et 20, où Zachi est nommé pour Zéphis.
(3) *Archives littéraires de l'Europe*, tome II, 1804.

avait mérité le double reproche d'obscurité et d'incorrection, et qu'on en pourrait citer plus d'un exemple dans ses ouvrages imprimés. Les *Lettres Persanes* en renferment plusieurs qu'il sera curieux de noter avec d'autres remarques sur le style.

Après la préface, dont le début contient une faute de langage (1), la lettre qui traite du théâtre (2) est d'une forme trop française; ces descriptions des loges, du costume des femmes et des politesses du foyer, sont moins d'un étranger que d'un homme habitué aux raffinements du luxe et des salons; elle contient deux phrases incorrectes:

« Ceux qui *prennent* le plus de peine sont des gens qu'on *prend* pour soutenir *à la fatigue.* »

Et plus loin :

« Enfin on se rend à des salles où l'on joue une comédie particulière. On dit que la *connaissance* la plus légère met un homme en droit d'en étouffer un autre. »

Cette dernière idée n'est pas clairement exprimée. Le petit chapitre qui s'ajoute à l'épisode des Troglodytes (3) est décousu et sans transition; chaque phrase est un épisode nouveau. Là, comme en beaucoup d'autres endroits, Montesquieu cache le lien qui unit ses pensées. « Les interruptions, les repos, les sections, ne devraient être d'usage que quand on traite des sujets différents (4) ; » c'est une règle que Montesquieu a trop négligée. A cette réponse du vieillard à ses concitoyens:

« Pourvu que vous évitiez de tomber dans les grands crimes, vous n'aurez pas besoin de la vertu, »

on reconnaît la manière d'Horace, qui faisait consister la vertu à fuir le vice. Plus loin (5) :

« Il faudrait qu'il n'y eût que trois personnes dans le monde; ils seront toujours *à but* quand il y en aura quatre. »

Il dit des gens de robe (6) :

« Tel qu'on devrait mépriser parce qu'il est un sot, ne *l'est* souvent que parce qu'il est homme de robe. »

Et d'un alchimiste (7) :

« Tout cela se fit promptement, parce que notre homme ne marchanda rien, et ne compta jamais. Aussi ne *déplaça-t-il* pas. »

Il imite un beau vers de Racine quand il dit des femmes de l'Orient (8) :

« La lumière du jour n'est pas plus pure que le feu qui brûle dans le cœur de nos femmes. »

(1) Dans la 1re ligne, il dit *davantage que...* V. plus loin l'observation de M. Ste-Beuve.
(2) Lettre 28.
(3) Lettre 15.
(4) Opinion de Buffon sur Montesquieu. Voir son Discours à l'Académie française.
(5) Lettre 38.
(6) Lettre 44.
(7) Lettre 45.
(8) Lettre 48.

Dans la touchante histoire d'*Aphéridon et Astarté*, dont nous avons loué déjà la conception et le style, il s'est pourtant glissé une phrase plus concise que correcte :

« N'étais-je pas assez infortunée, s'écrie Astarté, sans que vous travaillassiez à me *le* rendre encore davantage ? »

Il faut admirer sans restriction sa lettre sur les législations (1) : avec la hauteur des aperçus elle contient des sentiments noblement exprimés.

« Les pères, dit Montesquieu, sont l'image du Créateur de l'univers, qui, quoiqu'il puisse conduire les hommes par son amour, ne laisse pas de se les attacher encore par les motifs de l'espérance et de la crainte. »

En jetant un coup d'œil pénétrant sur les colonies, il a écrit (2) :

« Les liquides étant accoutumés à une certaine consistance, les solides à une certaine disposition, tous les deux à un certain degré de mouvement, n'en peuvent plus souffrir d'autres, et ils résistent à un nouveau *pli*. »

Ailleurs, au sujet d'un géomètre (3) :

« Cependant son esprit régulier *toisait* tout ce qui se disait dans la conversation. »

Expression pittoresque et juste, qu'aucune autre ne pourrait remplacer ici ! La Bruyère avait dit du fleuriste attaché tout le jour à son jardin :

« Vous le voyez *planté* et qui a pris racine au milieu de ses tulipes. »

Dans ses *Caractères*, il avait soutenu aussi qu'on doutait de Dieu dans une bonne santé, et Boileau avait peint un incrédule qui a besoin, pour croire en Dieu, que la fièvre le brûle. Montesquieu (4) leur a emprunté cette vérité satirique et l'a développée. Enfin, dans cette leçon sévère adressée aux ministres qui, tels que Dubois et d'Argenson, faisaient des lois odieuses au peuple pour justifier des mesures arbitraires (5), l'auteur s'est souvenu d'une pièce de vers fameuse, et il a renouvelé impunément les *J'ai vu* attribués à tort à Voltaire.

Nous avons indiqué sur quels modèles les *Lettres Persanes* pouvaient avoir été imaginées pour le fond, et relevé les imitations et les taches légères de la forme. Ce n'en est pas moins un livre neuf où le génie de l'écrivain, par des paradoxes frappants et des épigrammes habilement rajeunies, par les hautes spéculations risquées à travers de libres tableaux, en flattant la mode du siècle, est resté original et puissant. Il devait avoir et il eut un prodigieux succès. Ce succès même, où la gra-

(1) Lettre 79.
(2) Lettre 122.
(3) Lettre 128.
(4) Lettre 75.
(5) Lettre 146.

vité de certaines *Lettres* avait aussi sa part, annonçait déjà l'influence qu'allait avoir la littérature, et la prochaine prépondérance des écrivains dans l'État. Ce livre se vendit *comme du pain*, suivant la prédiction faite à l'auteur par le P. Desmolets, son ami. Chose remarquable, et qui est encore un trait des mœurs du siècle! c'est un abbé qui avait été chargé de faire imprimer les *Lettres Persanes*, et celui qui le premier applaudit à leur publication est le P. Desmolets, prêtre et bibliothécaire de l'Oratoire, à Paris, occupé, la même année où elles parurent, d'une édition (1) de la *Bibliothèque sacrée*.

Qu'il me soit permis d'ajouter ici, comme correctif et comme couronnement à ce travail, quelques observations de M. Sainte-Beuve sur Montesquieu. J'ai toujours été surpris que ce critique si fin et si pénétrant n'eût pas placé ce nom-là dans la curieuse galerie de ses *portraits*. Peut-être M. Sainte-Beuve se propose-t-il de le faire entrer dans le livre qu'il prépare sur le dix-huitième siècle et qui doit paraître prochainement.

En tout cas, on ne sera pas fâché d'avoir ici une partie de sa pensée sur Montesquieu. Voici ce qu'il m'écrivait :

« ..... Dans les *Mémoires de Garat sur Suard*, vous auriez trouvé quelque échantillon de la conversation de Montesquieu. Il parlait volontiers par traits, en images.

» Pour la religion, je crois, malgré tout, qu'il n'en avait guère qu'un respect politique et social. Dans ses Pensées, on lit que la *dévotion, c'est l'idée qu'on vaut mieux qu'un autre* (ou à peu près) : je crois cela bien plus le fond de sa pensée que les belles paroles tant citées, et qui ne sont que des précautions magnifiques peut-être; mais il vaut mieux ne pas fouiller au delà.

» Quant à sa bonté modeste, j'y crois; mais je crois bien plus à sa bonté de sage et d'homme d'habitude qu'à sa tendresse de cœur en rien. Il y a bien de la sécheresse dans cette charité tant vantée (vous savez l'anecdote) (2) et qui se dérobe à toute reconnaissance. Au reste, c'est moins là un blâme que j'entends lui faire qu'un trait de caractère que je note.

_____

(1) Journal des Savants, 1721.
(2) La voici :

« Il allait souvent à Marseille visiter sa sœur, Mme d'Héricourt. Se promenant un jour sur le port pour prendre le frais, il est invité par un jeune matelot de bonne mine à choisir de préférence son bateau pour aller faire un tour en mer. Dès qu'il fut entré dans le bateau, Montesquieu crut s'apercevoir, à la manière dont ce jeune homme ramait, qu'il n'exerçait pas ce métier depuis longtemps. Il le questionne, et il apprend qu'il est joaillier de profession; qu'il se fait batelier les fêtes et les dimanches pour gagner quelque argent et seconder

» Il avait, selon moi, une forte tête avant tout, et, méprisant toute
sorte de choses (comme il le laissa échapper dans ses *Lettres Persanes*),
il se contint depuis et ne parla plus qu'avec sérieux, sentant au moins la
grandeur de l'invention sociale, sinon de la nature humaine.

» Au nombre de ses incorrections de style, je ne sais si vous avez noté
la première ligne de la préface des *Lettres Persanes*, où il y a *davantage que*, ce qui académiquement est réputé une faute. »

Voici quelques réflexions inédites d'un autre écrivain tout opposé à
M. Sainte-Beuve par les vues et le ton. Il s'agit de M. de Salvandy.
Autant le premier est raffiné et analytique dans ses aperçus, autant l'autre
est sommaire et haut dans ses appréciations. Le premier pénètre dans le
cœur humain par des voies dérobées, et que seul il semble connaître. Il
se loge, il se blottit plutôt dans les replis, et y découvre mille secrets dont
il fait son butin. L'autre entre comme par la grande porte, sans courber
la tête ; il va droit à l'homme, le mesurant sur les faits les plus en vue,
sur son caractère public, et, comparant l'individu au genre, et l'homme
au monde ou au temps, il prononce en quelques mots sur lui et le marque
au visage d'un ou deux grands traits qui font relief :

« Les ouvrages de Montesquieu sont pour tout homme politique un tel
sujet d'inépuisable méditation, que mon attention est acquise à tout ce
qui s'y rattache.

» Toute la pensée de cet ouvrage se trouve dans ce jugement admirable de M. Villemain (*c'est le plus profond des ouvrages frivoles*),

---

les efforts de sa mère et de ses sœurs ; que tous quatre travaillent et économisent pour
amasser deux mille écus et racheter leur père, esclave à Tétouan.

« Montesquieu, touché du récit de ce jeune homme et de l'état de cette famille intéressante,
s'informe du nom du père, du nom du maître auquel il appartient. Il se fait conduire à
terre, donne à son batelier sa bourse, qui contenait seize louis d'or et quelques écus, et s'é-
chappe. Six semaines après, le père revient dans sa maison. Il juge bientôt, à l'étonnement
des siens, qu'il ne leur doit pas sa liberté, comme il l'avait cru d'abord, et il leur apprend
que non-seulement on l'a racheté, mais qu'encore, après avoir pourvu aux frais de son
habillement et de son passage, on lui a remis une somme de cinquante louis. Le jeune
homme alors soupçonne un nouveau bienfait de l'inconnu, et se met en devoir de le chercher. Après deux ans d'inutiles démarches, il le rencontre par hasard dans la rue, se pré-
cipite à ses genoux, le conjure, les larmes aux yeux, de venir partager la joie d'une famille
au bonheur de laquelle il ne manque que de pouvoir jouir de la présence de son bienfaiteur,
et de lui exprimer toute sa reconnaissance. Montesquieu reste impassible, ne veut convenir
de rien, et s'éloigne à la faveur de la foule qui l'entourait.

» Cette belle action serait toujours restée ignorée, si les gens d'affaires de Montesquieu n'eussent trouvé, après sa mort, une note écrite de sa main, indiquant qu'une somme de 7,900 fr.
avait été envoyée par lui à M. Main, banquier anglais à Cadix. Ils demandèrent à ce dernier des éclaircissements. M. Main répondit qu'il avait employé cette somme pour délivrer
un Marseillais nommé Robert, esclave à Tétouan, conformément aux ordres de M. le président de Montesquieu. La famille de Robert a raconté le reste. » Voir Walckenaër, *Vies de
plusieurs personnages célèbres*, tom. II, p. 288.

qui résume en un mot ce livre si caractéristique, si sérieux, si prophétique avec une apparence si légère.

» La révolution française est inévitable pour quiconque a lu cet ouvrage, et on ne sait si on doit davantage s'étonner, ou qu'il ait pu être écrit si près de Louis XIV, ou que la révolution ait encore été si loin.

» Je trouve curieuse et manifeste l'origine des *Lettres Persanes*. La goutte d'eau est devenue fleuve bien vite. J'explique ou j'excuse les débordements d'un tel génie, et n'est-ce pas avec raison? Il faudrait se persuader que, quand on est si élevé, on est impeccable, et que Dieu ne nous fait obéir qu'à ce qu'il nous fait aimer..... »

. . . .

J'ai besoin d'ajouter qu'en publiant ces appréciations je n'ai eu d'autre objet que l'intérêt du lecteur. Il pourra ainsi conclure, en mettant en regard de mon opinion les opinions différentes et bien autrement importantes de deux écrivains, fort compétents, sur l'œuvre de Montesquieu.

M. DE RÉMUSAT.

MÉLANGES.
(1847.)

Je n'aime que les ouvrages où l'écrivain trahit l'homme, et n'ai guère d'attrait pour ceux qui le cachent. Il me semble qu'on n'a rien de bon à montrer quand on se cèle si parfaitement, et qu'il y a plus d'orgueil que de modestie à ce calcul d'auteur. En parlant de Casimir Périer, M. de Rémusat dit qu'on ne connaît bien que ceux qu'on aime. Je retourne la proposition, et je pense qu'on n'aime bien que ceux que l'on connaît. A ce prix-là, je suis bien près d'aimer M. de Rémusat, car je crois déjà bien le connaître par son livre de *Mélanges*. Mais, pour le faire connaître aux autres, il faut le prendre à la Restauration.

La Restauration ne fut qu'une halte de 15 ans dans le mouvement libéral de la France de 89. Les excès de l'Empire et ses malheurs, Moscou et Waterloo, avaient ébranlé les esprits et ouvert la voie aux vieux préjugés ramenés par la Restauration. La marche en avant nous avait fait heurter contre des obstacles et précipités dans des abîmes sanglants : on s'effraya et l'on tenta de rétrograder avec les Bourbons. Mais était-ce bien rétro-grader que voulait le meilleur de la génération d'alors, la jeune milice des quinze ans ? N'était-ce pas plutôt attendre, se recueillir, prendre des forces nouvelles et se préparer à monter à l'assaut d'un nouveau Capitole, moins hérissé cette fois de débris, de canons et de mitraille, sans tourbillons, sans nuages, avec la liberté et la raison au sommet? M. Jouffroy, l'un des plus regrettables soldats de cette jeune avant-garde, un de ceux qui devaient monter, écrivait à cette époque :

« Un peuple ne doit tirer l'épée que pour défendre ou conquérir son » indépendance. S'il attaque ses voisins pour les soumettre à son pou-» voir, il se déshonore; s'il envahit leur territoire sous le prétexte d'y » fonder la liberté, on le trompe ou il se trompe lui-même. Violer tous

15

» les droits d'une nation pour les rétablir est à la fois l'inconséquence la
» plus étrange et l'action la plus injuste. L'amour de la liberté commença
» la révolution française ; l'Europe, désavouant la politique de ses rois,
» nous accordait son estime et son admiration. Mais bientôt les applau-
» dissements cessèrent. La justice avait été foulée aux pieds par les
» factions ; la liberté devait périr avec elle : aussi ne la revit-on plus. Le
» seul nom subsista quelques années..... L'épée française fit partout de
» funestes miracles : on vit bien qu'elle pouvait tout, mais on ne vit pas
» ce qu'elle saurait respecter. »

Paroles prophétiques et marquées de raison, qui sont tout un programme ! Ce que l'épée française avait eu d'action et d'ascendant dans
le monde, l'esprit de la jeunesse des quinze ans voulait le tenter dans le
domaine de la pensée. A côté des croyances exclusives et étroites que le
régime nouveau essayait d'imposer, elle inaugurait le règne des idées.
Elle ne doutait pas, mais elle discutait, n'acceptant l'héritage du passé
que sous bénéfice d'inventaire, et préparant l'avenir par des lumières
variées, sans cesse renaissantes, par les luttes les plus fécondes de la controverse, et par tous les courages du cœur et de l'esprit.

A cet égard, les temps sont bien changés. Aujourd'hui, cherchez dans
le parlement, dans les salons, dans ce monde qui autrefois était le labo-
ratoire des idées, et qui semble être devenu le rendez-vous des intrigues ;
où sont, à part de rares exceptions, où sont les jeunes penseurs, vers
quelles réformes se porte cet essaim d'intelligences représentées par des
moustaches et du jargon ; quelles sont les études de prédilection, l'initiative de progrès, les méditations de ce troupeau luisant ? L'abâtardis-
sement qui vient d'une vie et d'un bien-être trop matériels est monté de
leurs corps à leurs cerveaux. Jouir, vivre, user ; porter dans les habitudes extérieures, dans le culte des sens, dans l'idolâtrie du luxe, cette
intelligence que Dieu nous donna pour de plus dignes objets ; faire des
affaires et non des études ; se laisser aller à la dérive des événements, au
lieu de les préparer ou de les prévenir par la méditation, voilà, voilà les
mœurs de la génération nouvelle ; voilà comment elle a laissé se perdre
en ses mains le brillant héritage qu'elle devait à ses prédécesseurs. Je sais
qu'elle peut répondre qu'on a tout atteint et qu'il n'y a plus rien à renverser ni à fonder ; je sais qu'elle se pare du beau nom de jeune démocratie, se croyant plus avancée que ses aînés parce qu'elle a fait un pas
de plus dans la liberté, et qu'elle a ou croit avoir tous les droits, même
celui de ne rien faire.

Mais regardez autour de nous : tout est-il renversé, quand partout la
licence s'étale à côté du droit ? Tout est-il fondé, quand les institutions,
imparfaites encore, laissent une libre carrière au désordre et ne garan-
tissent pas toutes les libertés ?

L'intelligence qui n'avance plus ne recule-t-elle pas, en vertu de cette
loi qui ne laisse stationnaire rien de ce qui est de l'homme ? Dans quel

pays, d'ailleurs, fût-il le plus en avant, tout est-il consommé de telle sorte que la jeunesse éclairée, celle qui doit monter la garde de la société et faire la police des institutions, s'endorme sans précaution et désarme imprudemment? D'ailleurs, ne nous y trompons pas, cette enseigne de démocratie n'est pas si démocrate qu'elle le paraît tout d'abord. Qu'on essaye un instant de se laisser gouverner par cette milice remuante et ambitieuse de mener; qu'on la laisse nous verser à grands flots son vin si précieusement gardé en flacon, à une table commune où viendraient s'asscoir, dit-elle, tous les rangs, toutes les idées, les moindres fortunes; vous aurez bientôt reconnu que cette liqueur n'est pas autre chose qu'un élixir destiné à un petit nombre de bouches, les délicates et les blasées, et vous verrez peu à peu le gros des convives désabusé s'échapper à la furtive de cette collation où, sans couleur d'égalité, c'est l'aristocratie la plus étroite qui distribue et emplit les verres. En d'autres termes, c'est le privilége sans les lumières qui nous régirait; c'est l'esprit de caste cachant son blason, le plus grand ennemi enfin de l'esprit démocratique.

C'est donc un exemple à la fois et un contraste plein d'instructions que ce livre d'un des brillants esprits de la jeunesse d'avant 1830, d'un soldat de cette hardie milice, qui, s'élevant au-dessus des préoccupations de la fortune et du bien-être, luttait alors dans le *Globe* pour la souveraineté des idées et de l'égalité.

Nous sommes tous tentés d'être des révolutionnaires à vingt ans : nous voulons vivre en dehors du convenu, et nous faire plus grands que le cercle étroit où la loi de la société enferme les autres. Ambition d'âme novice, chimère de l'inexpérience qui n'a pas reconnu encore que le monde, comme une grande machine, ne se meut sûrement que par des frottements calculés entre ses diverses parties, et que le rouage anguleux dont toutes les surfaces n'ont pas été polies, ou proportionnées à la mesure ou à la puissance des autres, doit les froisser inévitablement et se briser un jour lui-même dans leur mouvement réuni! C'est le propre d'une raison sage de s'assouplir avec dignité, plutôt que de se roidir avec indépendance, pour s'accommoder aux autres : il y a plus de grandeur à s'élever du milieu des entraves, et plus de bon sens à ne rien braver, parce que pour qui a subi le niveau commun, et n'a grandi qu'en partant de là, s'il doit déchoir un jour, la chute est adoucie par la sympathie de tous et par son retour sans effort à sa première vie uniforme. Mais pour qui s'est érigé en une sorte d'exception et s'est rehaussé par là, c'est une nécessité de monter toujours, s'il ne craint de retomber dans le mépris des autres pour les avoir bravés sans succès, et dans le dégoût de soi, pour n'avoir pas su réussir. La plus belle gloire, dans une société régulièrement civilisée, serait celle de Washington, parce que, tout en se distinguant des autres, il ne s'en est pas détaché, les dominant de leur propre consentement, et rentrant au milieu d'eux; non pas comme Sylla parmi les Romains corrompus et effrayés, mais comme un citoyen qui, satisfait d'avoir fait triompher par

son gouvernement la raison de tous, vient s'y soumettre tout le premier plutôt que d'aspirer à la personnifier en lui.

Certainement M. de Rémusat a gardé à un degré vif quelque chose
de cette double tendance de notre nature qui veut faire éclat contre les
règles sociales, et s'y soumet tout à la fois : la veine tendre et généreuse,
par exemple, qu'il tient de sa mère, s'est plus particulièrement révoltée
en lui contre ces froides barrières que le monde a placées en travers de
la philanthropie, contre les catégories en matière de bonté. Ce sont là
nos premières impressions à tous, notre première rébellion commune,
ce qu'on peut appeler nos *juvenilia*. Mais notre raison ne tarde pas à
faire justice de cette sensibilité novice, et nous devenons bientôt, trop
tôt, corrects et froids, vides de larmes, comme tout le monde.

Chez M. de Rémusat aussi, raison précoce avant tout, l'ordre s'est
fait vite; l'apaisement extérieur est venu presque en même temps que la
révolte. Je n'en voudrais pour preuve que son charmant morceau *sur la
jeunesse*, écrit avant 25 ans, sous l'empire de la société environnante
où l'avait élevé sa mère, des préceptes de celle-ci, et aussi, je l'ai dit,
d'une rare maturité de réflexion. Mais chez lui, contrairement à tous, le
fond de sensibilité a résisté. Il y a encore le goût de l'insurrection
contre les conventions sociales, toutes les fois que le droit veut se faire
jour; il y a l'instinct d'égalité qui, aux grands moments, ne fera jamais
défaut, et qui ralliera toujours M. de Rémusat aux tendances de l'Opposition, malgré ses relations formées ailleurs et ses inclinations choisies.

J'ai nommé Mme de Rémusat, cette femme distinguée, dont l'âme
semble s'être transmise presque entière à son fils. Dans son roman des
Lettres espagnoles, je trouve cette pensée :

« Pourquoi faut-il que la prudence qui soupçonne ait toujours raison
sur la confiance qui espère? Pourquoi faut-il que tous les arrangements
de la société s'accordent pour troubler les jouissances du cœur? »

Voilà la source trouvée; c'est une femme qui a vécu dans la familiarité de l'empereur, sous la roideur de l'étiquette de cour, et qui laisse
échapper, à la faveur d'une fiction romanesque, ce regret de la sincérité des sentiments, cette plainte contre l'égoïsme arrangé du monde;
mais sa réflexion s'explique par là même. Chez une femme éprise de la
vie intérieure, vouée tout entière au soin et à l'étude du cœur de son
fils, cette pensée persistante même dans l'âge mûr est un don naturel
qui devait nécessairement réagir contre le cérémonial du palais et
contre tous les mensonges et les déceptions politiques qu'elle avait
traversés depuis 92 jusqu'à 1820. Le goût de la sincérité dans l'effusion n'est-il pas d'ailleurs l'apanage et comme le fond de l'âme d'une honnête femme, j'allais presque dire la femme même?

Mais ailleurs, dans le même roman, une réaction plus virile se reconnaît et fait saillie. Dans la cour d'Espagne imaginée par l'auteur, il y
a une comtesse de Lémos dont le caractère est l'indépendance même.
Elle se fait une règle de tout oser contre l'étiquette qui prescrit de n'oser

rien. L'auteur ajoute : « L'attitude indépendante qu'elle sait y conserver m'a fait imaginer quelquefois que, dans cette même cour où l'on ne parle guère, il ne serait pas si difficile qu'on le croit de se permettre de tout dire, pourvu que l'on consentît en revanche à permettre d'y tout penser. » Voilà le trait distinctif de la famille : la vérité dans l'indépendance, le dédain du faux, qui jeta toute cette estimable maison dans le parti constitutionnel de la Restauration, et qui lui valut sa destitution dès les premiers jours de la réaction; voilà l'héritage d'idées qui fut transmis à M. de Rémusat et s'agrandit dans ses mains.

Il écrivait, il y a sept ans, à propos de Washington, qu'il espérait que sa notice, tracée par M. Guizot, rendrait quelque force et quelque audace « à ceux qui, sans passion comme sans espérances, se défient des convictions, méprisent les idées, et prennent la timidité pour la sagesse. De ce côté-là, en effet, vient aujourd'hui le vrai danger; et si quelque chose en ce moment expose à quelque risque l'avenir de la société , c'est ce que l'Écriture appelle avec dérision *la prudence des prudents*. » De quel côté a passé depuis lors le mépris des idées , la défiance des convictions, et par suite la mise en danger de la société? Qu'on examine; c'était une leçon et un avertissement pour ceux qui touchaient au pouvoir. M. de Rémusat se serait-il douté alors que ce serait une prophétie qui tournerait contre l'historien même de Washington et de la révolution d'Amérique?...

Puisque je touche à ce point, je ne veux pas résister à marquer de quelque trait général ce qui ressort des meilleures pages de ce livre de *Mélanges*, cette divergence qui ne fut pas l'effet d'un accident, et qui distingue et sépara à la longue M. de Rémusat du camp qu'on appelait alors doctrinaire. De pareils divorces ne sont pas l'effet d'un caprice; d'ailleurs, en politique, et avec des hommes comme MM. de Rémusat et Guizot, il y a des motifs; il ne peut pas y avoir place à des caprices.

Il me semble que la politique , avec toutes ses variétés, peut se diviser en deux grandes catégories : il y a la politique des gens d'esprit et la politique des hommes de cœur.

Les premiers n'aiment les affaires que pour elles-mêmes. Doués de cet esprit de finesse dont parle Pascal, ils se plaisent à manier des principes déliés et nombreux pour en tirer les conséquences les plus habiles et les plus inattendues. Le goût des détails leur manque; ils négligent le simple pour courir au difficile, tournent les obstacles, s'ils ne peuvent les vaincre, ou les masquent aux yeux des autres sous un air d'impassibilité, s'appliquant plus à rassurer sur le mal qu'à le corriger. Les délicatesses des affaires leur en dérobent la grandeur, ou plutôt leur en font imaginer une tout autre que la véritable ; car, à force de faire mirage aux yeux et de raffiner sur la matière, ils finissent par oublier ou méconnaître la juste pensée d'où elle est sortie. Ils n'aiment les hommes que comme des instruments, par calcul, ou avec cette chaleur de tête qui se dissipe facilement à la moindre contradiction. Préoccupés de leur seule personne, ils entraînent dans le gouffre de leur égoïsme, et sans hésiter sur les moyens, tout ce qui peut le servir et le glorifier, sauf à briser quiconque résisterait, et à désavouer là où ils auraient échoué.

Les gens de cœur, au contraire, manient la politique d'une main moins subtile et moins impérieuse. Ils oublient moins que les affaires viennent des hommes et qu'elles se font pour eux. Ils se préoccupent plus de l'ensemble des choses que de leurs difficultés, et mettent les grands principes dans la pratique gouvernementale, au lieu de les tenir en dehors. Plus inquiets du résultat que de l'effet théâtral, ils choisissent les hommes qui peuvent servir les affaires plutôt que leurs passions, et utilisent les aptitudes, jamais la servilité. Pour eux, ils gagnent l'expérience des choses à force de s'y dévouer, et des hommes, en s'évertuant à les mettre en leur vraie place et à leur faire produire tout ce qu'ils peuvent; ce qui est la meilleure manière de les servir sans nuire à la chose publique. En un mot, c'est du cœur qu'ils font venir la politique, comme Vauvenargues en faisait sortir les grandes pensées, ou plutôt c'est d'une sensibilité intelligente des vrais intérêts de chacun et de la liberté.

C'est parmi ceux-ci, on l'a compris déjà, que je range M. de Rémusat, et il suffit de bien distinguer pour saisir le point délicat par où il s'est finalement détaché de la politique des gens d'esprit. La spéculation, en politique, ou la politique doctrinaire, comme on l'appelait, vers laquelle il s'était porté tout d'abord, et dont il a gardé le meilleur, mène à l'isolement, et l'isolement c'est bientôt l'égoïsme. Le poëte a dit que la confiance en soi-même sert à mener les autres; mais il y faut ajouter la confiance dans les autres, pourvu qu'elle parte d'une âme droite et intelligente. M. de Rémusat a changé de voie, parce qu'il s'est dit que croire en soi ne suffit pas pour imposer à la foule et la mener droit; qu'il faut encore croire en elle et l'attendre pour qu'elle nous suive. L'estime qu'on fait des autres nous en rapproche, et, en nous apprenant leurs besoins, augmente nos forces, nos partisans et leur bien-être. Il n'y a que la confiance qui vient d'une âme faible et irréfléchie qui doit aboutir au mécompte.

M. de Rémusat a gardé cependant de l'esprit doctrinaire quelque chose qui ne se perd pas facilement : c'est le style. Cette forme choisie et concise qui, sur des questions diverses, met en dehors des solutions et laisse en dedans le débat, s'inquiétant plus d'être lucide et uniforme que de se montrer variée, c'est le style que j'appellerais volontiers doctrinaire; c'est le langage de la bonne école, je m'empresse de le reconnaître; mais tous les sujets le comportent-ils? Le rationalisme éclectique qui est le fonds excellent des chapitres philosophiques de l'auteur, la politique, admettent plus volontiers cette langue délicate et arrêtée, où les considérations les plus élevées ressemblent à des axiomes, et qui impose plus qu'elle ne séduit. Elle parle à notre raison, un peu à notre cœur, jamais à nos passions; c'est comme un vase élégamment ciselé qui contient une forte liqueur, mais qui ne la laisse ni bouillonner ni déborder. Ce style, discret dans sa fermeté, est bien le résultat et l'expression de cette modération sensée qui est comme la règle des bons esprits, et dont la politique doctrinaire avait fait sa loi, où plutôt son enseigne. Mais, ici comme ailleurs, cette politique a fait meilleur marché de la chose que de l'étiquette, et c'est par là encore que M. de Rémusat, tout en gardant la forme donnée, devait se séparer du fond; car il usait de la modération autrement que les maîtres.

La modération! n'est-ce pas l'idéal de la raison pratique? A quoi tendent ou doivent tendre tous les efforts de la liberté, toutes les transactions des partis, les vœux de ceux qui les dominent, hommes d'État, hommes du monde, et gouvernement, sinon à la modération? Mais la modération vaut-elle bien un si haut prix quand elle n'est que le nom adouci d'un sentiment moindre? N'appelle-t-on pas quelquefois modération la faiblesse qui s'accommode de toutes choses contradictoires plutôt que l'équité qui les concilie; modération, le charlatanisme qui, pour se concilier même l'improbité, l'honore presque comme un droit; modération, la complaisance qui subit les affronts sans rougir, ou qui les esquive par une imposture; modération, le laisser aller et le laisser faire partout, pourvu que les rangs ne changent pas et que les emplois suprêmes demeurent dans les mêmes mains, à peu près comme pour ces dieux que nous peint Lucrèce, dormant dans une sécurité profonde et laissant aller le monde sans le diriger, heureux seulement de garder leur indolente divinité? Il y a péril aussi pour les convictions dans un pays où l'on n'exploite, sous le nom de modération, qu'une lâche abdication de la conscience. En s'accoutumant à modérer toutes choses, on tempère toutes ses impressions, et, leur ôtant ce qu'elles ont de plus vif, on leur fait perdre quelquefois ce qu'elles avaient de plus digne; on diminue son enthousiasme du beau ou son dégoût du vil, on affaiblit ses scrupules en morale, et, à force de composer avec soi-même et avec tout, on a émoussé bientôt cet aiguillon intérieur qui nous stimulait au bien ou qui nous détournait du mal.

Dieu merci, cette espèce de modération ne se rencontre ni dans le style ni dans les idées de M. de Rémusat. Si son indignation contre le mal n'éclate pas en mouvements impétueux, du moins elle communique à son langage tantôt cette fermeté mâle et concise, plus éloquente par ce qu'elle laisse deviner que par ce qu'elle exprime, et tantôt ce ton dogmatique, je veux dire doctrinaire, dont ici l'austérité devient un espèce de châtiment. Mais son ressentiment contre le mal ne va pas plus loin : son indulgence l'absout presque toujours, mais ne descend jamais du moins jusqu'à le méconnaître. L'instinct du bien et du droit est trop vif en lui pour le tromper; et l'on voit que c'est son cœur et non pas son jugement qui pardonne. Cette impartialité d'appréciation distingue essentiellement son chapitre sur le *choix d'une opinion*. J'aime à citer ce passage :

« Il est toujours possible d'apprécier un adversaire, même au moment

» qu'on l'attaque; de distinguer ce qu'il peut y avoir de vérité dans ses
» erreurs, d'habileté dans sa conduite, de dévoûment dans ses actions.
» Le propre d'une raison faible est de méconnaître tout ce qui ne
» la flatte point. Il y a un noble plaisir à juger avec sincérité ce qui
» gêne et ce qui déplaît. Cette équité, quand elle ne serait pas un de-
» voir, serait une chose utile, car elle est une supériorité de plus. De
» deux partis qui luttent, s'il fallait prononcer lequel a le bon droit et
» finira par l'emporter, on pourrait, en toute assurance, répondre que
» c'est celui qui rend le plus de justice à l'autre. »

Ce n'est pas que tout soit empreint de ce calme supérieur qu'on
doit aux années et à un long maniement des hommes et des affaires.
Nous saisissons quelquefois, mais rarement, il est vrai, la veine vive,
la fougue juvénile sous la raison. Il écrivait avant trente ans, en 1818,
dans une appréciation de la *Révolution française* :

« La politique des intérêts! les intérêts matériels! ils n'ont que ces
» mots à la bouche. Les intérêts matériels de la révolution seront épar-
» gnés, on y consent, on s'y résigne; quant à ses intérêts moraux,
» anathème et proscription. Pour qui donc prend-on la France? quel
» moyen de la gagner, de la posséder, que de l'humilier sans cesse! Puis-
» qu'on met de côté les droits comme des chimères, la vérité comme un
» rêve; puisqu'on ne veut parler ni de raison ni de justice, et que nos
» hommes d'Etat commencent par faire la satire de la nature humaine
» pour apprendre à la gouverner, discutons à leur manière. On ne
» mène les hommes que par les intérêts, dites-vous; l'homme est avant
» tout apparemment un être intéressé. Je le nie, et, vous rendant épi-
» gramme pour épigramme, je dis : l'homme est avant tout un être
» vain. Avez-vous songé à ce ressort puissant, à cet abîme profond, la
» vanité nationale?

» Renoncez, croyez-moi, à cette idée de dominer les esprits en sala-
» riant les consciences, et, pour commander à l'opinion, d'acheter à un
» certain prix le droit de l'insulter. Si vous faites sentir aux hommes
» dont vous garantissez le bien-être que vous les méprisez, vous irritez
» la vanité, et la vanité est vindicative. Il est de la prudence de paraître
» au moins tenir quelque compte, faire quelque estime de la pensée hu-
» maine. Le commandement ne peut être honorable si l'obéissance ne l'est
» pas, et l'on ne règne pas avec sécurité sur ceux qu'on offense en même
» temps qu'on les paye. »

Ici la vivacité est clairvoyante, ou plutôt elle n'est qu'une vue plus
pénétrée des objets, qui en saisit le fond avant les autres. Mais ailleurs
la sérénité reviendra, et la supériorité d'appréciation, jusque dans les
matières les plus vulgaires, dominera tout à la fois l'auteur et le sujet,
comme pour mieux nous prouver que l'écrivain est au-dessus des misères
qu'il décrit, et que, si sa sympathie est acquise aux hommes, ses principes

ne sauraient jamais s'accommoder aux choses. Ne disait-il pas dans le *Globe* de 1825, au sujet des *mœurs du temps*, que « il y a en particulier des devoirs où la tradition manque ; ceux, par exemple, qui tiennent à la vie politique, comme le dévoûment à l'intérêt général, le culte de la justice, le respect des droits. Les principes seuls enseignent que la morale privée est strictement applicable à la conduite publique ; que la coopération même irréfléchie à l'iniquité, que la tolérance même gratuite d'un désordre ou d'un abus, sont des fautes tout aussi bien que le manque de parole ou la violation des devoirs de famille. C'est faute de principes que tel habitant des salons persiste à se croire honnête homme, après avoir sacrifié l'intérêt d'un tiers, celui de la masse, sa propre opinion à l'avantage du parti qu'il aime ou de l'homme puissant qu'il estime, à l'établissement de sa famille ou à l'avenir de ses enfants. Que de gens ne se reprochent point une complaisance qui leur permet de mieux marier leur fille ! Ils ont vendu leur suffrage, trafiqué de leur conscience, et ils se consolent en disant dans leur cœur : *Je suis bon père !* »

Cette forme grave se prête moins en général aux choses d'imagination et de littérature. M. de Rémusat, qui y sait fort habilement glisser sa pointe d'esprit, les traite, il faut le dire, en homme du monde plutôt qu'en littérateur. Eclectique en politique, en philosophie, l'auteur ne pouvait être exclusif dans le domaine des lettres. Dès 1828, il traitait déjà M. Victor Hugo *comme un autre*, sans répudier pour cela ni l'examen qui conteste les points douteux, ni l'admiration intelligente des grands noms du grand siècle. Mais ce style du juge, quoique spirituel et dégagé en bien des points, me paraît empêché par ses qualités essentielles : il est trop éclectique pour m'entraîner. Il me semble que la gravité tempérée, la concision dogmatique, qui sont un art dans les questions abstraites, s'en détournent difficilement et ne prennent qu'avec effort le tour convenable aux matières de littérature. Ce qu'il faut au style de celles-ci, c'est une couleur vive et mordante, une imagination piquante, sans cesse excitée par l'érudition et la dominant, un ton soutenu sans mélange ; c'est à cette condition que l'écrivain purement littéraire devient lui-même, se fait sa place et son style. Ce don me semble surtout indispensable dans la critique littéraire, car je ne crois à ses jugements que quand ils portent leur langue avec eux. La Harpe et Chamfort n'ont pas leur style : ils doivent périr, si ce n'est fait déjà. Voltaire en a un, original parce qu'il est indépendant ; il sera impérissable.

Mais M. de Rémusat n'a que faire de nos critiques et de la suprématie littéraire : son lot est meilleur et sa cime est plus haut. C'est dans les sphères de la philosophie et des lois qui nous gouvernent qu'il a placé ses plus chères prédilections et trouvé sa couronne. Qu'il nous la montre, souvent, comme aujourd'hui, comme un appât et une leçon, pour nous la faire envier et admirer.

CHARLES LABITTE (1).

ÉTUDES LITTÉRAIRES.

J'aime à parler de Ch. Labitte comme d'un ami qu'on a perdu trop
tôt et qui a été mal remplacé, même au Collége de France. On trouvait
dans ses relations intimes un abandon plein de jeunesse, où la gaîté se
tempérait de je ne sais quelle mélancolie ; sa science, qui voulait être
mûre sur tous les points, se nourrissait de questions adroitement ména-
gées ; sa conversation manquait de chaleur, mais elle était piquante. Il
écrivait encore avec plus de hardiesse qu'il ne parlait, contrairement à
l'opinion de Voltaire, qui a dit que les Français sont plus légers en paroles et plus retenus quand ils écrivent. On rencontre souvent des jeunes
gens chez qui le feu du savoir et l'imagination dévorent tout et tiennent
lieu d'expérience ; ils devinent ce qu'ils ignoraient, et ils savent déjà ce
qu'ils ont à peine effleuré. Chez Labitte, il y avait quelque chose de cette
ardeur précoce ; mais, chez lui, elle se cachait sous des airs d'homme fait
et indifférent, et, chose rare ! il portait l'imagination dans la critique au
lieu de l'appliquer à créer. Aussi, dans un âge bien moins avancé que
celui qu'on lui prêtait, que de productions dans tous les genres, sur
tous les sujets ! La liste qui s'en trouve à la tête du livre que j'ai sous les
yeux, malgré toute son étendue, n'est pas complète encore. On n'y a pas
ajouté les articles que, sous l'anagramme d'*Ettibal*, il publiait, dès le
collége, dans le journal d'Abbeville ; feuille légère, je le sais, et où le
culte des dieux de la littérature nouvelle se montrait dans des vers

---

(1) J'avais eu l'honneur de lui succéder, dès 1846, dans la suppléance de la chaire de
poésie latine au Collége de France.

hardis et enthousiastes, des vers de rhétorique. Le contraste entre ces opinions du début et celles de la suite eût été curieux. Seulement, chez lui, cette fougue du collége s'est plus vite apaisée qu'ailleurs; elle s'est tournée très-tôt vers le moyen âge et la Ligue, et nous savons que de bois il a entassé depuis pour brûler les dieux littéraires qu'il avait adorés alors !

Nos caractères s'expliquent par nos prédilections, et rien qu'à lire les articles abondants de Labitte sur Naudé, sur Boisrobert, sur les satiriques latins, il est facile de le juger. Son début avec Naudé surtout, dans la *Revue des deux Mondes*, en 1836, lorsque cette chaleur poétique que chacun de nous porte avec ses vingt ans s'était déjà affaiblie en lui, marque sa vraie tendance et nous montre sa voie. Grand amateur de livres et de notes, collecteur de curiosités bibliographiques, railleur du coin du feu, aimant mieux le fatras, parce qu'il est inédit, que les livres à la mode, parce qu'ils ont l'air de lieux communs; éplucheur d'anas et d'anecdotes graveleuses, riant volontiers de la bonhomie des lecteurs qui croient à tout, et tout prêt à s'enrôler parmi ceux qui croient à peu, voilà Naudé, voilà Guy Patin, j'aurais presque dit Labitte, si sa jeunesse, qui n'avait pas pris encore le pli définitif, si de la réserve quelquefois et une teinte de tristesse, qui souvent couvrait son sourire, n'empêchaient le portrait de lui ressembler tout entier. A vingt-neuf ans d'ailleurs, quelque désabusé qu'on soit, on n'a pas encore rompu tout à fait avec l'imagination. Qu'on parcoure le morceau sur *Louis de Léon*, sur les *Lettres parisiennes* de Mme de Girardin, l'*Histoire de la divine comédie avant Dante*, et l'on reconnaîtra que la veine poétique n'est pas tarie encore, qu'elle mêle la grâce au savoir et le fait accepter en le colorant.

Cependant l'écrivain a beau faire pour obéir aux exigences du recueil où il écrivait et à cette voix intérieure de la poésie qui parlait encore en lui, il a beau tempérer la science par l'élégance, on sent que la science sera la plus forte, que les ornements qui l'entourent ont je ne sais quoi de froid et d'apprêté, et doivent se faner bientôt. Chez Labitte, ce n'est pas l'érudition encore, c'est le goût de l'érudition qui fait saillie. Chacune de ses pages n'est pas autre chose, après tout, qu'une broderie de notes artistement tissues dans une trame légère. Le temps aurait tôt ou tard usé la trame et n'aurait conservé que la science, si Labitte n'était mort trop tôt pour devenir vraiment un érudit : il avait vécu trop vite pour vivre longtemps.

Quoi qu'on ait pu dire, ses meilleurs morceaux ne sont pas ceux qu'il a écrits, peu avant de mourir, sur Varron et sur des sujets latins. Il me semble que c'est précisément ce besoin de raffiner sur tout et de mettre de l'agrément dans toutes les pages qui en gâte la vérité. C'est trop d'esprit français dans de pareilles matières. J'ai toujours cru que ces sujets si sérieux de la littérature antique perdaient quelque chose de leur exactitude, quand on cherchait à les apprécier avec des vues modernes.

Le comique de Molière est, malgré tout, autrement conçu que celui de Plaute, et ce sont les comparaisons, les ressemblances cherchées qui nuisent le plus souvent à la justesse de la critique. Ce qu'il faudrait étudier dans ces graves objets, ce serait plutôt les différences qu'offrent des esprits à peu près analogues placés dans des conditions si diverses, dans des sociétés si opposées, et maniant une langue et une littérature si peu comparables. Les parallèles et les rapprochements, pour être sincères, doivent être rares, et Labitte lui-même, dans le déshabillé de la coulisse, s'est laissé aller une fois à avouer, avec une modestie qui l'honore, que, dans ces chapitres latins, il tournait peut-être le dos à la vérité pour courir après l'effet.

Voyez, par exemple, son début sur Varron, et cette comparaison du vieux polygraphe latin avec Gabriel Naudé, le bibliothécaire préféré du jeune critique. Que de longues explications, que de prodigieux détours il lui faut faire pour expliquer l'analogie! Il a senti, avec ce fin instinct qui le distinguait, que le rapprochement peut tout d'abord paraître impossible, et il l'explique comme il peut. Dans ses autres pièces sur la littérature latine, qui sont des leçons d'ouverture faites au Collége de France, l'inexpérience de la matière se trahit tout d'abord par des anachronismes qu'il aurait corrigés s'il avait plus vécu, comme, par exemple, d'avoir cru Térence le contemporain de Lucile (tom. I, p. 146), et d'avoir fait vivre Tertulien au temps de Dioclétien (p. 163). Mais on sent déjà que cet esprit net et prompt va se dégager de ce désordre obligé d'études trop hâtives, et que la lumière se fera. Le morceau sur Lucile, malheureusement posthume, et malgré un calque trop fréquent des meilleures notes de M. Corpet, sort déjà avec plus d'éclat de l'ornière française. Lucile est jugé sur place, à Rome même, avec des vues mieux nourries du génie latin, et fait amèrement regretter que la mort nous ait privés des fruits après ces piquantes prémices.

Ce n'est donc pas là que Labitte a montré tout ce qu'il pouvait. Eminemment Français par sa tournure d'esprit, par sa verve caustique et souvent trop vive, comme le disait M. Tissot, c'est dans ses pièces françaises, c'est lorsqu'il parle de J.-M. Chénier, de Lemercier, qu'il se sent à l'aise. Cette pointe de malice, qu'il aimait à aiguiser en toute occasion, trouve là à s'exercer, et pique en maints endroits avec un rare bonheur. Peut-être, comme l'a fait remarquer M. Sainte-Beuve dans sa touchante notice, a-t-il trop donné et accumulé dans la biographie de Chénier. Labitte, avec cette exubérance de son âge et de ses notes, qui allaient s'enrichissant à chaque heure, oubliait sans doute parfois que c'est un tort d'avoir le secret de tout dire. Mais nous y gagnons d'y connaître dans leur entier ces disciples de Voltaire, et quand nous nous sauvons au *travers du jardin*, il nous en est resté du moins dans l'esprit une image frappante et complète.

J'aime surtout ce qu'il a écrit sur un des hommes de ce temps-ci avec qui il offrait le plus de points de ressemblance, M. Saint-Marc Girardin. La lime, il faut le dire, se fait moins sentir dans cette biographie remplie de vivacité et d'agrément; mais par cela même le naturel y éclate mieux et la verve y vient de source. Cette remarque d'ailleurs peut s'appliquer en général à la plupart de nos écrivains actuels. Tout ce qui ressemble à la pose, tout ce qui est théâtral, ils le fuient avec soin. Nous avons pris en dégoût le style officiel , et nous n'aimons rien tant que le déshabillé et la causerie terre à terre. L'art consiste maintenant à causer sans art, et nous voulons gagner du côté de la vérité tout ce que nous perdons du côté de la période et de l'apprêt. Je ne sais s'il faut s'en plaindre, surtout pour toutes les matières courantes et d'un intérêt pressant. Il vaut encore mieux , je crois, toucher à fond l'âme d'un personnage, saisir l'homme au vif , que le chercher péniblement derrière les réticences d'un langage précieux.

Une plume qui court sans cesser d'être correcte a toujours plus de chances d'être vraie, et, par suite, intéressante , qu'une plume qui tâtonne et rature, et, pour ma part, je ne sache personne qui ait plus contribué à introduire dans les lettres ce ton simple et franc, cette allure dégagée, vive, précise, que M. Saint-Marc Girardin. Jamais, chez lui, la préoccupation du mot n'a devancé ou couvert l'idée. On voit de suite et sans ambages où il en veut venir. Sa courte phrase, sa décision alerte, qui viennent d'un bon sens singulièrement pratique, ne laissent d'hésitation ou d'obscurité nulle part. On l'aime ou on peut le détester franchement, parce que, lui aussi, il est ouvertement l'ami ou l'adversaire déclaré de certaines personnes ou de certaines idées. Il ne caresse pas sournoisement ce qui lui déplaît, et il motive nettement ses préférences. M. Victor Hugo le sait bien.

C'est dans les lettres un mérite qui procède de Voltaire, et que la littérature de l'empire avait singulièrement effacó ou amoindri. « Au » collége , a dit Labitte, on raffole de Werther et de l'Héloïse. M. Saint- » Marc aimait déjà Voltaire. » Je crois que notre malheureux ami faisait mieux : dans son activité dévorante de connaître, il les lisait tous les trois à la fois. Mais les deux premiers me semblent avoir cédé, sur la fin, dans ses préférences , la place au dernier. Oui, c'est surtout de Voltaire, c'est de l'esprit narquois et positif, c'est de cette école de la finesse et du bon sens qu'il relevait, aussi bien que M. Saint-Marc Girardin. Celui-ci, comme Labitte, comme tous les autres, a eu aussi son moment poétique, son imagination de vingt ans. Il a au fond de ses armoires des vers et sa tragédie de *Cinq-Mars* , absolument comme le plus modeste avoué ou le premier ministre venu. Chez lui aussi, le feu des illusions s'est vite éteint, la raison a fait tôt son 18 brumaire; et je me plais à noter cette analogie avec les autres, pour expliquer la vivacité charmante , la prédilection avec laquelle Labitte a écrit la biographie du maître dont il était comme un parent d'esprit.

Il a dit quelque part : « L'écueil de ceux qui commencent, c'est de se » perdre au dilettantisme d'érudit, de se noyer dans les notes et dans les

» estimables minuties de l'exactitude. M. Saint-Marc, qui, avec son
» expérience précoce, n'a jamais aimé que les choses nécessaires, se
» gara de cet autre abus....... L'intempérance en rien ne lui convenait. »
Labitte, sans s'en douter, caractérisait là les excès de sa propre érudition,
et marquait le but vers lequel son tact le dirigeait. La mesure dans la
science, la crainte du pédantisme, voilà les excellentes qualités qu'il
poursuivait. Il commençait à comprendre qu'en lisant beaucoup nous
reconnaissons que ce que nous prenions pour des découvertes n'en sont
pas, et il entrait déjà dans cette heureuse voie, quand la mort l'a arrêté.

En consacrant ces courtes lignes, où je n'ai pu tout dire, à un ami
littéraire en qui tout le monde a beaucoup perdu, j'ai voulu donner un
témoignage de sympathie à l'infortuné Labitte. J'ai cru ne pouvoir la lui
marquer mieux qu'en faisant chez lui la part sincère de quelques défauts
et de plusieurs mérites. Ceux qui admirent tout font douter de leur admiration. J'ai voulu prouver ma sincère estime pour son talent en en indiquant les taches légères. Je ne sais ce que l'on pensera de mes remarques,
dans notre temps où la critique d'un ami n'est plus autre chose que de la
complaisance ou de la flatterie; mais je ne serais pas fâché que cela pût
m'être compté pour de l'originalité.

LES RACES MAUDITES.

—

On reconnaît dans le livre que M. Francisque Michel a écrit sur les *races maudites de la France et de l'Espagne* une érudition curieuse, nouvelle sur bien des points, mais qu'il a poussée peut-être quelquefois jusqu'à l'excès. La question, il est vrai, prêtait à des développements de toutes sortes. Chercher les sources de cette réprobation incorrigible qui frappe dans certaines localités une partie de la population, qui la sépare du reste des habitants et qui crée pour elle des règles à part, une infériorité inexplicable et des préjugés persévérants, ç'a été là un sujet souvent traité, plus souvent effleuré, rarement aussi complétement exploré que l'a fait M. Francisque Michel. Les Cagots, Caqueux, Gahets, Chuetas, Crétins, Vaqueiros et Colliberts sont des races maudites dont, Dieu merci, la plupart a disparu, mais dont quelques-unes n'ont pas encore trouvé grâce devant l'opinion, et obtiendront sans doute bien difficilement leur pardon, parce que rien ne naît plus vite et ne meurt plus lentement qu'un préjugé.

Mais l'opinion qui les repousse est-elle bien un préjugé, et, si c'en est un, quels sont ses véritables motifs? Telle est la thèse que s'est proposé de résoudre le jeune professeur. Cependant, malgré ses efforts ingénieux, on peut dire que la question n'est pas tout à fait résolue et que la science n'a pas dit encore son dernier mot à ce sujet. M. Francisque Michel a mis sous nos yeux les pièces nombreuses, remarquables, inédites de ce long procès; mais il les a étalées avec tant de complaisance, qu'il n'a plus guère trouvé de place pour motiver son arrêt. On peut donc encore en porter un autre que lui sur quelques points contestés, et fournir, sinon des textes

16

nouveaux, — l'auteur a tout épuisé de ce côté (1), — du moins quelques conclusions différentes.

Dans le *Pœnulus* de Plaute, un esclave dit à un autre :

Quin Herclè, *Conlibertus* meus, faxo, eris, si id volent.

Ce nom de *Collibert* est demeuré jusqu'au moyen âge à une partie des anciens habitants du bas Poitou. Leur domicile habituel était et est encore dans des bateaux : voisins de la Sèvre-Niortaise, à l'extrémité de cette île de Maillezais qui donna son nom à l'écrivain Pierre de Maillezais, ils vivaient des produits de la pêche, et les préjugés du temps leur attribuaient le culte de la pluie. Sans vouloir discuter ici les différentes étymologies de leur nom, qui me semble avoir la même acception que dans Plaute, et signifier *affranchis* ou *égaux en liberté* aux autres habitants, il nous est difficile d'admettre, comme le fait M. Francisque Michel, que cette peuplade n'était pas autre chose qu'une partie de ces proscrits de l'Espagne qui suivirent Charlemagne quand il quitta ce pays, et qui s'étendaient autrefois depuis les Pyrénées jusque dans le Maine et la Bretagne. Aucun renseignement, nul fait historique ne vient nous prouver la vraisemblance de cette conjecture, et j'aimerais mieux m'attacher à l'origine du nom de *Collibert* pour retrouver celle de cette race particulière.

Dans le *Rudens* de Plaute, il y a un pêcheur esclave qui figure à côté d'une troupe de pêcheurs, dont la misère et les occupations offrent un caractère tout particulier. Celui qui est esclave nous donne les traits principaux de cette classe : ils sont actifs, hardis, mais rapaces jusqu'au vol et défiants jusqu'à l'insulte. Quand leur avidité est déjouée, leur colère ne connaît plus de ménagements; elle est acharnée et implacable. Les esclaves pêcheurs pouvaient souvent, comme tout autre, se faire affranchir, et de *Conservi* devenir *Colliberti*. Il me semble de même que, dans les anses marécageuses formées par la Sèvre-Niortaise, ont pu se fixer autrefois et se multiplier antérieurement aux autres habitants du pays, ces familles de pêcheurs, étrangers au mouvement du reste de la population, soit par leur origine, soit par leurs habitudes, ou par certaines règles de compagnonnage, observées encore aujourd'hui dans des classes analogues. Sans doute réduits à une sorte d'esclavage par ceux qui s'emparèrent du pays, ils recouvrèrent plus tard cette liberté des affranchis, qui n'est qu'une sorte de transformation de l'esclavage. De là leur nom de *Colliberti* et leur transmission, comme des objets, à des propriétaires

(1) Je n'excepte qu'un livre sur l'*Histoire et la noblesse des Basques*, par le chevalier de Béla; dont le manuscrit a été acheté par M. Walckenaër à Pau, et n'a encore reçu aucune publicité. (Voir *Biographie universelle*, t. LVII, p. 473, article BÉLA, et Fr. MICHEL, *ibid.*; t. I, p. 56.) J'espère avoir un jour l'occasion d'en parler en détail.

différents. Cette confrérie, qui s'est très-probablement convertie aujour-d'hui en celle des *Huttiers*, demeurant dans les mêmes parages, est comparée par l'auteur à la corporation des ouvriers papetiers de l'Angoumois, qui, eux aussi, vivent à part, ne se marient qu'entre eux, et font des papetiers de tous leurs enfants. Il en était à peu près de même des *Colliberts;* seulement, en l'absence de toute preuve de l'origine de ceux-ci, on est plus disposé à les croire indigènes pour la plupart et comme enfants des rivières qui baignent leur pays (1).

Quant aux Cagots du Béarn et de la Navarre, caste isolée aussi, à qui il n'était point permis de se mêler aux populations, qui occupait des huttes séparées du reste des habitations; race maudite exclue des emplois publics, buvant à part, priant à part, ayant une entrée particulière à l'église, recevant les sacrements après tous les autres, ne s'alliant jamais avec d'autres que des Cagots, l'auteur, après en avoir tracé l'historique complet, conclut, en s'appuyant d'un passage de M. Fauriel, qu'ils n'étaient autres que des chrétiens espagnols et même des Arabes qui quittèrent l'Espagne à la suite de Charlemagne, parce qu'ils s'y étaient compromis pour lui, et qui se fixèrent dans le midi de la Gaule, où leur prospérité fut toujours distincte du reste de la population. Les motifs et les textes fournis par l'auteur semblent militer en faveur de cette version; mais on peut s'étonner qu'il ne veuille pas admettre que leur titre de chrétiens primitifs ait été pour quelque chose dans l'espèce d'interdit qui pesait sur les Cagots. Ainsi leurs noms, dans différentes localités, seraient au besoin un premier indice auquel viendrait se joindre celui de leur place dans l'église. Une porte à part pour eux, leur offrande reçue autrement que celle des autres, leur admission particulière aux sacrements, etc., tout cela témoigne que, tout en étant chrétiens, ils ne l'étaient pas au même titre que d'autres. Etait-ce parce que quelques-uns avaient suivi la doctrine d'Elipand, évêque de Tolède, et de Félix, évêque d'Urgel, qui, tout en maintenant la règle catholique, faisaient quelque distinction entre le Christ-Dieu et le Christ-homme (2)? Ou n'était-ce pas plutôt parce que ces chrétiens-là n'avaient pas accepté la loi romaine et vivaient sous la règle évangélique, à peu près comme les chrétiens primitifs ?

Leur nom, persistant à travers les siècles et les pays, garda toujours la dénomination de leur culte. Le seigneur de Préchac fait don du *Chrestiaa* Auriol Donat à une abbaye (3). Dans certains recoins des Pyrénées, ils portent encore le nom de *Chistrones*, qui peut être une corruption de *Christones* (4). Leur plus ancienne dénomination dans le sud-ouest était celle de *Cristiaas* ou *Crestiaas* (5), qui ne vient point, je le crois, de

(1) Voir aussi, sur les *Colliberts*, M. Guérard, Prolégomènes du *Cartulaire de Saint-Père de Chartres*, p. xlij.
(2) Francisque Michel, t. i, p. 307, 308.
(3) *Id.*, *id.*, p. 314.
(4) Je n'admets pas l'étymologie de l'auteur, *ibid.*, p. 291.
(5) Id., *ibid.*, 366.

cette pièce de drap rouge qu'ils étaient forcés de porter sur leurs habits, et qui aurait eu la forme d'une crête, *crista*. J'y vois d'autant moins une crête, que P. de Marca en fait un pied d'oie ou de canard (1), et je maintiens, comme M. Walckenaër, comme Venuti et d'autres, que c'est de chrétiens d'une origine particulière que se composait la race des Cagots, et que de là leur vint leur nom de *Crestins*, dont on a fait plus tard *Crétins*.

A part ces deux hypothèses contradictoires, — et dans une telle question toute hypothèse est permise, — il n'y a que des éloges à donner à la sagacité qui a mis en lumière tant de documents rares et nouveaux, et au talent persévérant qui en a tiré un si habile parti.

<hr/>

(1) Id., *ibid.*, p. 275. Cf. Le Duchat, *OEuvres de Rabelais*, Amsterd., note 27, p. 244, t. Ier.

Il y a d'autres races maudites dont l'histoire, essayée autrefois par MM. Depping, Beugnot et Capefigue, aurait pu, dans le passé, offrir des analogies avec les races étudiées par M. Francisque Michel, soit en France, soit en Espagne. Ce sont les Juifs. Mais ce sujet, si vaste et si incomplétement traité jusqu'à ce jour, aura effrayé l'érudition de l'auteur.

HISTOIRE.

I.

MÉMOIRES ET LETTRES

DE

MARGUERITE DE VALOIS.

C'est en 1572 que se fit le mariage de Marguerite de Valois avec celui qui plus tard devint Henri IV. A cette époque, le parti réformé avait déjà fait ses preuves et inspirait une terreur fondée. La politique italienne de Catherine de Médicis, partagée tour à tour entre la probité conciliante de l'Hôpital et l'ambitieux appui des Guises, entre la haine des catholiques et l'ascendant moral des réformés, avait depuis longtemps tout confondu dans l'État. Depuis la conjuration d'Amboise, cinq édits, deux pacifications sans fruit, sept batailles, n'avaient fait qu'exciter davantage les partis l'un contre l'autre, et balancer le succès sans le fixer définitivement d'un seul côté.

Cette incertitude du triomphe venait de la situation différente de l'un et l'autre adversaire. Les catholiques étaient puissants, mais divisés; les calvinistes avaient des forces inférieures, mais ils étaient unis. Charles IX, à ce moment, favorisait le parti des réformés, le duc d'Anjou celui des catholiques; Catherine promenait de l'un à l'autre sa protection calculée. Cette diversité de goûts avait elle-même sa cause et ses vicissitudes : le duc d'Anjou était faible et dévot; le jeune Charles IX avait des tendances quelquefois plus généreuses, mais sans cesse elles étaient contrariées, détournées ou perverties, sous l'empire envahissant de sa mère; Catherine n'avait pas ce qui est essentiel pour gouverner avec suite : elle manquait d'une passion constante. Ils en avaient une, au contraire, ces Guises qui étaient comme la quatrième tête du parti catholique. Ils en poursuivaient la satisfaction avec un ensemble et une persévérance inflexibles; mais, placés à distance du trône, ils eurent le tort de marcher trop ouvertement à leur but ambitieux.

Du côté des calvinistes, l'unité se maintenait par des motifs opposés. Il n'y avait pas là de roi de France qui se souvînt de temps à autre qu'il fallait l'être ; pas une mère qui fît du vice et du mensonge le souverain ressort de sa politique, qui corrompît son fils pour le servir ; pas un culte fondé, comme le catholicisme, sur d'antiques traditions, et vieilli dans la foi de sa double puissance matérielle et morale. La réforme était une hérésie en religion et une faction en politique ; de plus, elle datait d'hier : c'est là tout le secret de sa cohésion et de sa force à cette époque.

Le protestantisme, alors, était représenté en France par une notable partie de la noblesse et favorisé par l'élite de la magistrature, que l'expérience du droit et le sentiment approfondi de sa dignité personnelle rendaient naturellement hostile aux exigences de la cour de Rome. La noblesse avait pour chefs les Bourbons et les Châtillons. Coligny était le plus remarquable d'entre eux ; Antoine de Bourbon en était le plus indécis et le plus faible : il servit involontairement son parti, en l'abandonnant après le colloque de Poissy. Ce qui distinguait encore les calvinistes, c'était, en général, une droiture, une pureté de mœurs qui manquaient aux catholiques, une logique, enfin, et des connaissances bien supérieures. La tendance philosophique de ce culte, son esprit d'examen et de doute, sollicitaient nécessairement des lumières et provoquaient les talents parmi ces hommes, dont les uns étaient austères, les autres savants, et la plupart de noble naissance.

C'est là, d'ailleurs, on le sait, le bienfait d'une hérésie. En développant, parmi ceux qui protestent, l'activité de l'esprit, elle l'aiguise et l'enrichit par la controverse ; elle rend les mœurs plus sévères par la crainte du contrôle, et les âmes plus énergiques par le besoin de la résistance. Ce n'est pas tout : elle réveille de sa sécurité paresseuse le culte qu'elle attaque, l'appelle dans l'arène, le force à s'armer, pour y descendre, d'une logique plus fortement trempée, révèle, aiguillonne en lui une vigueur ignorée ou endormie, et le consume ou l'épure au feu salutaire du combat.

Je lis dans Castelnau : « Les évêques, curés et autres pasteurs catholiques, voyant le danger de la foi, commencèrent à rivaliser avec les nouveaux prêcheurs si désireux et ardents d'avancer leur religion ; ils prirent plus de soin à veiller sur leurs troupeaux, à étudier aux saintes lettres, à l'envi des ministres protestants, et à prêcher plus souvent que de coutume. » Le vieux culte sentait le besoin de se relever pour se garantir ; l'ardeur catholique, dont Paul IV donnait un si terrible exemple à Rome, et Philippe II en Espagne, renaissait sur les divers points de la France, et se fortifiait encore de la publicité des récents décrets du concile de Trente.

Une hérésie contre la religion de l'État ne s'en tient guère là : toujours elle entraîne la politique avec elle, et il n'en peut être autrement ; car, d'une part, le citoyen ou le sujet se retrouve toujours dans le sectaire ; — d'ailleurs Calvin imposait cette association de sentiments comme une règle souveraine de sa loi ; — et, d'autre part, dans nos temps modernes, la puissance morale d'une hérésie n'a de chances de succès que quand elle a pour elle la force matérielle et l'ascendant politique. Mais il arrive nécessairement de là que, une fois la lutte sortie de ses limites spirituelles, les combats deviennent sanglants et les contradictions choquantes. Le protestantisme, surtout, joignait à l'enthousiasme d'une découverte et d'une foi nouvelles toute la chaleur d'une faction déjà puissante en Europe ; et c'est ainsi que, malgré sa logique, il versait le sang catholique au nom de la religion, et demandait la liberté des prêches au nom de la politique.

Il me semble donc que l'Hôpital s'était placé trop en dehors des questions et des partis du moment, qu'il se montrait gouvernant malhabile, lorsqu'en réunissant à Saint-Germain une assemblée de magistrats, il leur demandait, pour résister aux passions intéressées de l'époque, de séparer la cause religieuse de la cause politique, et, ailleurs, lorsque, voulant ramener le débat à son origine toute spirituelle, il instituait le colloque de Poissy, et réalisait ainsi une pensée de François Ier, qui avait voulu appeler Melanchton pour le faire disputer avec les docteurs de la Sorbonne sur les matières de la foi. L'Hôpital choisissait mal son moment ; car il ouvrait cette assemblée de Poissy après la conjuration d'Amboise, quand les deux partis eurent tiré le glaive et jeté définitivement le fourreau, pour s'exterminer dans des flots de sang. Il est trop tard, alors, pour tout concilier par des discours théologiques. Castelnau comprenait mieux l'état des choses et des esprits lorsqu'il écrivait : « Le clergé, partie de la noblesse, et presque tout le peuple, jugeaient que le cardinal de Lorraine et le duc de Guise étaient comme appelés de Dieu pour la conservation de la religion catholique, et leur semblait non-seulement une impiété de la changer ou altérer en sorte quelconque, mais aussi impossible sans la ruine de l'État, comme, à la vérité, ces deux choses sont tellement conjointes et liées ensemble, que le changement de l'une altère l'autre. »

Ce qui prouverait mieux encore l'impéritie de l'Hôpital, c'est qu'à ce moment la lutte était bien plus politique que religieuse, et qu'il y avait, comme on disait alors, beaucoup *plus de malcontentement que de huguenoterie*. L'active ambition des Guises contribua plus que toute autre chose à faire ainsi d'une secte un parti dans l'État. Hardis et orgueilleux, invariables dans leurs résolutions, implacables dans leurs haines, éclairés et puissants, voulant faire triompher le catholicisme surtout par la force, et leur propre ambition par le catholicisme, ils renouvelèrent avec éclat, en France, l'exemple de ces grands vassaux qui cherchaient à occuper le trône sous le prétexte de le garder, ou qui savaient, au besoin, s'en rendre indépendants. Ils réveillèrent ainsi chez les grands les traditions à peine assoupies de la féodalité, et eurent bientôt pour adversaire ou pour émule la meilleure partie de la noblesse.

Leur parenté avec le roi, leur emploi de premiers ministres, tout, jusqu'à la faiblesse du monarque, semblait un titre à leurs prétentions. De plus, leur maison réunissait, à elle seule, privilége précieux! les deux plus grands mobiles de la popularité et du succès, le double prestige de la religion et de la victoire; car elle était représentée par un cardinal et par un grand capitaine.

Pour créer un contre-poids à cette double force que tant d'autres appuis augmentaient encore, il fallait au parti protestant des titres et des priviléges égaux et d'aussi grands caractères. Les Châtillons et les Bourbons représentaient les plus hautes dignités dans l'État et dans la guerre; ils avaient même au milieu d'eux le cardinal Odet de Châtillon. Mais celui-ci avait précisément renoncé à la pourpre romaine pour suivre sa famille dans la nouvelle religion. Ce n'était plus un cardinal, ce n'était qu'un hérétique sans insignes, sans titres religieux imposants parmi les protestants, et forcé de s'abriter, comme les autres, sous les armes de ses frères. Le véritable champion religieux des réformés était à Genève. Calvin, établi en Suisse, privait sa cause, en France, d'un de ses leviers les plus énergiques; il affaiblissait son point d'appui par la distance; et c'est ainsi que les calvinistes, si unis d'ailleurs contre leurs ennemis, luttant contre eux par l'austérité, les vertus, la confraternité, la logique, restaient inférieurs particulièrement aux Guises, parce que, comme ceux-ci, ils n'avaient point avec eux un des chefs de leur église : tort d'autant plus grand, qu'une hérésie, pour tenir tête suffisamment au culte établi, n'a pas trop de la présence de tous ses chefs et de l'efficacité de toutes leurs influences!

Ce n'était donc pas par l'appareil, par les dignités de ses ministres, que le calvinisme pouvait réussir alors en France. Ennemi par nature de la pompe et de l'éclat, il n'offrait rien aux yeux et ne pouvait frapper l'imagination du peuple. Sa simplicité, la sobriété de ses ornements, son culte tout spirituel, n'attiraient que les intelligences, ne conviaient que des prosélytes choisis. Mais, grâce à la rivalité des Guises, la cause des réformés, en devenant en ce moment plus spécialement politique, devait gagner en popularité. Placés sur ce terrain, les calvinistes avaient des chances meilleures; ils se faisaient, de ce côté, plus de partisans religieux, et leur infériorité de tout à l'heure était largement compensée, sur le champ de bataille, par le nombre et la capacité de leurs gens de guerre. Coligny, Dandelot, Condé, Piles, La Noue, Montgommery, Barbezieux, Genlis, De Piennes, Rohan, La Rochefoucauld, Grammont, Soubise, et, parmi les chefs provençaux, Montbrun, Ambres, Pierre Gourde, Dacier, Bourniquet, tenaient tête aux Guises, à Tavannes, à Montmorency, Montpensier, Brissac, et aux ducs de Nemours et de Longueville, qui n'avaient pas toujours été leurs ennemis. Depuis la bataille de Dreux jusqu'à celle de Jarnac, la victoire avait été chèrement disputée de part et d'autre, et le protestantisme, en dépit de quelques défaites, avait cela de particulier, qu'il convertissait par les armes et voyait doubler ses rangs quand la guerre les décimait. Malgré cela, la supériorité du nombre restait encore aux catholiques.

Politiquement, le catholicisme n'était pas aussi heureux. En sa qualité de dogme ancien, il ne pouvait espérer de grossir facilement son armée, parce qu'il n'offrait pas l'attrait de quelque vérité nouvelle. A part Antoine de Bourbon, il ne provoqua aucune conversion éclatante. Il ne pouvait que conserver ses nombreux adhérents, ou risquer de se les voir enlever par la séduction de quelques vertus protestantes, par le prestige d'une croyance nouvelle et différente, et par cette émotion qu'inspirent les persécutions et les défaites même, et qui les érige en une sorte de martyre. Ce qui nuisait encore aux catholiques, c'est que, chez eux, la victoire se gagnait au profit d'une seule maison, tandis que, chez les protestants, elle devenait le bénéfice de tous.

Après la défaite de Jarnac, un champion nouveau se montra du côté des réformés. Henri de Navarre, tant qu'il n'eut que la valeur militaire, remportait plus de victoires sur les hommes de guerre que sur l'esprit catholique. Pour unir les deux forces indispensables à tout homme qui voulait régner sur les autres alors, la double puissance de la religion et des armes, il fut forcé d'associer à sa bravoure le culte de la majorité. Son caractère vif, enjoué, ses vices même, qui étaient plutôt d'un catholique que d'un protestant, en le faisant plus facilement accepter par le parti dominant, servirent à le conduire plus sûrement encore au trône; et son avénement ne fut, après tout, que la victoire de la féodalité sur la royauté. Converti en catholique et en roi, Henri IV oublia à peu près sa double origine protestante et féodale. Pour dompter les seigneurs dont il abandonnait la cause, il fut forcé de vaincre, de sévir, et de corrompre à prix d'or. Pour ramener à quelque obéissance le culte qu'il avait renié, il fut obligé de promulguer l'édit de Nantes.

On voudrait trouver, dans les *Mémoires* de Marguerite de Valois, quelques traces des événements intérieurs qui, depuis la mort de Condé, préparèrent peu à peu ce moment décisif. Les *Mémoires* de la femme de Henri IV commencent à peu près à la bataille de Jarnac, mais ils laissent bien à désirer pour la vérité des détails. Au milieu de tous ces récits, où l'art de l'écrivain se mêle à la dissimulation de la femme, pour parer ses fautes ou pour ménager sa vanité, je ne reconnais, au début, que quelques traits assez vrais du caractère de Catherine. J'aime à voir Catherine, lorsque le glorieux duc d'Anjou l'appelle auprès de lui, à Tours, pour lui montrer ses trophées, y partir en toute hâte pour l'embrasser et lui amener le roi son frère : « Si ces paroles, dit Marguerite, touchèrent au cœur d'une si bonne mère qui ne vivoit que pour ses enfants, abandonnant à toute heure sa vie pour conserver la leur et leur estat, et qui surtout chérissoit cestuy-là, vous le pouvez juger... Étant portée des aisles du désir et de l'affection maternelle, elle fait le chemin de Paris à Tours en trois jours et demi. » Quel que soit l'intérêt de Marguerite à faire ressortir cette tendresse maternelle de Catherine, et elle n'avance jamais rien sans intérêt, je trouve du moins ce jugement justifié par l'histoire.

Après François II, dont le court passage sur le trône laissa peu de place à l'expansion de l'affection maternelle, Charles IX est peut-être, des quatre fils de Catherine, l'exemple le plus frappant de la tendresse impérieuse de cette femme pour ses enfants. Moins aimé que le duc d'Anjou, parce que, de temps à autre, des éclairs d'indépendance et de caractère, en faisant éclater l'autorité de Charles, rejetaient dans l'ombre celle de Catherine, parce qu'il était plus ami de son propre repos que de cette politique de coups d'État et de perfidies retentissantes où se complaisait sa mère, ce jeune roi attesta mieux encore, au moment de la Saint-Barthélemy, l'impuissance de sa volonté et l'empire de Catherine. C'est malgré lui que se trame cet exécrable complot ; c'est avec son assentiment caché et bientôt c'est avec son adhésion hautement avouée qu'il est proclamé et qu'il s'exécute, sanctifié dans toute la France. Henri III poussa la faiblesse, ou plutôt toutes les faiblesses bien plus loin encore, et Catherine l'aimait de prédilection, parce qu'il était, entre ses mains versatiles, un instrument toujours obéissant. Les vices odieux de Henri, voilés par des manières séduisantes et nobles ; sa lâcheté, sa puérilité, couvertes d'un semblant de bravoure et de grandeur, convenaient singulièrement aux vues de cette femme, qui, depuis la mort de Henri II, regardait, dans ses fils, l'indépendance comme de l'ingratitude.

Il faut bien le reconnaître, cette politique ambiguë, mais personnelle, de Catherine, qui semble, au premier abord, exclure tout intérêt maternel, en est, au fond, un frappant témoignage, car elle favorisa merveilleusement la succession régulière de ses enfants sur le trône. Catherine devait, comme elle le fit, chercher à régner elle-même sous le nom de ses fils, pour maintenir la couronne sur des têtes aussi faibles et vacillantes ; autrement la dynastie des Valois eût cessé avant Henri III, et le trône eût été souillé de plus de sang encore qu'on en fit couler. Henri IV, qui, avec son bon sens accoutumé, avait vu de près tous les ressorts de cette bascule que la reine mère faisait jouer au profit de sa famille, répondait avec une grande justesse à Groulart : « Mais, je vous prie, qu'eût pu faire une pauvre femme ayant, par la mort de son mari, cinq petits enfants sur les bras et deux familles en France, qui pensoient d'envahir la couronne, la nôtre et celle de Guyse ? Falloit-il pas qu'elle jouast d'estranges personnages pour tromper les uns et les autres, et cependant garder, comme elle a fait, ses enfants qui ont successivement régné par la sage conduite d'une femme si advisée ? *Je m'étonne qu'elle n'a encore faict pis.* » Je trouve même plus de vérité que de prétentieuse flatterie dans cette médaille allégorique que le dauphin d'Auvergne présentait à Marguerite lors de son voyage à Bayonne. On y voyait trois petits oiseaux auxquels leur mère donnait la becquée, et la devise était : *æquus amor*. Le P. Hilarion de Coste ajoute que c'était une allusion à l'amour de Catherine pour ses enfants, Charles IX, le duc d'Anjou et Marguerite, qui étaient à la fête.

Ce mélange de politique et de tendresse de la reine mère se trouve dans le projet de mariage entre le jeune Henri de Navarre et la belle Marguerite. Le lendemain de la paix de Saint-Germain, quand Charles IX, joyeux d'une pacification généreuse pour les réformés, et impatient de l'autorité maternelle et des succès de Henri III, se laissait emporter vers le parti protestant, Catherine songea à s'allier au jeune prince de Navarre. Voulait-elle par là flatter les tendances de Charles IX, ou plutôt allier à sa propre cause ce parti que son fils pouvait détacher d'elle, et qui avait pour chef le jeune vainqueur de la Roche-Abeille ? Les Mémoires de Marguerite ne nous apprennent rien à ce sujet ; sa circonspection ou son indifférence nous prive des détails les plus intéressants. Dans une circonstance aussi importante, elle ne voit d'autre objection à faire à son mariage avec le prince de Navarre que la différence de leur religion.

S'agit-il de la mort soudaine et mystérieuse de Jeanne d'Albret, elle n'y trouve, au lieu de larmes et de regrets, que l'occasion d'un récit plaisant, où la malignité tient le plus de place. Marguerite, en peignant sa belle-mère étendue sur le lit de mort, ne se souvient que de la haine que madame de Nevers et elle se portaient réciproquement. Plus loin, elle ne parle de ses propres noces que pour donner le détail complaisant des richesses de sa toilette et du luxe de la cérémonie. En voyant tant de froide ironie et d'insensibilité dans de si graves sujets, on se rappelle involontairement cette lettre citée par Le Laboureur, où l'infortunée Jeanne d'Albret se plaint à son fils de la politique méticuleuse qui refroidit ses négociations matrimoniales. « Quant à madame (Marguerite de Valois), ajoute-t-elle, je ne la vis jamais que chez la reine, lieu malpropre d'où elle ne bouge, et ne va en sa chambre qu'aux heures qui me sont malaisées. Aussi que madame de Curton (sa gouvernante) ne s'en recule point ; de sorte que je ne puisse parler à elle qu'elle ne l'oye. Je ne lui ay point encore montré votre lettre, mais je luy montrerai. Je le lui ai dit ; elle est fort discrète et me répond toujours en termes généraux d'obéyssance et révérence à vous et à moy, *si elle est vostre femme*. »

Marguerite avait-elle espéré, malgré la soumission dont elle se pique dans ses Mémoires, que ce mariage avec Henri de Navarre n'aurait pas lieu ; et la différence de religion, seul prétexte qu'elle se permet d'opposer aux propositions qui lui sont faites, était-elle le vrai motif ? On ne peut l'admettre, et l'habileté de Marguerite a ici un double but, celui de nous préparer à l'antipathie qui, plus tard, la séparera de Henri IV, et aussi celui d'un refus implicite de sa main, pour prolonger avec le duc de Guise une liaison qui, à cette époque même, était devenue un bruit public. Marguerite a beau semer de précautions oratoires le récit qui touche le duc de Guise ; elle a beau, dès le plus bas âge, donner la préférence sur lui, au moins dans ses Mémoires, au duc de Beaupréau, elle ne parvient à nous tromper ni sur son inclination trop notoire, ni sur les causes du refroidissement subit de son frère Henri III. Aucun des historiens qui ont traité sérieusement cette époque n'a négligé de mentionner une intrigue de la jeune princesse avec le duc de Guise, appelé alors le prince de Joinville, et l'affection toute particulière que Henri III avait jusque-là témoignée à sa sœur en ressentit une légitime atteinte. La main de Marguerite pouvait faire monter jusqu'au trône de France cette ambitieuse maison des Guises, qui était à la fois l'appui et la terreur des Valois, et Henri III avait un double intérêt à punir Marguerite d'une liaison aussi coupable et aussi imprudente. Celle-ci n'oublie pas, dans ses Mémoires, de donner au mécontentement de son frère ce motif tout politique. Elle est trop habile pour ne pas dissimuler sa folle conduite sous ce voile commode.

A part ce moment de juste humeur, on trouve, en d'autres endroits de ces Mémoires, des traits différents du caractère de Henri III. Quand la conspiration de Monsieur et du roi de Navarre a provoqué les soupçons du roi contre tout ce qui touche aux princes, la méfiance se porte naturellement aussi sur Marguerite. Elle est entourée de gardes, enfermée; on punit en elle la femme de Henri de Navarre et l'auxiliaire du duc d'Anjou. Mais, attaqué tout ensemble en Gascogne, en Dauphiné, en Poitou, par les huguenots, et en Champagne par le duc d'Anjou, Henri III ne tarde pas à prêter l'oreille à des propositions de paix, et la peur remplace bientôt le ressentiment. Ce soudain revirement ne se fait pas sans orage. Ce roi, si furieux tout à l'heure, qui se vengeait si durement des absents sur la personne de sa sœur Marguerite, il est tout contrit maintenant de ce qu'il a fait. Catherine apprend à sa fille « qu'il en est tout marry, *qu'elle l'en a vu plorer.* »

Ailleurs, on surprend d'autres situations, lorsque les mignons du roi et les favoris de Monsieur se sont pris de querelle, quand Bussy et Quélus sont brouillés, et que le duc d'Anjou est encore l'objet des soupçons et des représailles du roi. Toute cette grande colère de Henri III tourne, comme toujours, au moindre mot. Tout à l'heure il était inaccessible, maintenant c'est lui qui prie la reine-mère de tout réconcilier et « rhabiller. » Catherine, dans le livre de sa fille, peint exactement ici un côté de cet étrange caractère. Selon elle, Henri III était souvent « de cette humeur, qu'il s'offensoit non-seulement des effects, mais encore des imaginations, et qu'étant résolu en ses opinions, sans s'arrêter à aulcun avis, ni d'elle, ni d'autres, il exécutoit tout ce qui lui venoit en fantaisie. »

Était-ce aussi une fantaisie de cet esprit bizarre, hardi et pusillanime, que les tendances vers le protestantisme qu'il avait montrées dans sa jeunesse, et dont ces Mémoires nous entretiennent? Il me semble y reconnaître plutôt une concession faite au goût du moment.

C'était en 1561, à l'époque du colloque de Poissy, et Marguerite avoue qu'alors toute la cour était infectée d'hérésie. Catherine, écrivant au pape, lui dépeignait la puissance chaque jour croissante du calvinisme, et son unité de plus en plus indestructible. Henri III, dans son zèle outré pour la nouvelle religion, jetait souvent les *Heures* de Marguerite au feu, et la contraignait de porter des livres de psaumes protestants. Mais Marguerite et sa mère se montraient plus attachées aux croyances catholiques. Catherine (1), disent ces Mémoires, réprimandait même vivement le duc d'Anjou et ses gouverneurs de l'emploi de ces pratiques nouvelles. Mais l'élan était donné : le calvinisme s'étendait partout comme une contagion. Cet esprit de rébellion et d'examen, qui séduit toujours de préférence la jeunesse, s'allie mieux qu'on ne pense avec les époques de corruption. C'est que, à part tout dogme régulier, le doute religieux, qui suit toujours la décadence morale, en devenant un sys-tème, semble exiger moins de vertu, et l'indépendance érigée en règle relève l'homme à ses propres yeux, et le fortifie aux yeux des autres. Henri II lui-même avait eu des tentations de protestantisme. Cette même Catherine, s'il faut en croire les commentaires de Théveneau, avait au-trefois tiré « des pochettes » de son mari les psaumes de la version de Marot, et chassé ceux qui étaient près de là, et qui « s'efforçaient de lui faire goûter le breuvage d'une nouvelle doctrine. » Cette faveur du moment pour le calvinisme avait gagné aussi les seigneurs de la cour, et, avec eux, Charles IX un instant, et Henri III dans sa jeunesse. Chose étrange, et qui est encore un trait de caractère! ce prince, qui, dans son enfance, penchait vers la réforme, monta sur le trône de France en jetant l'anathème sur le parti protestant, en lui prescrivant de vider le royaume, s'il ne voulait vivre en catholique, et il devait finir par où il avait commencé, en s'alliant avec les mêmes huguenots, qui étaient restés, après tout, son seul refuge!

On a dit, à ce sujet, que c'était le Nord, la Germanie, qui avaient in-troduit en France cet esprit protestant et investigateur, par opposition à l'esprit de domination et de subordination qui vient du Midi. Cette assertion est trop absolue pour être parfaitement juste. On oublie trop que Rome, avant d'être la métropole du catholicisme, avant d'être la ville des empereurs et des tyrans, avait été une république jalouse de ses prérogatives, libre jusqu'à la licence, fière jusqu'à l'arrogance, im-patiente enfin du moindre joug. Elle avait répandu autour d'elle et jeté comme une semence féconde, dans toutes les villes voisines, ces tradi-tions d'indépendance qui s'y conservèrent quand elle-même les avait déjà oubliées.

Personne n'ignore que ce goût des franchises municipales s'est gardé jusqu'aujourd'hui dans nos villes méridionales. Longtemps avant la

---

(1) Je vois, en 1861, cette même Catherine essayer, d'après le nonce Sainte-Croix, de faire instruire Charles IX dans le mépris des rites romains, et faire prêcher devant lui Mont-luc, cet évêque de Valence qui tenait plus pour Genève que pour Rome.

réforme, il avait, on le sait, envahi les pratiques religieuses d'une partie du Midi, et les sectes des Albigeois et des Vaudois avaient montré, par leur persévérance dans le schisme et leur intrépidité dans le martyre, qu'elles n'avaient rien à attendre du Nord. Plus tard, la haine politique que le midi nourrissait incessamment contre la France du nord se révélait tout entière dans son ardeur à embrasser le protestantisme, et à insulter la royauté des fils de Henri II. L'indépendance native des montagnards des Cévennes s'armait avec une audace farouche contre le prince et le culte régnants. Montbrun, chef des protestants du Dauphiné après le baron des Adrets, et toute la noblesse du Languedoc, renouvelaient ; dans leur féroce ironie, ces plaintes et ces principes républicains dont le modèle se trouve déjà dans le journal de Masselin, pendant les états généraux de 1484.

Enfin, les deux petites cours de Nérac et de Béarn n'avaient-elles pas été, à partir de Marguerite d'Angoulême jusque sous Henri IV, son petit-fils, le foyer de la réforme naissante, le refuge primitif des idées et des hommes nouveaux, depuis Lefébvre d'Étaples jusqu'à Calvin lui-même? Le Midi n'est donc pas si despotisque qu'on le fait. C'est l'excès même de la souveraineté absolue, émanée de Rome, qui a contribué à irriter et multiplier ces sentiments d'indépendance municipale et religieuse qui en viennent aussi. C'est de là que sont sorties les républiques italiennes ; c'est là ce qui les a tant de fois agitées et armées, et ce qui a fait de la révolte un des caractères essentiels du midi de la France. A tous ces ferments d'insurrection, le Nord est venu mêler son levain luthérien. A son tour, il a fait des prosélytes, et surtout ranimé parmi la noblesse de France les souvenirs de l'ambition féodale. Mais son action n'a été ni la seule, ni la première, ni la plus forte, et peut-être serait-il plus sage de regarder, avec M. Augustin Thierry, le protestantisme comme « un mélange des vieilles traditions d'indépendance de l'aristocratie française avec l'esprit démocratique de la Bible, et l'esprit républicain de la Grèce de Rome. »

Marguerite se borne à laisser deviner, par la conduite de son frère Henri, les impressions du moment ; mais elle se garde bien de lever tout le voile, de nous initier aux perplexités de la reine mère, de nous montrer la popularité croissante des protestants, leur orgueil croissant en même temps, et les flatteries de la cour, aiguillon de leur vanité, qui sera tout à l'heure l'instrument de leur perte. Ces faits curieux sont indiqués à peine ; encore Marguerite ne les touche que dans un intérêt tout personnel. Au moment de l'assassinat de Coligny par Maurevel, Charles IX n'est vivement loué que pour mieux faire contraste avec Henri III. Ses sympathies protestantes, qui auraient dû révolter le catholicisme de sa sœur, sont presque un mérite maintenant, quand tout à l'heure c'était un défaut dans Henri III. A en croire Marguerite, Charles IX voulait tuer Guise au moment de l'attentat. Elle insiste à plusieurs reprises sur cette intention de faire mourir l'auteur prétendu

du crime, et l'on se demande encore une fois, avec défiance, si ce n'est
pas là un moyen de plus de détourner les conjectures loin des préférences
secrètes qu'elle accordait toujours à ce même duc de Guise ; car ses tendres intrigues avec lui ne cessèrent pas de suite après le mariage de
Henri de Navarre, et je soupçonne qu'on en parlait dans les brocards
dont L'Estoile nous dit « qu'on galoppoit à tous propos le roi de
Navarre, » le jour où il jouait à la paume avec le duc de Guise.

Du reste, rien de grand dans le récit de la Saint-Barthélemy ; rien
d'attendri, rien de puissant comme la situation, ou de déchirant comme
ses calamités ; Marguerite, ici comme partout, est maîtresse d'elle-
même et sans sympathie politique. (Je n'attribue pas à ce genre d'intérêt
le voyage qu'elle fit plus tard en Flandre pour Monsieur, ni le soin
qu'on lui prête d'avoir fait frapper des médailles avec la double effigie du
duc d'Anjou et de sa sœur Marguerite.)

Ce n'est pas, cependant, que le talent de l'écrivain lui fasse ici défaut.
J'admire, au contraire, cette simplicité à peu près naïve avec laquelle
elle nous initie aux premiers soupçons qu'elle conçut du terrible mas-
sacre. Ce cri, sans motif avoué, que laisse échapper sa sœur de Lorraine : « Mon Dieu ! ma sœur, n'y allez pas ! » au moment où Marguerite
va se retirer dans sa chambre à coucher ; les prières que celle-ci adresse
à Dieu quand elle y est entrée, et cette longue nuit sans sommeil, inter-
rompue par les conversations des huguenots rassemblés autour du lit du
roi de Navarre, tout cela compose un épisode touchant par sa simplicité
même, et serre le cœur involontairement. Mais là encore, c'est en se
mettant en scène que Marguerite émeut. Ce n'est pas par un mot de
pitié pour de si nombreuses victimes, ou par une profonde pensée sur
cette terrible catastrophe, qu'elle en marque les préludes ; c'est par un
petit récit d'une sorte de naïveté égoïste, où elle veut faire croire qu'elle
ne sait rien, et qu'elle est d'une parfaite innocence. On sait, avec Marguerite surtout, ce qu'il faut croire de tout cela. Charles IX ne disait-il
pas, après la Saint-Barthélemy, que sa sœur avait pris tous les rebelles
huguenots « à la pipée ? »

Le style est au niveau de cette espèce d'ingénuité. C'est une narration
familière qui paraît sans apprêt, et qui ressemble assez à celle d'une jolie lettre. Il y a presque du Sévigné dans ce passage :

« Une heure après, comme j'estois plus endormie, voicy un homme
frappant des pieds et des mains à la porte, criant : Navarre ! Navarre !...
Ce fust un gentilhomme nommé M. de Lézan, qui avoit un coup d'espée
dans le coude, et un coup de hallebarde dans le bras, et estoit encore
poursuivy de quatre archers qui entrèrent tous après luy en ma chambre.
Luy, se voulant garantir, se jetta sur mon lict. Moy sentant cet homme qui
me tenoyt, je me jette à la ruelle, et luy après moy, me tenant toujours
au travers du corps... Nous cryions tous deux et étions aussy effrayez
l'un que l'autre. » Cela est raconté à peu près comme l'histoire de l'archevêque de Reims, revenant de Saint-Germain comme un tourbillon,

et traversant Nanterre, et renversant un homme et son cheval. Il n'y manque que le *tra, tra, tra*, de madame de Sévigné.

Ce rapport littéraire entre Sévigné et Marguerite se continue encore dans quelques mots ingénieux ou marqués au coin du bon sens. Nous citons au hasard. Le début de ces *Mémoires* adressés à Brantome : « Je loueroys davantage votre œuvre si elle ne me louoit tant, » est une politesse du XVIIᵉ siècle. Louis XIV s'en est servi. Marguerite veut-elle exprimer son dégoût pour Le Gua, favori de Henri III : « Tous les jours, dit-elle, on lui disoit (à Henri III) quelque chose de nouveau sur ce sujet, pour l'aygrir contre moi ; *invention de la boutique du Gast !* » Lorsque ce même Le Gua est mort, elle trouve encore des mots nouveaux pour le désigner : « Ce *fusil* de haine et de division étant osté du monde, et le roy n'aiant son esprit *bandé* qu'à la ruine des huguenots. » Les hommes que ce Le Gua avait envoyés pour enlever la Thorigny, une des femmes de Marguerite, sont peints avec vivacité : « Usans à la françoise sans se guarder de rien, se gorgeans *jusques au crever* de tout ce qui étoit de meilleur en cette maison. » La cour de Béarn est spirituellement appelée « ce petit Genève de Pau. » Tout l'épisode de l'amour et de la mort de mademoiselle de Tournon et de l'ingratitude que lui a témoignée le marquis de Varembon est raconté avec un grand charme de détails. On sent que Marguerite n'est pas indifférente au sujet, et qu'il s'agit un peu de sa propre cause quand elle parle d'amour et d'inconstance. Une naïveté lui échappe en peignant le retour du marquis de Varembon à des sentiments plus tendres : « s'étant repenty de sa cruauté, et son ancienne flamme s'étant de nouveau rallumée (*o estrange fait !*) par l'absence. » Voilà une parenthèse bien significative.

Le jeune duc de Lorraine à qui on vouloit donner sa terre d'Aiguillon, c'est « une *corneille d'Horace* qu'on vouloit parer de ses plumes. » Elle appelle les places où on conspire « des niches à perturbateurs. » Au milieu de tous ces noms de Platon, d'Homère, de Darius, Néron, Alcibiade, etc., qu'elle mêle un peu sans ordre à de si belles pages, comme c'était la mode alors, elle trouve encore le moyen de tirer une fois bon parti de cette manie de l'érudition et de faire un portrait vrai : c'est en peignant le duc d'Alençon, « qui du vray naturel de Pyrrhus n'aymoit qu'à entreprendre choses grandes et hazardeuses, étant plus né à conquérir qu'à conserver. »

Dans ses *Lettres*, malgré une dissimulation habituelle, son style et son aisance gagnent encore. Sa manière, en général, est plus épistolaire que pompeuse, et ses lettres la peignent mieux. J'aime celles qu'elle adresse à sa cousine, la duchesse d'Uzès, qu'elle appelle sa *Sibylle*, et il faut remercier l'éditeur de les avoir imprimées. On y trouve, avec l'abandon et la grâce, des détails sur les habitudes de Marguerite. Ainsi elle demande à sa Sibylle de la poudre pour les érysipèles ; elle désire être traitée en amie dans cet envoi, elle veut qu'on lui en expédie de bonne. Ailleurs elle la remercie de l'eau de mauve qu'elle a reçue pour le même objet.

Ce sont là des précautions qui trahissent le goût bien connu de Marguerite pour les recettes destinées à conserver la peau nette et le teint frais, et qui complètent ce que les Mémoires nous apprennent de sa coquetterie. L'une de ces lettres finit par cette pensée tendre et gracieuse : « Je vous supplie leur bayser les mains de ma part, les assurant que, si mon cœur se peut mettre en trois parties, je consens qu'en preniez chacune une part. Je l'estimeray trop mieux logé qu'en ce misérable corps. »

Sa correspondance avec son mari, lorsqu'elle a quitté la Gascogne, où il est, pour reprendre le chemin de la cour, porte un tout différent caractère. Elle témoigne d'un respect où perce quelque peu, à son insu, la contrition d'une pécheresse. « Monsieur, le soin qu'il vous plaist avoyr de ma santé et la souvenance qu'il vous a pleut avoyr de moy me font esprouver tout l'heur et le contentement qu'esloignée de votre présence je puis recevoir, n'en pouvant en une si fascheuse absence esprouver en autre chose. »

Cette humilité va même trop bas, et dégénère quelquefois en abnégation obséquieuse. Ainsi, en parlant de madame de Sauve, qu'elle savait avoir été la maîtresse de son mari, elle dit à Henri : « Elle est allée à Paris ; elle m'a promis de vous y faire de bons offices. » C'est pousser loin la politesse. Cette bonne volonté de Maguerite à l'égard des maîtresses de son mari est même souvent portée à un degré qui fait soupçonner bien des fautes dans celle qui montre cette générosité, ou bien des turpitudes dans la conduite de Henri qui la provoque. Marguerite et Henri de Navarre ne pouvaient s'aimer. Les habitudes cavalières de l'un, ce bon sens, mais aussi cette rudesse de soldat et de montagnard, qui n'excluaient pas l'affabilité, mais qui ignoraient la politesse ; cet esprit prompt, mais sans culture profonde, qui avait oublié les *Hommes illustres* de Plutarque aux pieds de ses maîtresses sans nombre et sans choix; tout cela était incompatible avec l'éducation et le caractère de l'autre. Marguerite était lettrée, admirablement belle; elle joignait au tact d'une femme cette science des réticences et de la dissimulation que Catherine avait perfectionnée en elle, et ce goût des délicatesses du luxe et de l'esprit qu'elle avait puisé à la cour. Le penchant de la débauche et des voluptés grossières, le seul qu'elle eût de commun avec Henri de Navarre, était précisément celui qui devait l'en éloigner encore davantage. Et cependant que d'abnégation, si elle est sincère, que de générosité presque pour lui ! Elle nous apprend qu'elle a secouru, au moment d'être mère, la belle et indigne Fosseuse, celle que Henri osait appeler *sa fille*, qu'elle a caché sa faute, et depuis l'a toujours tenue près d'elle. Elle va même plus loin : « Sy vous ne luy faictes du bien, écrit-elle à son mari, je luy en ferai pour la marier et auray soin qu'elle soit à son ayse, et qu'elle ne recoyve aucun desplaisir *pour le désyr que j'ai de servir à vos volontés.* »

On dirait que l'explication de cette conduite se trouve dans les faits qui suivirent, dans le besoin de se faire de son mari un protecteur indulgent. Après un séjour de dix-huit mois à la cour, Marguerite reçoit tout

17

à camp du roi Henri III l'ordre formel de quitter Paris, pour se rendre en Gascogne auprès de son mari. Elle part, l'humiliation dans le cœur. Au milieu de sa route, les femmes qui l'accompagnaient sont faites prisonnières par ordre de Henri III ; la plupart des hommes de sa suite lui sont enlevés, et le roi, soupçonnant quelque nouveau scandale amoureux, les interroge à Montargis. Mais, n'ayant pu rien découvrir par leurs témoignages, il laissa Marguerite continuer tranquillement sa route. Cet affront, dont Henri de Navarre demanda compte par des ambassades qui sont diversement racontées dans d'Aubigné, Duplessis-Mornay et dans Pibrac, n'obtint pas la réparation attendue, et montra une fois de plus la faiblesse du roi.

Les lettres de Marguerite à ce sujet peignent en termes étudiés sa honte et son désespoir. Elle dit à sa mère que, s'il ne lui restait la souvenance de l'honneur qu'elle a d'être sa fille, elle aurait déjà de sa propre main « devancé la cruauté de sa fortune, » comme si les turpitudes de ses intrigues n'étaient pas la meilleure preuve que le souvenir de *l'honneur* ne l'arrêtait point quand elle en voulait braver les exigences. Elle écrit à M. Sarlan, maître d'hôtel de Catherine, que la première nouvelle que sa mère aura d'elle sera celle de sa mort. « Patience, ajoute-t-elle, elle m'a mise au monde, elle m'en veut ôter. » Ce n'est déjà plus la soumission de tout à l'heure : il ne s'agit plus de l'honneur qu'elle a d'être fille de Catherine, il s'agit de la cruauté que met sa mère à la vouloir perdre. On retrouve les mêmes traits dans deux lettres où elle parle de Gabrielle d'Estrées : dans l'une, adressée à Gabrielle même, elle l'appelle sa sœur et vante sa belle bouche; dans l'autre, adressée à Sully, elle lui donne la plus décriée des épithètes et la traite avec le plus profond mépris.

Marguerite cependant se garda bien de mourir. Les années les plus fortunées de sa vie commencèrent au contraire pour elle dans l'imprenable forteresse d'Usson, où elle venait d'être amenée par ce marquis de Canillac qui, séduit, dit-on, par sa beauté, devint son chevalier après avoir été son geôlier. Là, les premières lettres qu'elle écrit à son mari nous entretiennent des dettes qu'elle a contractées, des sommes qu'elle reçoit, et du surcroît d'argent qu'elle demande pour sa pension. Ce sont articles d'intérêt qu'elle fait fort habilement valoir, au moyen d'un consentement de divorce dont elle recule adroitement la concession pendant six ans.

Dans cette forteresse d'Auvergne, qui devait défier tant d'ennemis, ses dettes semblent s'augmenter avec les largesses de son mari, et l'on s'explique toute la valeur intéressée de ces mots qu'elle écrit à Henri IV après l'attentat de Jean Châtel : « Monseigneur, après avoir rendu grâces à Dieu de ce qu'il lui a plu préserver Votre Majesté du misérable et trop détestable attentat qui a pensé apporter à toute la France et à *moi particulièrement* autant de préjudice comme à chacun de ceux qui y sont affectionnés, et *moi plus que tout autre*, etc. » Au moment où le divorce fut accompli, Henri IV montra une générosité dont Marguerite, en femme avide et endettée, chercha à tirer parti. Sa première lettre, après cet événement important, laisse percer jusque dans ses flatteries une sorte de regret, faible il est vrai, de voir s'échapper avec le lien du mariage son influence sur les bontés de Henri. Mais les titres de frère et de sœur qu'ils se donnèrent désormais en échange de ceux d'époux, s'augmentant encore de la reconnaissance du roi, laissèrent subsister toute sa bienveillance pour la châtelaine d'Usson. Marguerite ne se lassa pas de puiser à cette source féconde, d'y recourir sans cesse sans crainte de la tarir, et il faudrait citer la plus grande partie de ses lettres, si l'on voulait dénombrer toutes les demandes d'argent, de suppléments de pensions, de gratifications, de seigneuries, etc., dont elle les surcharge.

Du reste, ce souvenir d'elle-même qu'elle ne perd en aucune occasion, ce sang-froid égoïste qu'elle conserve au milieu des épanchements de l'amitié, semblent se perfectionner encore dans l'âge avancé de Marguerite. Les lettres qui terminent ce recueil de sa correspondance nous la montrent à peu près entièrement devenue femme d'affaires. Soit que, dans une lettre de félicitations au sujet de la prochaine maternité de Marie de Médicis, elle se plaigne de Charles de Valois, qu'elle appelle son *mauvais neveu*, parce qu'il est en possession des immenses biens dont elle a été déshéritée pour lui ; soit que, comme comtesse d'Agénois, elle réclame énergiquement contre l'érection de son duché d'Aiguillon en duché-pairie en faveur de Henri de Lorraine; soit qu'aussitôt après la disgrâce de son *mauvais neveu*, elle s'agite et réclame ces biens qui ont appartenu à Catherine, sa mère ; soit qu'enfin elle coure aux Cordeliers y faire chanter un *Te Deum* en l'honneur de ce procès qu'elle vient de gagner ; partout le souci de l'argent et de la possession, la passion du gain, animent ses lettres. Il semble que ce soit là une des conséquences communes de la sensualité dans la décrépitude de certaines femmes.

Je n'ai pas le courage de m'arrêter maintenant à ces autres habitudes honteuses qui ont souillé la vie de Marguerite, et dont elle vint encore donner le triste spectacle à Paris, à l'âge de cinquante-quatre ans, après les avoir cachées dix-neuf ans sous les ombrages plus discrets du château d'Usson. Elles occupent une place odieuse, mais indispensable, dans cette correspondance; il faut les y laisser comme ces ulcères empoisonnés qu'on regarde avec effroi, et qu'une main délicate craindrait de toucher. Je ne veux m'occuper que des lettres inédites de la reine de Navarre à Chanvallon, grand écuyer du duc d'Alençon. Cette liaison, qui commença en 1580, à l'époque même où Marguerite, dans ses Mémoires, s'étend longuement sur les bontés de son mari pour Rebours et Fosseuse, donna lieu à une correspondance dont le langage mérite une attention particulière.

A cette époque savante, élégante et dépravée, où l'érudition du moyen âge se mêlait aux travaux de la philologie et de la composition de notre langue, où le mélange de tous les goûts s'alliait à l'abus de tous les plaisirs, et le désordre des mœurs à la componction religieuse, l'enthou-

siasme n'était guère possible. L'imagination, au lieu d'être riante et
pure, comme à la naissance de toute civilisation, puisait dans l'érudition des couleurs hardies et cyniques, et l'enthousiasme véritable, sous
l'inspiration italienne de Catherine surtout, s'exprimait avec d'autant
plus d'exagération, qu'on l'éprouvait moins. De là tous ces sentiments
brûlants tracés de sang-froid, toutes ces fleurs glanées, d'une main
maladroite et souvent glacée, dans l'histoire ancienne, dans la mythologie, l'histoire sainte, les contes et les sonnets de l'Italie. — Marguerite
écrit à Chanvallon : « L'Éco de ces caverneuses montagnes seroit impor-
tunée de ma voix et de mes soupirs, si elle avoyt aultre cause que son
beau Narcisse qui fait qu'elle me répond, mais avec telle rage déses-
pérée de me voyr posséder ce qui luy a tousjours été cruel, qu'il n'y a
tonnerre qui si longtems garde son son, que l'on l'oyt bruire et gronder
mêlant ses cris à l'horryble bruict d'un torrent impétueux et effroyable
qui passe au pié de sa demeure, que je crains faire bientost déborder
par l'abondance de mes larmes. » Ne croirait-on pas entendre un prélude du chant de Malherbe sur la pénitence de saint Pierre?

Pourquoi faut-il ajouter que tous ces soupirs platoniques, auxquels
se mêlent des expressions d'une tendresse différente, se trouvent joints à
l'offre que Marguerite ose faire à Chanvallon de le marier, « pour être
chose, dit-elle, que vous pensiez être à votre avantage et à l'avantage
de notre amour, pour la commodisté de nous voir plus souvent? Elle
ajoute encore que celle qu'elle lui propose est « honneste femme et parle
bien italien. » La connaissance de l'italien était une qualité à cette
époque de sentiments faux et fardés, et, pour Marguerite, la condition
d'honnête femme était un titre aux infidélités conjugales.

Morale perverse dont on voudrait douter encore après en avoir lu
l'expression trop précise! Sentiments honteux qui devraient être, comme
tout ce qui est vil, enveloppés de ces réticences dont l'embarras même
annonce un reste de pudeur! C'est cette même Marguerite qui dit ailleurs qu'elle a reçu du mariage tout le mal qu'elle ait jamais éprouvé,
et « le tient pour le seul fléau de sa vie. » Et cependant elle écrivait à
l'auteur de ce fléau : « Nous attendons le retour de Votre Majesté comme
ces peuples qui ont six mois de nuit, le retour du jour; et faut avouer
que Paris n'est poinct Paris, privé de l'honneur de la présence de Vos
Majestez. »

Ce style ampoulé et maniéré, qui fait penser aux salons de madame
de Rambouillet, et qui contient de ces raffinements que Duclos appelait
l'élixir du sentiment, remplit la plus grande partie des lettres à Chanvallon. Marguerite ose dire : « Il est tant vray que l'amant se transforme
en l'aymé, que je ne me puis plus que par vous posséder. » Elle fait
une longue comparaison du réchauffement de la terre au solstice d'été
et de son refroidissement en hiver avec la froideur de Chanvallon, qui
l'a glacée elle-même et lui « a tellement *empierré* la main, qu'en voulant prendre le plume elle n'a jamais pu s'en servir. »

Tout cependant n'est pas de ce style : çà et là l'esprit naturel se fait jour ; le ton vif et épistolaire reparaît au milieu de toutes ces enlumi- nures : « Le sujet de cette lettre me brouille encore plus l'esprit qu'elle n'est brouillée ; encore n'eust-elle esté telle sans la fascheuse compagnie qui me tint tout hier sans avoir presque la pensée libre ; et ce matin j'ay si grande haste de m'habiller pour ne faillir à cet heureux et désiré in- stant que je ne la puis redoubler (la recopier), m'asseurant aussi que ma présence vous sera plus agréable que la veue d'une lettre bien peinte. » On est tenté de remercier Marguerite de s'être *démétaphorisée*, comme eût dit l'autre Marguerite, sa parente.

Il faut donc ranger à part , comme en une case obscure , cette corres- pondance avec Chanvallon , ces témoignages ampoulés de l'influence de l'époque sur le goût littéraire de Marguerite. A part le fond , la forme nous donnerait mauvaise opinion du talent de l'écrivain. Marguerite, comme Briçonnet, comme tant d'autres, a sacrifié aux faux dieux litté- raires du temps. Mais c'est là une offrande passagère, commandée cette fois seulement, il faut le penser, par une passion aveugle et ardente. Par- tout ailleurs Marguerite revient au culte charmant du bon sens et de la grâce, à ces formes simples et pures que lui dicte son inspiration natu- relle ; c'est son style net, précis et d'une piquante facilité, qui fait l'attrait réel de ses écrits. Cette femme, qui aimait les savants parce qu'elle était instruite , et qui engagea Coeffeteau à composer une théologie en français, montre dans ses Mémoires une véritable science du langage. Elle donne à cette langue molle et flexible du xvıᵉ siècle une forme arrêtée et con- stante, un tour souvent hardi et ferme, qui témoigne d'une incontestable pureté de goût et de savoir. Outre les hommes savants qu'elle voyait ou protégeait, à cinquante ans elle avait encore près d'elle ce Choisnin dont elle se plaint amèrement dans une lettre. Elle l'avait choisi pour précep- teur à son premier départ de Paris , en 1577, peu de temps après cette prison où elle avait commencé à puiser le goût de la lecture et de l'étude, et , s'il faut l'en croire , celui de Dieu et des hautes pensées chrétiennes. On trouve même, en 1606, parmi ses serviteurs, l'historien Scipion Du- pleix , dont elle avait fait son maître des requêtes, et qui nous en a laissé un portrait. Ce goût de l'étude, ce commerce studieux avec les sa- vants, aidèrent beaucoup à enrichir son esprit , à nourrir et fortifier son style.

Tels sont les écrits de cette reine, dont on a trop parlé comme femme, et qui mérite d'être appréciée comme écrivain. Ce n'est point dans ses *Mémoires*, je l'ai dit , qu'il faut chercher la vérité historique. Margue- rite est intéressée à rabaisser certains personnages pour se rehausser, à déguiser ou dissimuler certains faits , à commettre , comme Bayle a dit d'elle, des péchés d'omission, pour provoquer plus sûrement les louanges de Brantome, à qui son livre s'adresse, et aussi pour rectifier, comme elle l'écrit, quelques-unes de ses assertions. Il n'y faut pas chercher non plus la verve inépuisable et mordante de Rabelais , ou la savante négligence de Montaigne. Marguerite est femme; elle a la simplicité correcte, particulière aux écrivains de son sexe, cette justesse sobre qui tempère toutes les images et qui, par la finesse des traits, échappe à la sécheresse. Ses *Mémoires* inspiraient à Brantome des éloges exagérés, à Pélisson un enthousiasme qui lui causa une insomnie, et au cardinal Bentivoglio un passage flatteur dans son histoire des *Guerres de Flandre*. Nous n'avons rien à ajouter à ce qui a été dit des lettres jointes à ces Mémoires. Nous en avons suffisamment apprécié les défauts romanesques et les qualités épistolaires. Comme toutes les lettres, elles peignent, en général, beaucoup mieux le caractère de Marguerite, et font un tort considérable aux opinions qui lui ont été favorables.

Mais il faut regretter que l'éditeur, d'ailleurs si consciencieux, ne nous en ait donné qu'un choix. Quelque goût qu'il ait apporté dans ses préférences, il devait penser que les goûts diffèrent, et qu'il ne réussirait pas à imposer le sien sans contestation à tous les lecteurs. D'ailleurs, dans une œuvre de restitution, dans une publication qui veut être complète, les exclusions me paraissent toujours ôter quelque chose de l'intégrité du travail. L'éditeur doit tout donner avec le soin le plus scrupuleux; c'est au public à choisir et à dédaigner, si bon lui semble.

Ainsi, il faut savoir gré à M. Guessard d'avoir joint à cette publication le Mémoire que fit Marguerite en faveur de son mari, lorsque La Môle et Coconnas furent décapités, comme si elle eût voulu, en travaillant cette fois pour son mari, faire oublier qu'elle venait de pleurer pour son amant. Mais pourquoi des scrupules ont-ils empêché l'éditeur de publier dans le même volume la *Ruelle mal assortie?* Ce dialogue piquant n'est-il pas la meilleure réfutation que Marguerite elle-même ait faite de la sentimentalité menteuse de quelques-unes de ses lettres? Si c'est par décence que M. Guessard a fait tirer à part quelques exemplaires de ce morceau, il y avait dans sa correcte édition des *Mémoires* bien des passages tout aussi hardis qu'il aurait dû retrancher. Si c'est parce qu'il doute, malgré l'assertion de Tallemant des Réaux, que ce dialogue soit bien de Marguerite, il fallait le supprimer; mais ce motif me paraît peu fondé. Le mot de *philaftie* (amour de soi-même) que Marguerite a inventé et affectionne, et qui est assez bien l'expression de son propre caractère, se retrouve dans ses *Mémoires* et dans la *Ruelle.* C'est toujours cette phrase coulante et claire, ces voluptueux raffinements mêlés d'érudition qui sont dans sa correspondance avec Chanvallon, et où s'entrechoquent les noms de Jupiter, d'Acrisius, de Marcile Ficin et de Léon Hébreu, associés à un langage tout platonique.

Malgré le désavantage de cette publication séparée, M. Guessard mérite des éloges sincères pour les efforts que lui a coûtés la recherche du manuscrit. La bibliothèque du savant M. Leber, à Rouen, qui le lui a procuré, pouvait lui fournir d'autres morceaux encore, peu connus ou inédits, de la même Marguerite; ce sont quelques pièces de vers où le talent poétique de la reine de Navarre s'exerce sous l'inspiration de l'isolement ou d'une perte récente. J'y ai remarqué ces stances, entre autres, sur la mort d'Aubiac ou Alibiac, un de ses favoris :

Pauvres petits amours, vous semblez ces mouchettes (petites mouches)
Qui de l'hiver cruel ressentent la rigueur,
Car vous traisnez ainsi vos débiles aisleties,
Ayant perdu l'esté qui vous donnoit vigueur.

Portés le deuil, amours, marchés, petite bande,
On porte avec ce corps au cercueil vos attraits ;
Jettés là vos flambeaux, que votre arc se desbande,
Mort est qui vous fournit et des feux et des traits.

Afin, petits amours, qu'un médisant n'escrive
Que la mort de vous tous triomphe en mon ennuy,
Faites qu'en mon amant ma mémoyre soit vive ;
Comme après qu'il est mort je suis encore à luy, etc.

Peut-être, comme le dit Mongez, que l'éditeur a souvent consulté, Marguerite composa-t-elle aussi à la mort de Bussy un poëme intitulé : *L'esprit de Lysis disant le dernier adieu à sa Flore.* La science judicieuse de M. Guessard aurait pu fixer les incertitudes à cet égard dans sa préface, où il a négligé de parler du talent poétique de Marguerite; mais il a pris le parti de s'abstenir dans le doute, comme il le dit au sujet de la *Ruelle.* C'est là un scrupule d'érudition, ou plutôt un excès de modestie que les amis des lettres lui pardonneront difficilement.

II.

D'UN ROMAN

SUR

CROMWEL ET LES ALBIGEOIS.

———

Qu'il faut d'esprit pour en avoir tous les jours, et qu'il faut de véritable pudeur pour ne pas le gaspiller ! Le gaspillage est la mode courante de notre époque ; il envahit tout, hommes, choses et lettres ; c'est un fléau séduisant qui, en littérature, gagne le commun des esprits, et qui gâte les meilleurs. Les uns, qui n'ont que des demi-pensées, ou qui n'en ont ni de saines ni de profondes, suivent en riant cette route fleurie et trop facile que leur ouvre le sensualisme ou la frivolité des lecteurs, et y ré-pandent gaîment le chardon et les fines fleurs, sans souci de la moisson. Les autres, entraînés par cet attrait de la vogue qui s'attache aux pires choses comme aux meilleures, et qui finit toujours par débaucher quelque peu les talents graves, descendent de leurs hauteurs, et suivent, quoi-qu'un peu loin des premiers, le grand chemin, le chemin de la foule, celui qui doit mener à leur perte les écrivains et les lettres. Mais où trouver, de notre temps, cette force dans le talent qui sache mépriser l'en-goûment de la mode, et le domine en lui résistant, cette sorte de vertu littéraire dont la sobriété fait la grâce, et qui met sa séduction dans la simplicité, et dans la raison son ascendant? Où rencontrer ces œuvres mûres où rien n'est donné à l'inspiration du hasard, à la vivacité irré-fléchie du bel esprit, au besoin d'un nom retentissant ; livres chastes et intègres, qui ne sont pas gros de digressions et de hors-d'œuvre, où le cliquetis des mots ne tient pas lieu de pensées, où le goût et le bon sens circulent comme un air pur et salubre, où l'enchaînement et l'ensemble répandent la force et donnent la vie? Ils sont bien peu nombreux, les talents qui ont gardé ces sages doctrines de l'art d'écrire, et, en tout cas, ce n'est pas dans les romanciers qu'on les rencontrerait.

Parmi ceux qui sont à la fois les victimes et les promoteurs du gaspillage littéraire, il faut citer, il faut essayer de caractériser l'auteur des *Deux Cadavres* et du *Comte de Toulouse* (1). Dans la famille des écrivains copieux, il est un des plus abondants, et il ne sera pas sans intérêt de contrôler ici sa valeur et d'estimer sa fécondité. Les deux romans que je viens de citer serviront à nos investigations.

Il y a plusieurs années, à une époque où Walter Scott, traduit dans notre langue, commençait sa popularité parmi nous, où le vent de la faveur soufflait vers l'Angleterre, notre auteur crut qu'il pourrait, lui aussi, saisir la vogue en transportant à son tour dans l'histoire sa puissante imagination et ses coups de théâtre. Il éleva autel contre autel, et s'essaya d'abord à écrire un roman choisi dans l'histoire anglaise, comme Walter Scott avait composé *Quentin Durward* avec l'histoire de notre Louis XI. Il fit paraître les *Deux Cadavres*. Assurément la tentative était hardie et ambitieuse : il pouvait être beau pour l'orgueil d'un tel écrivain de confondre son renom avec celui du romancier anglais, et de rêver pour lui-même le titre de Walter Scott français. Il fallait pour cela des qualités éminentes et éprouvées, une imagination assez forte pour faire sortir un drame tout armé du milieu des ruines du passé, — assez poétique pour y jeter la vie et le mouvement, — et assez sage à la fois pour tempérer la passion et la rêverie par la simplicité et le naturel, pour associer sans violence l'idéal et la vérité. Il fallait l'expérience de l'histoire et de la vie, la science profonde du cœur humain, de ses labyrinthes adorables qui cachent tant de grandeur et de faiblesses, — enfin, un style ferme et coloré approprié au sujet. Il sera curieux de voir quelles sont celles de ces qualités que l'auteur a mises en œuvre et déployées dans son roman des *Deux Cadavres*.

Le fond du livre c'est la vengeance. Commencée en Angleterre sous l'échafaud de Charles Ier, nourrie et accrue sous le protectorat de Cromwel, elle éclate et s'assouvit sous Charles II. Il y a donc là trois époques fort importantes à peindre, et le sujet, bien que trop complexe, était bien choisi; mais la distinction même du choix entraînait une grande difficulté d'exécution, et il faut se demander si l'écrivain a toujours su obéir à la puissante exigence de la matière. Parmi les principaux acteurs du drame que l'auteur a mêlés à cette époque de l'histoire anglaise, il faut citer Barkstead, colonel dévoué à la cause de Cromwel, caractère rigide de soldat, loyal et bienveillant de père et d'homme; Richard, son fils, esprit bouillant et belliqueux, élevé dans les principes inflexibles de Barkstead, et tempéré quelquefois par la douceur de Marie, sa mère; les Salnsby, famille de royalistes, dévoués aux Stuarts, étroits d'opinions, arrogants dans la fortune, rampants dans la défaite, vils partout ; Charlotte, tendre et naïve jeune fille, et un moment Cromwel.

Après l'exécution de Charles Ier, la nièce de Barkstead meurt en donnant la vie à une fille née du roi qu'on venait de mettre à mort. Cette enfant, c'est Charlotte, fruit d'une séduction clandestine, petite-nièce d'un *indépendant* et fille illégitime d'un prince. C'est elle qui sert de nœud à cette histoire et de lien à ces deux familles si différentes des Salnsby et des Barkstead. Charlotte, élevée pendant ses premières années avec Richard, à cet âge abandonné où les premières émotions gravent en nous leur marque ineffaçable, lorsque, dans le silence de la raison, toutes nos tendresses font partie de nos habitudes et deviennent aussi puissantes qu'elles, Charlotte s'était instinctivement accoutumée à aimer son cousin Richard. Sous le protectorat de Cromwel, elle passe quelque temps à la Tour de Londres, dont Barkstead est le gardien : là, elle grandit sous la double influence de la famille de son oncle et de celle des Salnsby qui, dans la tour où ils sont alors prisonniers, remplissent sa jeune âme des plus funestes conseils. Ralph même, le fils des Salnsby, devient épris d'elle, mais épris par ambition surtout, et prépare ainsi deux mobiles à la vengeance prochaine de Richard, la haine de la politique et la haine de l'amour.

Cependant les rôles changent. Cromwel meurt en emportant avec lui sa popularité dans la tombe, et les Stuarts ressaisissent la couronne ; les Salnsby remontent avec eux, et Barkstead est opprimé à son tour. Mais le colonel, victime moins heureuse que les Salnsby, ne trouve pas de pardon dans le cœur de ses ennemis, et meurt bientôt frappé par eux. Cette perte cruelle est un aliment de plus à la vengeance de Richard : il faut qu'il punisse les oppresseurs des *Têtes rondes*, les prétentions d'un rival, la mort de son père ; Ralph, Ralph sera le point de mire de tous ses coups. Abattre dans ce seul adversaire la fierté du royaliste, l'espérance vaniteuse de l'amant, l'orgueil du meurtrier de Barkstead, voilà ce qu'il faut à la soif sanguinaire de Richard, voilà le digne holocauste qu'il veut immoler au veuvage désolé de sa mère. Que fait-il ? Le peuple, dans son enthousiasme mobile, veut faire pendre au gibet le cadavre à peine refroidi de Cromwel. Richard va déterrer péniblement le corps de Charles Ier, le fait pendre à la place de celui de Cromwel, enterré à l'insu de tous à Naseby, et non à Westminster ; il déshonore sa cousine Charlotte sur la tombe du roi, son père, pour qu'un autre ne puisse la posséder avant lui, et, dans un duel terrible qu'il livre à Ralph, les deux rivaux succombent ensemble.

Et d'abord l'auteur a choisi dans l'histoire un thème qui, bien longtemps avant lui, n'était déjà plus regardé par personne comme historique. Aucun écrivain n'imprime plus depuis longtemps que le régicide Barkstead se prêta à servir la ruse de Cromwel, lequel, connaissant l'inconstance anglaise, aurait fait enterrer son cercueil à Westminster et son corps dans les plaines discrètes de Naseby. L'examen et la vérité ont fait justice de cette version qui substitue le cadavre de Charles Ier à celui de

Cromwel dans l'église de Westminster, et qui nous montre, au jour des représailles, Charles II, remonté sur le trône, faisant pendre au gibet le corps de son père, au lieu de punir celui du protecteur. Chacun sait que, dès 1813, on avait retrouvé le corps de Charles Ier dans les caveaux de Windsor, et l'on peut lire partout la quittance délivrée, en 1661, par le maçon John Lewis, en échange des 15 shellings qu'il gagna à enlever, par ordre, de son cercueil officiel, le cadavre du Protecteur. Ce n'est qu'alors, quand les Stuarts voulurent se venger sur l'auteur de leur long exil, que l'on décapite, après l'avoir traînée sur une claie, l'odieuse *carcasse* de Cromwel, comme dit le procès-verbal. Il ne se pouvait donc pas que ce fût Charles Ier qui, en 1661, subissait ce supplice à la place d'Olivier, Charles, qui déjà, en 1649, avait eu la tête séparée du tronc, et dont le cadavre a été retrouvé parfaitement intact en 1813.

La passion clandestine de Charles Ier pour la nièce d'un ami de Cromwel ne paraît pas avoir davantage le moindre caractère historique. Le dévoûment que le roi montra toujours pour Henriette-Marie, sa femme, cet amour conjugal qui semble avoir rendu en persévérance ce qu'on lui refusait en tendres retours, cette résignation partout plus forte que les dégoûts dont l'abreuvait l'humeur hautaine de la reine, seraient déjà une réfutation plausible, si nous n'avions le témoignage péremptoire de la correspondance de Charles, au moment même où on lui prête une liaison fortuite pour la parente d'un *indépendant*. C'est là qu'on voit sa tendresse d'époux redoubler avec le péril, après l'éloignement de la reine, au milieu de ces fuites hâtives, de ces terreurs renaissantes qui ne laissent pas de place aux petites passions, et qui n'en développèrent que de grandes et de nobles dans ce roi méconnu. Quatre ans avant sa mort, Charles écrivait encore à Henriette-Marie : « Songe, je te prie, puisque je t'aime plus que toute autre chose au monde et que ma satisfaction est inséparablement unie avec la tienne, si toutes mes actions ne doivent pas tendre à te servir et à te plaire... N'en doute pas, ma chère âme, ta tendresse est aussi nécessaire à la consolation de mon cœur que ton secours à mes affaires. » Peu de temps avant sa mort, il déclarait à une de ses filles *qu'il avait toujours été fidèle à la reine;* et peu d'heures avant celle de l'échafaud, quand l'auteur va montrer la nièce de Barkstead placée à un pas de son royal séducteur et près de le reconnaître et de lui parler, c'est à sa femme que Charles adresse une lettre d'adieux; c'est vers le couvent des Carmélites à Paris, où elle s'était enfermée, et non vers une petite fille séduite de Windsor, que se tournaient ses derniers et chastes regrets. « Adieu, Madame, écrivait-il après d'autres témoignages d'amour, adieu; soyez persuadée que jusqu'au dernier moment de ma vie je ne ferai rien qui soit indigne de l'honneur d'être votre époux. »

Ainsi donc, à part d'autres inexactitudes plus secondaires, l'auteur n'a pas été bien inspiré de choisir deux versions aussi peu conformes à la réalité que celles-là. Il y a des types donnés qu'on ne réussira jamais à travestir. Les figures historiques qui sont au premier rang, comme celle de Charles Ier, sont trop saillantes et ont leurs contours trop arrêtés pour qu'on ose impunément les transformer. Il y a longtemps que Walter Scott serait relégué parmi les romanciers d'imagination, si, dans la peinture de Marie Stuart, de Louis XI ou de Richard Cœur-de-Lion, il avait fait violence à l'histoire, ou était parti d'une donnée complétement erronée.

Mais il est encore dans cette voie rétrécie des conquêtes à faire : l'imagination seule, transportée dans le roman, a des secrets et une puissance qui valent leur prix, et l'auteur pourrait, sous ce rapport, mériter un jugement plus favorable. A la condition qu'il ne voudra pas être analysé comme romancier historique, mais simplement comme romancier, il aura plus de droits à un examen attentif. Les romanciers d'imagination n'ont besoin que d'être vraisemblables, touchants, pathétiques quelquefois; leur style demande de l'agrément, du naturel, et c'est tout. C'est ici un programme bien plus court que pour le roman historique, et l'auteur a plus de chances avec celui-ci. Moins on exige de qualités, plus l'écrivain peut gagner en valeur. Examinons-le donc comme un romancier ordinaire.

Le livre s'ouvre par une scène attachante qui fait bien ressortir la tendresse de Marie Barkstead pour son fils Richard. L'enfant, déjà ardent et indomptable comme une *tête ronde*, s'est sauvé pour assister à l'exécution de Charles Ier : personne ne sait ce qu'il est devenu; tout le monde est à la recherche de cet intéressant vagabond, et c'est ainsi que, involontairement, Marie et Anna, la nièce du colonel, guidées, poussées par la curiosité, l'inquiétude, la foule, arrivent sous l'échafaud de Stuart: Marie, pour voir tomber la tête de celui que son mari appelle un traître; Anna, de celui qu'elle a adoré et qui l'a séduite. D'autre part, on aime à voir se former là et déjà se faire jour la haine du jeune Richard contre Ralph, le fils des Salnsby, au moment où celui-ci recueille dans son mouchoir les gouttes de ce sang royal qui soulève la petite indignation du fils de Barkstead. La scène est bien faite; elle intéresse, elle est simple.

Anna, sous l'émotion déchirante de la mort de son amant, meurt en mettant au monde une fille; mais, avant de mourir, elle a fait le long aveu de sa faute au même évêque Juxon qui avait assisté le roi à ses derniers moments. Cette enfant, c'est Charlotte. Juxon, dit le roman, essaya peu après de l'enlever au colonel pour en faire un drapeau et ranimer la cause des Stuarts, comme si les filles légitimes que Charles avait laissées n'eussent pas été un drapeau plus sûr. Mais le complot est mal ourdi, il avorte misérablement sous les sarcasmes de Barkstead et de Cromwel.

C'est le moment où commence le Protectorat de celui-ci, époque de despotisme et de gloire dont l'auteur ne nous montre qu'un instant pour nous apprendre que Cromwel, trompeur dans son lit de malade et jusque dans la tombe, fit cacher en secret ses os sous le champ de bataille de Naseby, pour échapper plus tard aux représailles de ce peuple qu'il connaissait si bien. A tout cela se mêle un épisode où Barkstead, partagé entre la crainte de perdre ce qu'il a de plus cher, son Richard, et la nécessité de laisser la vie aux Salnsby, prisonniers à la Tour de Londres, se résout à ce dernier parti, et protége une fois encore les royalistes. Charlotte, comme nous l'avons dit, placée entre les deux familles rivales, révèle là, avec son amour naissant pour Richard, l'influence des principes royalistes que lui ont inculqués à la Tour les ennemis du Protecteur.

Nouveau coup de théâtre : la scène change. A Cromwel a succédé Charles II ; Barkstead, persécuté, est arrêté à son retour de Hollande, et livré à la justice, et c'est le tour de Marie Barkstead d'aller demander la vie à ces Salnsby qui autrefois leur ont dû la leur. Dans leur orgueil, ces royalistes, comme tous les petits caractères qui, momentanément déchus, remontent plus fiers et plus méprisants sur leur piédestal redressé, les Salnsby ne pardonnent même pas à Barkstead d'avoir pu être un instant à sa merci, et leur dédain s'augmente encore du grief d'un tel souvenir. Marie est honteusement repoussée. Toute espérance se perd pour elle : une heureuse rencontre où Richard arrache au nouveau roi une promesse de pardon pour Barkstead ; Charlotte même, passée à la cour de Charles II, son frère, Charlotte, ce charmant et dernier espoir d'une commutation de peine, tout cela échoue devant une ruse cruelle de l'évêque Juxon, et par la légèreté même du roi! Une écritoire habilement renversée lorsque le prince allait signer l'heureux pardon, une tache sur une élégante broderie, et Barkstead sera décapité. Ainsi va le monde : les petites choses compromettent les grandes. Otez le vent, disait Le Sage, et il n'y a pas de tragédie d'Iphigénie en Aulide ; deux lignes de moins au nez de Cléopâtre, et Antoine peut devenir le maître du monde ; ou plutôt, pour rester dans mon sujet, qu'une proclamation de Stuart n'arrête pas Cromwel au moment de s'embarquer pour l'Amérique, l'Angleterre n'a pas de *protecteur*, et la tête de Charles Ier ne roule pas sur un échafaud.

Ainsi se termine le premier volume du livre par l'exécution d'un régicide, comme il avait commencé par celle d'un roi. Tout le reste est consacré à la vengeance de Richard. A force de mystère et de labeurs, il parvient, nous l'avons dit, à placer le cadavre de Charles Ier dans la bière du Protecteur, et à faire pendre l'un pour l'autre. Arrivé devant le gibet, ce cadavre de Charles, si différent de celui d'Olivier, et qui, par un hasard miraculeux, a traversé, en bière entr'ouverte, toute la rue de Pawltry sans être reconnu, est enfin attaché à la corde fatale avant que personne se soit encore aperçu que ce n'est là que la tête de Stuart, mal recousue à son corps. Ce n'est qu'au moment où l'exécuteur, grimpé au gibet, va fouler cette tête aux pieds, qu'elle se détache du tronc et fait reconnaître le roi. Chute et confusion pour le bourreau, qui n'est autre que Ralph Salnsby; grande joie de Richard, qui peut insulter à l'aise son rival; grande émeute parmi le peuple, à qui on n'a pas jeté la victime qu'il attendait.

Le peuple est partout le même : de sa colère à sa vengeance il n'y a pas loin. Il s'informe, il s'émeut, il veut connaître l'auteur et les complices de cette infâme substitution. Le nom de Richard est bientôt révélé ; il circule dans toutes les bouches, et l'on se porte en masse vers sa demeure pour le punir par la mort. Heureusement pour les Barkstead, ce fléau populaire est arrêté tout à coup par un autre fléau plus terrible encore. La peste, l'horrible peste dévore Londres; elle est désignée par une marque rouge sur toutes les portes des maisons qui en sont atteintes, et la mère de Richard y succombe lentement au moment où la foule, prête à enfoncer cette demeure pour en arracher son fils, recule d'horreur devant ce signe épouvantable. Dans cet intervalle, Richard se prépare à fuir loin de l'Angleterre avec sa mère, dont il ignore l'agonie, et avec Charlotte, qu'il enlèvera. O calamité et joie tout ensemble! la peste est à Great-House, dans le séjour de Charlotte, la peste qui vient frapper, dans lady Salnsby, la femme sans pudeur et sans entrailles, l'arrogance et la bassesse, mais qui aussi, hélas! poursuit Charlotte et la livre sans force et presque sans sentiment à l'amour de Richard. Dans son désespoir de n'avoir plus entre les bras qu'une jeune fille mourante, dont le froid a déjà glacé l'intelligence et va suspendre pour jamais la vie, l'infortuné, pour réchauffer son amante, rallume un feu presque éteint dans l'âtre d'une cheminée. Malheur! trois fois malheur! ces étincelles deviennent une flamme, cette flamme un grand feu, ce feu un incendie! Great-House sera tout à l'heure un vaste monceau de cendres et de cadavres; et c'est à l'éclat de cet immense embrasement, c'est au bruit déchirant des cris de Charlotte qu'un duel à mort termine la vie de Ralph et de Richard.

Assurément il y a dans ce drame des éléments d'émotion poignante, et l'écrivain a souvent l'incontestable talent de la faire naître, croître et monter jusqu'à son période le plus pathétique. On frémit à l'aspect de ce combat à mort de Ralph et de Richard, auquel s'entremêle la lutte du sarcasme et de la douleur des deux parts. « Attends, ma mère! » s'écrie Ralph en portant un coup terrible à Richard, et en voyant s'élancer au balcon, avec des cris lamentables, le fantôme de lady Salnsby agonisante. — « Attends, Charlotte! » crie Richard en frappant Ralph de son épée, et en écoutant les gémissements de sa fiancée. — « L'incendie gagne, dit celui-ci, entends-tu ta mère? » — « Charlotte attend, dit Ralph, entends-tu ta fiancée? » Et ce ricanement amer, ces bouches, ces mains acharnées à déchirer, tout cela ne doit s'arrêter que dans la mort! Ailleurs, il y a des larmes véritables dans ces supplications que la mère de Richard vient adresser à celle de Ralph. Le caractère de Marie Barkstead, épouse et mère dévouée, joie modeste dans la prospérité, résignation dans l'infortune, se montre et se soutient avec cet éclat tempéré que portent en elles toutes les vertus douces. Elle est le contraste

attachant de cette autre figure de mère que lui oppose l'auteur, aussi pure
et aussi simple que lady Salnsby est basse et outrée. L'écrivain a été vrai
et touchant dans ce moment solennel où il les réunit, pour mettre en
relief ces deux âmes diverses, et avec elles des sentiments qui, bien
que d'une vérité presque banale, tant on les a traités avant lui!
entraînent toujours par leur vérité même.

J'aime encore ce tableau de mer, où l'on voit le colonel Barkstead
venir sur un canot hollandais chercher et embrasser sa famille, et ne
trouver, au lieu d'une tendre réunion, que la rigueur inflexible de Ralph,
transformé en capitaine de vaisseau pour arrêter dans leur étreinte et
charger de chaînes les bras du régicide. Mais la proie échappe : au moment d'aborder, Barkstead est jeté à la mer par l'intrépide Richard, et
l'intérêt redouble avec le péril. On suit avec anxiété (l'auteur dit
anxiétude), sur les flots, ce fugitif qui n'a d'autre auxiliaire qu'un chien
dévoué, Phaun; car il ne sait pas nager. Il flotte entre la chaloupe anglaise et le canot hollandais, tantôt prêt à trouver le salut en touchant
celui-ci, tantôt près de rencontrer la mort en se laissant saisir par celle-là;
et là, au milieu de ces deux extrêmes, de la vie ou de l'échafaud, en
plein Océan, s'agite l'existence d'un homme qui n'a fait d'autre crime
que d'être resté fermement attaché à un parti, et qu'un chien, un noble
chien, dispute seul à ses ennemis! L'attente est vivement excitée; les deux
embarcations se suivent de près sous les regards de Marie, de Richard,
retenu par des bras vigoureux. Laquelle l'emportera? Barkstead atteindra-
t-il le canot du salut avant d'être atteint par le bâtiment qui porte sa
perte? La chaloupe anglaise vaincra-t-elle, ou la mer, plus forte que
tous les calculs, trompera-t-elle tant d'espoirs croisés en engloutissant la
victime? Hélas! le problème se résout cruellement : Ralph a réussi. Un
accident, un retard d'un instant, moins que rien, ont décidé du sort du
colonel : il tombe aux mains de ses ennemis, il attendra l'échafaud.

Cet épisode, qui a le double mérite de la vérité d'imagination et de la
vérité réelle, car le fond en est historique, est vigoureusement traité; on
voit que l'auteur sent comme nous et nous passionne surtout en se pas-
sionnant lui-même. Ce qui ajoute encore à l'effroi, c'est l'aspect de ce fils
ardent et enchaîné, de cette mère sans larmes et sans voix, tant son âme
semble résider dans ses yeux tout entière, tant l'émotion du regard
semble avoir absorbé toutes les autres! c'est de les voir suivre, malgré
eux, sur la chaloupe ennemie, les angoisses, les efforts de ce père infortuné dont quelques toises seulement les séparent, et cela sans pouvoir
lui tendre un bras secourable, aussi immobiles que des spectateurs désin-
téressés. C'est qu'aussi elle ne peut qu'être belle partout, cette copie
d'un tableau vieux comme l'humanité, de ce duel de l'homme avec la
fatalité, auquel l'antiquité souhaitait Dieu pour témoin, et que la tragédie des anciens, le drame, l'histoire, le roman, ont recomposé tour à
tour, sans épuiser jamais ni l'intérêt ni l'émotion, parce que c'est au
spectacle, éternellement vrai, de notre propre lutte qu'ils nous convient.

Je pourrais encore citer, entre autres, un chapitre analogue, celui où Barkstead se trouve dans la Tour, en face de ses ennemis, et où la situation fortement nouée, le péril de chacun et de tous, font éclater les mêmes passions et appellent le même genre de terreur. Mais il me suffira de remarquer que c'est là un procédé assez familier à l'auteur, et qu'à part la scène citée plus haut entre les deux mères, où c'est à l'âme d'abord que va l'attendrissement, toutes les autres s'adressent encore plus à nos fibres qu'à notre compassion. C'est un genre d'émotion qui pénètre en nous en passant de l'épiderme au cœur, au lieu de prendre la voie contraire ; c'est la sensation plutôt que le sentiment que ce procédé a pour objet. C'est là, on ne le peut nier, une puissance de l'écrivain, mais qui est bien au-dessous de celle qui, par le développement des passions, comme dans Racine, par la hauteur des caractères, comme dans Corneille, par le jeu des situations, comme dans Walter Scott, sait troubler en nous et remuer ce qu'il y a de plus élevé et de plus profond, l'âme et tous les trésors d'émotions qu'elle contient. La guillotine et le fer chaud du bourreau produisent sur nos nerfs le même frisson que l'écrivain est si habile à faire naître ; et Richard dans la Tour, le front sous le pistolet de l'évêque Juxon, sir Salnsby sous le genou de Barkstead, ne nous donnent, après tout, que la peur d'une détonation meurtrière ou d'un assassinat commis sur un homme bien portant.

Encore si cet effroi grossier était toujours excité ou sûr de l'être par la vérité des situations ! Mais c'est là, il faut l'avouer, le plus grand défaut de ce livre. ou plutôt des ouvrages de cet écrivain, et je n'aurais qu'à prendre l'auteur au premier feuillet venu pour le saisir en flagrant délit d'invraisemblance. Je ne veux point parler ici du méprisable caractère qu'il a fait au prêtre qui, sur l'échafaud de Stuart, l'exhortait avec l'accent d'une grande énergie religieuse à franchir le pas redoutable, mais court, qui mène de la vie du monde à celle du ciel. Juxon, le vénérable évêque de Londres, déguisé en matelot à la taverne du roi Richard, maniant aussi habilement le pistolet que la fourberie ; le colonel Okey, ce parlementaire inflexible, cet ex-chandelier qui, saisi en Hollande, accepta très-humblement la royauté de Charles II, sont, à maints endroits, des contradictions historiques auxquelles, on le sait, je n'ai rien à voir ici. Mais que dire du docteur Andlay, qui, appelé à délivrer Anna au moment où elle va mettre Charlotte au monde, offre, en reconnaissant l'alternative de la mort de l'une des deux, de sacrifier, au choix des spectateurs, la mère ou l'enfant ; de ce même docteur qui, dans un Mémoire cacheté et confié depuis longtemps à Cromwel, a fixé le jour et l'heure où mourrait le Protecteur ? Que penser de celui-ci, qui, depuis longtemps possesseur de cet écrit, n'a pas même songé à l'ouvrir, de ce despote qui aime la vie et ne fait pas pendre l'insolent qui a osé lui marquer l'heure où elle le quitterait ? Que penser encore de Barkstead, rigide indépendant, qui, partagé entre le sacrifice d'une nièce aimée et celui de l'enfant du Stuart qu'il vient d'immoler, lorsqu'il

18

peut, sans crime, faire disparaître ce brandon de discorde que Juxon saisira, se résout à accepter la mort de sa nièce et la vie de Charlotte? Qui expliquera, dans le colonel, cette austère vertu politique, ce profond attachement pour le Protecteur, que n'ébranlent ni les jongleries de toutes sortes, ni le scepticisme de celui-ci, et, d'autre part, cette maladroite bonhomie qui va jusqu'à intercéder auprès de lui pour les jours des Salnsby?

Si je ne craignais d'accumuler les citations, je demanderais comment il se peut que cette vengeance de Richard, longuement méditée, mûrie par des années, se trouve si vite à la merci de deux goujats au sortir de Westminster, et est arrêtée par un simple tour de corde, par le plus innocent des nœuds coulants. Valait-il bien la peine de se cacher si mystérieusement, d'être si tortueux et si méthodique tout ensemble dans les calculs de sa haine, pour être ainsi pris au piége dès les premiers pas? J'ajouterais que, dans le caveau d'où la bière de Charles Ier est déterrée, il ne se peut guère que pas un de ces fossoyeurs, sortis de la populace, ne reconnaisse à côté d'eux, sous leur propre livrée, le fameux Love, cet homme du peuple le plus populaire; « Love, dit l'auteur, le plus hardi garçon boucher de Londres; Love, qui frappait un bœuf du poing quand sa masse de fer n'était pas près de lui; Love, qui cédait un mille sur deux à la course, et arrivait le premier; qui dînait seul contre six, et les ruinait tous en tranches de bœuf et en porter; Love enfin, qui avait dit qu'il mangerait du Stuart si on voulait lui en vendre. »

Je demanderais encore si Richard n'est pas un héros bien invraisemblable et vil d'avoir déshonoré, à l'âge où on peut l'être à peine, à quatorze ans, sur un cercueil, cette naïve Charlotte, qu'il sait si mal aimer; si enfin cette grande scène du duel de la fin du livre est le moins du monde acceptable. Eh quoi! la peste ravage Great-House, et l'opulente famille des Salnsby n'a pas même un pauvre domestique pour la servir, et lady Salnsby, cette grande dame de cour, cette puissance du jour, y meurt de la plus affreuse mort, sans avoir à ses côtés ni sa fille ni son fils, que dis-je? pas même un médecin, je ne dis pas le médecin des riches, mais le médecin du premier venu, le médecin des pauvres et des pestiférés; personne enfin, absolument comme la plus ignorée des mendiantes! Eh quoi! Charlotte, la sœur du roi régnant, aspire cet air mortel qui doit la flétrir et la briser, et elle erre à l'aise dans ces champs contagieux sans que son frère le roi s'en dérange le moins du monde, sans qu'il songe même à lui envoyer le moindre des valets pour l'emmener, pour la dérober à cet horizon dévorant, et cela uniquement pour que son amant forcené puisse la lier à un arbre, et la laisse mourir comme une malheureuse en démence! Eh quoi encore! Ralph Salnsby, qui tout à l'heure, d'un mot, a fait arrêter par ses dragons Love, le robuste Love, Ralph ne peut pas, au lieu de ferrailler avec son rival, le faire prendre par les mêmes soldats, et cela seulement pour qu'il y ait, à cet endroit, au feu, du sang, des morts sur des mourants, et que le livre finisse comme un mélodrame ! Mais il vaut mieux s'arrêter, et croire que tous ces événements impossibles ne sont placés là que comme d'indifférents comparses, destinés uniquement à faire ressortir deux ou trois grandes situations et à soutenir deux ou trois acteurs.

Il est facile de reconnaître que le style porte en lui les mêmes qualités et les mêmes défauts que le fond. Nerveux et puissant quelquefois, plus souvent violent et boursouflé, il est trop rarement simple et correct. Ces défauts et ces qualités découlent les uns des autres : la force et l'emphase, mises partout, aboutissent parfois au beau et au pompeux, et réciproquement ; à peu près comme Balzac, dans ses Lettres et ses Traités, paraît grand parfois sur les échasses où il est monté, ou comme ces orateurs d'église qui, à force de chercher l'effet dans leurs sermons enflés et de faire sonner leurs poumons, finissent par suer et s'attendrir, et atteignent quelques mouvements pathétiques. L'auteur ne choisit pas toujours ses expressions. « Le corps incessamment frappé, dit-il quelque part, de commotions violentes, s'affaisse et se dégrade ; le visage toujours tendu d'expressions extrêmes se fatigue et s'avachit : on galope à la vieillesse. » Et ailleurs : « Richard dit avec un sourire de sang. » Sans doute, s'il avait voulu peindre Richard en colère, l'auteur aurait dit : « Avec un sourire de bile. » Mais je ne crois pas que cela soit bien clair. Il y a aussi des termes qu'il aime à prodiguer avec une faveur qu'on n'explique pas, et dont la justesse pourrait être contestée : ainsi le mot *vibrer* : « Son œil vibre ; — son regard vibre comme une étoile ; — sa main vibra ; — Anna vibrant sur elle-même, » etc., etc. On rencontre çà et là des exagérations, des comparaisons déplacées ou outrées : « Enchaîné par dix mains de fer, il jeta un regard à Ralph, mais un regard si acéré, qui s'adressa si droit au cœur, que Ralph, qui en avait suivi la direction, porta la main à sa poitrine, comme si une lame de poignard y pénétrait. » Voilà un regard qui a une singulière puissance. « Ceci est l'Angleterre, répéta Salnsby d'une voix âcre comme le cri d'un fer rouillé glissant entre les dents d'un chien. » Et à Westminster, dans ce moment solennel où l'on déterre le cercueil de Charles Ier : « Tous ces divers sentiments donnaient à la marche des exécuteurs quelque chose d'ennuyé, comme il arrive de nos jours lorsqu'un procureur du roi va assister à l'autopsie d'un épicier soupçonné d'avoir été empoisonné par sa femme. »

Je termine cette énumération par un dernier morceau qui achèvera de montrer la manière de l'auteur. Cromwel, avant de mourir, voit devant lui un fantôme, et, au lieu de cette phrase si simple qu'il a dite : « Plusieurs m'ont estimé, d'autres souhaitent ma fin, » l'auteur l'a fait longuement parler, trembler comme un lâche et confesser tous ses crimes, dans une interminable agonie : ici il s'agit de la voix, ou plutôt d'un enrouement que le Protecteur fait entendre devant quatre uniques témoins :

« Dieu ! Dieu ! Dieu ! Ces trois cris retentirent comme le salut d'un

» navire à un port. Cromwel s'était redressé. Chacun put le voir, car,
» à la hauteur de son front, deux larges et rouges prunelles brandirent
» une lueur sanglante, comme fait l'œil d'un chat ou d'un tigre!! A ce
» moment il fit froid dans toutes les âmes qui entendaient. Dieu! Dieu!
» Dieu! les mêmes cris plus éclatants, plus terribles, la même lueur
» plus sanglante. Le cœur faillit à tous. Dieu! Dieu! Dieu! Ils tom-
» bèrent la face contre terre; ce n'était plus une voix humaine. Alors un
» murmure sourd bourdonna légèrement à leur oreille; il ondulait,
» venait et fuyait comme un bruit lointain de vagues irritées. Ce mur-
» mure grandit bientôt comme un roulement çà et là saccadé, suspendu
» et repris. Ce roulement s'éleva ensuite, s'accroissant toujours dans ses
» ondulations, comme le bruit d'un tambour qui approche : l'effroi serra
» la gorge des plus intrépides, il étreignit leurs reins et leurs entrailles.
» Ce bruit redoubla; il semblait le bouillonnement d'une immense chau-
» dière; le sang reflua à tous les cœurs. Ce long bruissement vibra enfin
» avec toute sa force, c'était une voix ; il éclata, c'était un rire, un rire
» qui roula comme un tonnerre, un rire qui hurla comme un cri d'hyène,
» rire inextinguible, bondissant, furieux, entremêlé de râle et de ho-
» quets, se traînant tantôt sourd et bas jusqu'à toute l'extrémité de
» l'haleine, se reprenant bientôt rapide et perçant, fouettant l'air, jail-
» lissant, s'élevant et s'abaissant tour à tour, jusqu'à ce qu'enfin, comme
» un ouragan qui passe, on l'entendît diminuer par degrés, se calmer,
» fuir et tomber tout à fait avec le corps d'Olivier Cromwel, dont la
» chute ébranla sa couche, et avec cette parole de mépris sur lui-même :
» Oh! superstition d'enfant! »

Ce n'est pas sans raison que j'ai longuement insisté sur le roman des
Deux Cadavres. Les critiques qu'il m'a suggérées s'appliqueraient,
à peu d'exceptions près, à tous les autres romans de la première manière
de l'auteur. J'appelle sa première manière celle qu'il nomme historique;
c'est toujours le même moule, dans lequel il a coulé un or, ou, si l'on
veut, un plomb différent.

Prenons pour exemple, parmi ses Romans Languedociens, celui qui
forme à peu près le nœud de la guerre des Albigeois; ouvrons le *Comte
de Toulouse*, et analysons-le succinctement. C'est encore la vengeance
qui est le fond du livre. Au lieu du dix-septième siècle de l'Angleterre,
c'est le treizième de la France que l'écrivain a choisi; c'est cette horrible tragédie des Albigeois, dont le théâtre est la patrie même de l'auteur.
Il y avait presque une épopée à faire de cette époque fanatique où la
mort et la terreur parcouraient la Provence sous les drapeaux du Christ,
où le pape Innocent III couvrait, à son insu, des ambitions temporelles,
et finissait par devenir leur instrument après avoir été leur promoteur.
Dans ces plaines de Béziers, jadis engraissées de cadavres, et qui en
gardent encore la poussière éloquente; à Carcassonne, dont les souvenirs sont sanglants aussi; à Muret, à Castelnaudary, où chaque débris

parle encore d'héroïsme et d'intolérance ; dans ces murs de Toulouse, qui a toujours conservé quelque chose de l'indépendance des municipalités romaines, et qui alors porta jusque dans la foi son insubordination politique, l'auteur a essayé de placer un drame où l'amour tenait le rang secondaire, la guerre et la religion le premier rang. En voici le sujet :

Albert de Saissac, jeune chevalier provençal, de retour de la Terre-Sainte, où il était allé en croisade, accourt en Provence à la nouvelle de la guerre des Albigeois, et veut prendre part à la lutte. Mais son château, le château de ses ancêtres, n'est plus qu'un monceau de ruines ; son père vivant a été horriblement mutilé par les Croisés ; ils ont outragé et fait mourir sa sœur. Albert n'a plus qu'une pensée, qu'un projet à cette vue : la vengeance. Il en médite l'exécution froidement. Mais, au lieu de se venger, comme tous, en se mêlant aux hérétiques de Toulouse pour combattre les Français de la croisade et atteindre ceux qui ont frappé son père et fait mourir sa sœur, il prend une voie mystérieuse, inconnue, extraordinaire. — Dans le camp de ses ennemis se trouvent Simon de Montfort, courageux, austère, principal chef de la croisade ; Bérangère, sa fille, belle, indifférente, égoïste et spirituelle ; Amaury, son frère ; Mauvoisin, chevalier, coupable d'avoir outragé la sœur de Saissac ; Foulques, évêque de Toulouse. Du côté d'Albert figurent le vieux Raimond, comte de Toulouse, celui qui, par pusillanimité et par égoïsme plutôt que par religion, avait tant de fois trahi son parti ; et Manfride, fille de Lusignan, qui, de l'île de Chypre, a suivi, par amour, Albert de Saissac, et l'accompagne sous les habits d'une esclave.

D'abord, pour mieux échapper à tout soupçon de vengeance, Albert se fait passer pour mort, et reparaît plus tard sous le nom d'un autre. Devenu ainsi favori de Simon de Montfort, confident de toutes ses résolutions contre les Albigeois, il les trahit secrètement en faveur des hérétiques. Tous les plans de Simon devant Toulouse échouent et sont prévenus ; toutes les attaques des Provençaux portent et détruisent. Désolé de ces échecs redoublés, qu'il attribue à un sortilége ou à une perfidie, Simon se retire sur Castelnaudary pour aviser à d'autres moyens et calculer ses forces. La trahison de Saissac l'y a précédé : par ses paroles ambiguës, ses révélations, son air mystérieux, il frappe, il épouvante déjà toute cette cour de Montfort, composée de chevaliers indolents et poëtes, de coupables amours et de molles galanteries ; il se fait aimer et préférer par le prestige de la terreur. Au milieu de ses conspirations clandestines, une trahison venue des Toulousains, ou plutôt du trop prudent Raimond, fait tout à coup changer de parti à Albert de Saissac. Tout à l'heure il trompait pour les hérétiques l'amitié de Simon de Montfort ; maintenant c'est Simon qu'il protégera contre eux. Grâce à lui, Castelnaudary, assiégé par 50,000 Provençaux jusque-là partout victorieux, est sauvé après une bataille meurtrière tentée comme la dernière ressource de Simon. La fortune se déclare de nouveau sur tous les points pour les Croisés ; c'est Albert qui la dirige et la maîtrise ;

il s'en fait une arme pour conquérir, avec la confiance un peu chancelante de Simon, le cœur rebelle encore de Bérangère. La bataille de Muret achève de signaler son dévoûment à la croisade : en portant les derniers coups aux Provençaux, en tuant de sa propre main, d'après l'auteur, le redoutable Pierre d'Aragon, Albert a vaincu toutes les résistances de Bérangère. Enfin cet amour feint et profondément calculé a provoqué, à force de couronnes et de vanité satisfaite, le tendre aveu de la fille de Simon. Elle l'aime à son tour. L'insensé ! il ne voit pas le serpent dans les fleurs ; il oublie qu'à côté de lui marche cette Manfride amenée de la Terre-Sainte, amante trop passionnée pour accepter froidement le voisinage d'une rivale, jalouse comme la fille d'un roi, vindicative comme une femme qui ne croit plus qu'on ne la trompe qu'en apparence. Tandis qu'Albert de Saissac prépare la perte de Bérangère, Manfride trame celle de son amant. Justice divine ! par une atroce combinaison inconnue de Manfride et d'Albert, dans une chambre où celui-ci avait donné rendez-vous à Bérangère pour consommer sa perte et la livrer à l'opprobre et à la mort, les chaînes de fer qui devaient attacher Bérangère au lit de douleur ne saisissent, n'étranglent que Manfride, et c'est Bérangère qui écrase et fait mourir lentement Albert de Saissac. Par un raffinement féroce, elle lui fait coudre les paupières, et le malheureux, livré aux tortures du remords et de la douleur, apprend trop tard, par la perte de Manfride et par la sienne, qu'il y a des vengeances que le ciel sait punir cruellement.

· A peine s'il est besoin d'indiquer les rapports frappants des deux romans : Albert de Saissac, hardi, brave et nébuleux, c'est Richard ; Foulques, le perfide évêque de Toulouse, c'est Juxon ; Manfride, cet amour tendre et opprimé, c'est Charlotte. Des deux côtés, même vengeance ardente, tortueuse et maladroite, et punition de ceux qui l'ont conçue ; de part et d'autre, choquantes invraisemblances. Dans le *Comte de Toulouse*, on aura beau mettre en avant la superstition de l'époque, il est impossible d'admettre qu'un fourbe comme Foulques se laisse prendre au piége des apparences, et accepte, dans l'église Saint-Étienne, la figure de cire qu'on lui présente pour le cadavre d'Albert de Saissac, surtout quand celui-ci vient, comme un prestidigitateur, secouer devant lui la tunique vide qui est dans la bière, et lui montrer qu'il n'y a rien de plus. Si le cercueil ne contient rien autre, qu'est devenue la cire de tout à l'heure ? Si Albert est là à cheval en chair et en os, sous les yeux de Foulques, ce ne peut être son cadavre qu'on présentait à l'instant aux prières de l'évêque. On ne peut admettre davantage que celui qui, aux portes de Carcassonne, inspirait tout à l'heure une frayeur si grande et fixait tous les regards, sous le nom d'Albert de Saissac, reparaisse peu après sous celui de Laurent de Turin, sans être parfaitement reconnu et redouté. L'auteur ne s'est pas même arrêté là : Laurent avoue qu'il est Saissac ; il annonce à la fin qu'il va donner une sorte de proverbe dramatique où l'on verra un fils venger son père mutilé, sa sœur morte et ses vassaux perdus ; et l'intrépide Simon se laisse néanmoins mener lâchement à cette scène impossible, où une grille de fer, des chaînes automates, du sang, des cris, des larmes, forment un spectacle aussi intéressant et surnaturel que dans Anne Radcliffe ou les Mille et une Nuits.

Mais j'aime mieux laisser là ce genre de défauts et reconnaître en général que l'auteur a des qualités poétiques, et qu'il s'est fait un instant illusion en croyant qu'elles lui suffiraient pour mettre l'histoire en roman. Cette illusion lui a fait oublier qu'il manquait encore d'une indispensable condition, l'art de décrire soit les masses, soit les sites. Déjà dans les *Deux Cadavres*, au lieu de montrer en détail la grande salle où est le lit de Cromwel, et tous les corps de métiers de Londres, avec leurs allures pittoresques et leurs piquantes individualités, il se borne, dans son impuissance, à nous placer derrière un rideau de soie pour ne nous laisser entrevoir qu'un ou deux pauvres profils. A la grande soirée donnée dans son palais par le roi Charles II, c'est dans la petite chambre obscure, placée à côté de la salle du bal, que l'auteur nous retient entre trois ou quatre personnes, quand il aurait pu nous introduire préalablement dans le cercle éblouissant de ces figures anglaises d'un contraste si vif avec celles du Protectorat, parmi cette noblesse ressuscitée avec les Stuarts, vis-à-vis ces femmes élégantes et un peu roides, entre ces plafonds, ces galeries et ces illuminations splendides. J'aurais voulu voir là, mêlés à ce brillant tourbillon, quelques-uns des noms retentissants de l'époque ; un mot, une pensée de restauration, un personnage de baronnet, une tête marquante, celle, par exemple, de Valler, ce poëte de tous les pouvoirs, ou de Rochester, ce délicieux libertin ; avec cela la fougue de la danse, si aimée des Anglaises, les mille coquetteries des toilettes du temps ; et l'on se serait cru un moment dans un roman historique.

Même pénurie dans le *Comte de Toulouse*. Quand la foule se presse quelque part, ce sont des dialogues sans fin, jamais de description. Point de riante verdure, nulle part le moindre bouquet de fleurs pour nous reposer de toutes ces orgies, de tout ce sang nauséabond ; partout le style à la place des choses ou des personnes, partout les longues draperies de la phrase à la place du pittoresque et du costume. Ce n'est certes pas ainsi que M. Hugo traite ce même moyen âge, lorsque, dans Notre-Dame de Paris, il déroule savamment ces masses populaires si originales, qui vont se presser autour de la table de marbre ou sur les degrés du parvis de Notre-Dame. Ce n'est point ainsi que Walter Scott nous montre la même époque des croisades à ce fameux tournoi où vont lutter Richard Cœur-de-Lion, Ivanhoé et Guillaume de Bois-Briant. Saxons et Normands, Juifs, chevaliers et templiers, chacun dans cet admirable cadre a sa couleur correcte et inaltérable ; rien n'est confondu ni travesti.

L'auteur a bien senti son insuffisance sur ce point. Dans son embarras de ne pouvoir dépeindre la fête donnée au victorieux Montfort et le carrousel qui la suit, il renvoie naïvement aux descriptions de Kenilworth et d'Ivanh oé : « Dire des fêtes pour ne parler que de leur extérieur doré et de leurs détails, c'est une matière si magnifiquement exploitée, que nous ne nous hasarderons pas à les décrire après tant de belles descriptions. Quoique les jeux du château de Kenilworth , etc.» Et , en tournant la page : « Une autre crainte, dit-il , nous interdira aussi de représenter le carrousel et la passe d'armes qui eut lieu dans le préau du château. Que faire après le poëme d'Ivanhoé ? etc. »

Une chose cependant distingue le *Comte de Toulouse*, c'est la gaîté jetée au travers des épisodes violents , qui manque tout à fait aux *Deux Cadavres*, et qui ici fait une heureuse diversion à tant de longues et tristes dissertations et péripéties. Nous avions déjà remarqué dans le précédent roman une phrase burlesque sur les épiciers empoisonnés. Ici, cette veine de l'esprit de l'écrivain est mise à nu et donne abondamment. Goldéry, domestique romain du sire de Saissac , et Bérangère , caustique et presque licencieuse dans ses reparties , parlent souvent avec une gaîté et une hardiesse remplies de saillies. Chose remarquable ! ailleurs , dans les moments ténébreux de son drame, l'auteur écrit avec une plume lourde et contrainte ; son style est gros d'enflure et d'innovations : au lieu de dire : « Laurent était plongé dans la méditation » , il écrira : « Son œil devint terne, ses lèvres pendantes, et de sombres pensées s'accumulèrent en lui et y produisirent un orage qui éclairait *sur* son front en rides convulsives et profondes ; » il parlera d'*affectuosités*, ou il prêtera à Bérangère une interminable dissertation philosophique, qu'elle se fait à elle-même sur les diverses sortes d'amour. Mais qu'il ouvre la carrière à la bonne humeur de Goldéry, qu'il mette quelque allusion ironique dans la bouche de Bérangère, alors le style devient naturel et clair, l'auteur est à son aise ; ce n'est plus un sombre Albigeois qui déclame, c'est l'esprit parisien et dénoué, c'est la verve franche et simple qui éclate. L'auteur est là sur son terrain, il amuse et se fait goûter.

Il semble d'ailleurs l'avoir bien compris lui-même ; car, depuis long-temps, il a renoncé aux pages trop sérieuses de l'histoire pour en écrire de plus légères et de plus futiles , il est vrai , mais aussi de plus spirituelles et plus à la portée de son talent. S'il impose, avec d'autres , et suit en même temps la mode fatale du gaspillage littéraire, en produisant beaucoup et en méditant trop peu ; s'il a tort de lancer incessamment ces bulles de savon qui miroitent un instant et disparaissent, du moins ne gâte-t-il plus l'esprit qu'il a par celui qu'il voulait avoir. Ce sont encore, il est vrai, çà et là, des drames noirs et incorrects, une grande puissance et de la faiblesse ; mais il a mêlé tout cela d'esprit de salon, de bon ton moderne ; et puis c'est de l'imagination qui se donne pour ce qu'elle est, pour une fantaisie légère et non plus pour une sorte de mysticisme historique ; c'est un style dont, il faut le dire, la source n'est point pure, encore mêlé de grâvier, mais plus limpide cependant depuis qu'il a abandonné les hauteurs. C'est là ce que j'appelle la seconde manière de l'auteur.

FIN.

TABLE DES MATIÈRES.

— 295 —

Poitiers. — Imp. de A. Dupré.

www.ingramcontent.com/pod-product-compliance
Lightning Source LLC
Chambersburg PA
CBHW051313060726
PP18533700001B/5